新潮文庫

四色問題

ロビン・ウィルソン
茂木健一郎訳

新潮社版

9848

本書の執筆を勧めてくれた
故ジョン・フォーベルに捧ぐ

Picture Credits

p.37 copyright © April 1975 by *Scientific American*, Inc. All rights reserved; p.41: from TCD MS 1493/668, reproduced by courtesy of The Board of Trinity College, Dublin; pp.51, 129: courtesy of the London Mathematical Society; p.61: August Ferdinand Möbius, *Gesammelte Werke*, Hirzel, Stuttgart, 1885; pp.43, 75, 123, 171, 175, 183: collection of the author; p.81: P.-H. Fuss, *Correspondence mathematique et physique de quelques célèbres géomères du XVIIIème siècle*, St. Petersburg, 1843; p.108: *Illustrated London News*, 15 September 1883; p.140: reproduced from the *American Journal of Mathematics* courtesy of the Johns Hopkins Press; p.157: C. Knott, *Life and Scientific Work of Peter Guthrie Tait*, Cambridge University Press, 1911; p.188: reproduced from *The Quarterly Journal of Pure and Applied Mathematics* with permission from Oxford University Press; p. 237: from G. D. Birkhoff, *Collected Mathematical Papers* courtesy of the American Mathematical Society and Dover Publications; p.264: courtesy of Gerhard Ringel; pp.268, 269, 275, 283, 287: from H.-G. Bigalke, *Heinrich Heesch: Kristallgeometrie, Parkettierungen, Vierfarbenforschung*, Birkhauser, Basel, 1988, supplied by H.-G. Bigalke; p.291: courtesy of the University of Illinois at Urbana-Champaign; p.303: reproduced from the *Journal of Combinatorial Theory* with permission from Academic Press, Inc., Harcourt Publishing Division; p.305: courtesy of John Koch; p.315: reproduced courtesy of the *Illinois Journal of Mathematics*; p.311: courtesy of Kenneth Appel.

四色問題◆目次

序文　*11*

第1章　**四色問題**　*17*

四色問題とは何か？／どこが面白いのか？／重要なのか？／四色問題を「解く」とは？／誰が提起し、誰が解いたのか？／規則にしたがって色分けする／二つの例

第2章　**問題提起**　*39*

ド・モルガンの手紙／ホットスパーと『アシニーアム』／メビウスと五人の王子／混乱の影響

第3章　**オイラーの有名な公式**　*73*

オイラーの手紙／多面体から地図へ／隣国は五つだけ／数え上げの公式

第4章　ケイリーが問題を蘇らせて……　105
ケイリーの質問／ドミノ倒し／最小反例／六色定理

第5章　……ケンプが解いた　122
シルヴェスターの新しい数学誌／ケンプの論文／ケンプ鎖／バリエーション／ふたたびボルチモアにて

第6章　運の悪い人々　151
主教への挑戦／スコットランドへ／立体のまわりをまわる／世界一周／ちっぽけな惑星

第7章　ダーラムから飛んできた爆弾　182
ヘイウッドの地図／救出作業／帝国を塗り分ける／ドーナツの上の地図／かけらを拾う

第8章　大西洋を渡って　221
二つの基本概念／不可避集合を見つける／可約配置を見つける／ダイヤモンドに色を塗る／何通りの方法があるか？
第9章　新しい夜明け　261
ドーナツと交通巡査／ハインリヒ・ヘーシュ／ヴォルフガング・ハーケン／コンピュータの世界へ／馬蹄の塗り分け
第10章　成功！……　290
ヘーシュ－ハーケンの協力？／ケネス・アッペル／仕事にかかる／最後の猛攻／時間との戦い／余波
第11章　……けれどもそれは証明なのか？　326
冷たい反応／現代の証明とは何か？／その頃……。／新しい証明／未来

もっと知りたい人のために　350
用語集　353
四色問題年表　364
訳者あとがき　茂木健一郎　371
解　説　竹内　薫　375

この日曜日の朝に
恋人と僕は寝ころがって、
色分けされた国を見ている、
そして空の高いところで
ひばりたちが僕らのことを歌うのを聴く

A・E・ハウスマン『シロップシアの若者』

茶色い子牛とでっかい茶色い犬がいて、画家がそいつらの絵を描こうとしてるとしよう。画家は、お前が見た途端にそいつらを見分けられるように描かなきゃならないだろう? もちろんそうだ。それならお前は、どっちも茶色に塗ってほしいと思うかい? もちろんそうは思わないだろう? だから片っぽを青く塗るんだ。そうすりゃ、お前も間違えようがない。地図も同じだ。全部の州が違う色に塗ってあるのは、そのためなんだ。

マーク・トウェイン『トム・ソーヤーの外遊』

地図は平面上に印刷されていたので、すべての州が隣りの州と違う色になるように塗り分けるには四色あれば十分だった。地球儀のような球面上でも四色あれば十分だった。ところが、ドーナツのようなトーラス上に地図を印刷しようとすると、州の形を区別できるように塗り分けるには七色もの色が必要になる。もちろん、ドーナツの上に印刷されたアメリカ地図にお目にかかる機会がめったにない理由は、他にもいくつかあるのだが。

トム・ロビンズ『スキニー・レッグズ・アンド・オール』

序文

数学の問題が一般の人々の興味を引くことはめったにない。けれども、地図の塗り分けに関する四色問題は、一世紀半もの長きにわたって、数学の難問の中で「最も有名」とまでは言えないまでも「最も有名なものの一つ」であり続けた。そして、幾千人のパズル愛好家、アマチュア数学者、そしてプロの数学者たちが、これを解こうと悪戦苦闘を重ねてきたのである。

本書では、四色問題の歴史とその解をめぐる愉快な歴史をご紹介したい。物語を紡《つむ》ぎ出すのは、ルイス・キャロル、ロンドン主教、フランス文学の教授、エイプリル・フールに多くの人々をかついだいたずら者、ヒースを愛した植物学者、ゴルフ狂の数学者、一年に一度しか時計の時刻を合わせない男、新婚旅行の間じゅう地図を塗っていた新郎、そして、カリフォルニアの交通巡査など、興味深く、一癖も二癖もある人ばかりである。

本文では、問題を定義してから証明の要点を説明し、それが引き起こした哲学的な問題について解説する。その他に、ドーナツの上の地図から帝国や馬蹄《ばてい》の塗り分けまで、四色問題に関連した塗り分け問題の概要も説明する。

さらに、簡単に参照できるよう、本文の後には、参考文献、本書の中で使用した専門用語の用語集、四色定理の物語における主要な出来事の年表をつけた。

フランク・アレーア、ケン・アッペル、ハンス＝ギュンター・ビガルク、ノーマン・ビッグス、アンドリュー・ボウラー、ジョイ・クリスピン＝ウィルソン、ロバート・エドワーズ、ポール・ガルシア、ヴォルフガング・ハーケン、フレッド・ホルロイ、ジョン・コッホ、シュテファン・マグラス、ドナルド・マッケンジー、バーバラ・ミーンホート、デイヴィッド・ネルソン、スーザン・オークス、トビー・オニール、エイドリアン・ライス、ゲルハルト・リンゲル、テッド・スウォート、スタン・ワゴン、イアン・ワンレス、ダグラス・ウッドール、そして、ジョン・ウッドラフに感謝を捧《ささ》げる。彼らはわたしに価値ある文献を提供し、あるいは、本書をより良いものにするための助言を与えてくれた。

本書が出版されるのは、四色問題が誕生してから一五〇周年、その証明が発表されてから二五周年という記念の年に当たっている。

二〇〇二年五月

ロビン・ウィルソン

四色問題

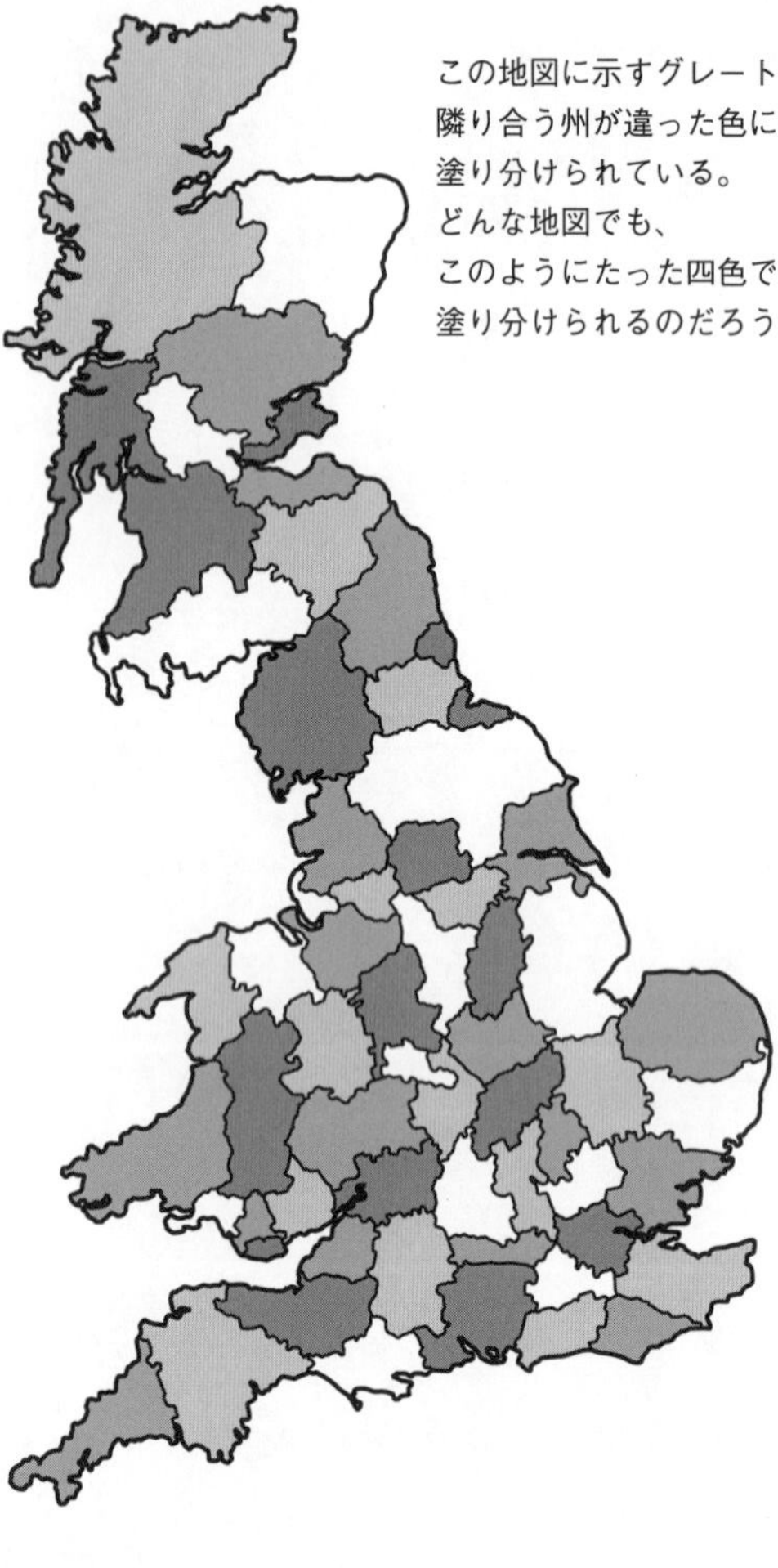

この地図に示すグレートブリテン島は、
隣り合う州が違った色になるように
塗り分けられている。
どんな地図でも、
このようにたった四色で
塗り分けられるのだろうか？

第1章　四色問題

歴史の旅に出る前に、いくつかの基本的な質問に答えておく必要があるだろう。最初の質問は、もちろんこれだ。

四色問題とは何か？

四色問題を提示することは、非常に簡単である。それは、地図の色分けについての問題だ。われわれが地図に色を塗るときには、ごく自然に、隣り合う国々を違った色で塗り分けようとするものだ。その方が区別しやすいからである。それでは、地図全体に色を塗るには、どれだけの色が必要なのだろうか？

一見すると、地図が複雑になればなるほど、多くの色が必要になるように思われるかもしれない。けれども、驚いたことにそうではない。どんな地図でも、多くても四色あれば、塗り分けられてしまうようなのだ。例えば、前ページのグレートブリテン島の地図でも、すべての州はたった四色で塗り分けられている。つまりはこれが四色問題だ。

四色問題
四色あれば、どんな地図でも
隣り合う国々が違う色になるように
塗り分けることができるのか?

どこが面白いのか?

パズルを解くことは、純粋な息抜きや娯楽になる。ジグソーパズルやクロスワードパズルと同様に、四色問題は、何時間にもわたる楽しみ——と挫折《ざせつ》——を多くの人々に提供してきた。その面白さは、挑戦という観点からも理解できる。登山家にとって、山々は乗り越えるべき重大な物理的障害物である。同様に、提示するのは非常に簡単なのに、解くのはおそろしく難しそうな四色問題は、数学者にとっては、とてつもなく複雑な知的挑戦の対象なのである。

重要なのか?

意外かもしれないが、地図製作に携わる人々は、四色問題を全然重視していない。数学史家のケネス・メイは、この問題の起源に関する一九六五年の論文の中で、以下のように述べている。

米国議会図書館に収蔵されている大量の地図帳を調べてみても、使用する色の数を最小限に抑えることへのこだわりは見られない。四色しか使用していない地図は稀《まれ》にしかなく、その場合も、実際には三色あれば十分であることが多い。地図製作法や地図製作の歴史を扱う書物において、地図の彩色をめぐる各種の問題が論じられることは珍しくない。けれどもそこに、四色問題への言及はない。四色あればどんな地図でも塗り分けられるという予測の起源は地図製作にはなく、応用もそこにはないのである。

同様に、キルトやパッチワークの製作者、モザイク工らも、組み合わせる布やタイルの色を四色に制限することには、まったく興味がないようだ。

けれども、四色問題は、物好きのための暇つぶしにはとどまらない。たしかに娯楽的な要素はあるものの、長年にわたる各種の試みがエキサイティングな数学の発達を促し、現実世界の重大問題の解決に応用されてきたこともまた事実なのだ。実践的なネットワーク問題（道路や鉄道のネットワークや通信網などに関する問題）の多くは、もとをたどれば地図の塗り分け問題に帰着する。さらに、四色問題と関係の深いグラフ理論（いくつかの点を線で結ぶときに生じる関係についての研究）に関する最近の著作によれば、この分野全体の進展が、四色問題を解こうとする試みに由来しているという。計算理論においても、近年のアルゴリズム（問題を解決するための段階的な手続き）研究は、色塗り問題につながっている。四色問題そのものは数学の主流に属しているとは言えないが、それをきっかけとする進歩は、数学の進化にとってますます重要な役割を果たすようになってきているのだ。

四色問題を「解く」とは？

「四色定理を証明する」とは、四色あればどんな地図でも――世界地図から架空の地図まで――塗り分けられると示すことである。命題が間違っている場合には、五色以上なければ塗り分けられないような地図を示すことにより、その事実を証明しなければならない。ここで、例示する地図は一種類で十分だ。ところが、命題が真実である場合には、考えられるすべての地図について、その正しさを証明しなければならない。何百万種類、何十億種類の地図を塗ってもまだ足りない。その他になお、五色以上なければ塗り分けられないような配置の地図を見落としている可能性があるからだ。数学以外の科学なら、任意の仮説の基礎にある仮定や実際に行われた実験によりそれが圧倒的に正しそうに見えるなら、仮説の正しさは証明されたと言ってよい。けれども、数学の証明は絶対的でなければならず、例外は許されない。四色定理を証明するには、あらゆる地図に当てはまる一般的な論証方法を発見しなければならず、さらにこの発見のためには、多くの理論的手続きの発達を待たなければならなかった。

誰が提起し、誰が解いたのか？

後で詳しく説明するように、フランシス・ガスリーによって四色問題が最初に提起されたのは一五〇年あまりも昔のことである。けれども、どんな地図でも四色で塗り分けられることが確実になったのは、それから一世紀以上にわたって人々が地図の塗り分けに挑戦し、必要な理論的手続きを開発してからのことだった。その後もなお、困難な哲学的疑問が残された。最終的に四色問題を解いたのはヴォルフガング・ハーケンとケネス・アッペルで、一九七六年のことだった。彼らの方法はコンピュータに一〇〇〇時間以上も計算させるというものであったため、この知らせは熱狂と落胆をもって迎えられた。特に、数学者の間では、人間の手で結果を直接確認できない場合に、問題が解決されたと考えてよいのかという点をめぐって、今日もなお論争が続いている。

規則にしたがって色分けする

四色問題の歴史についてお話しする前に、四色問題とその基礎にある仮定について、もっと明確に説明しておく必要がある。例えば、ここで言う「地図」とは何だろう?

われわれが普通に思い浮かべる地図には、国々や領域が描かれている。イギリスやアメリカの地図の一部なら、州が描かれている。国々の境界は数本の境界線からなり、境界線はさまざまな交点で交わっている。一本の境界線を共有する二つの国は「隣り合っている」と言われる。図1で言えば、A国とB国は隣り合っている。

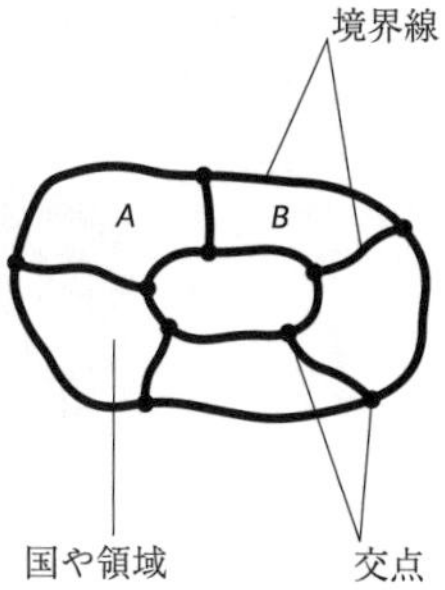

図1

地図に色を塗る際には、隣り合う国が違う色になるように塗るのが普通である。地図の中には、四色ないと塗り分けられないものがあることに注意されたい。図２ａには、相互に隣り合う四つの国が描かれている。どの国も違う色にしなければならないので、この地図を塗るには四つの色が必要だ。こうしたケースは実際に起こりうる。図２ｂのベルギー、フランス、ドイツ、ルクセンブルクはすべてが相互に隣り合っているので、この地図は四色ないと塗り分けられない。

地図の中には、塗り分けるのに四色も必要としないものがある。例えば、図３はどちらも、外側の環《わ》になっている国を二色で互い違いに塗り分けて、真ん中の国に第三

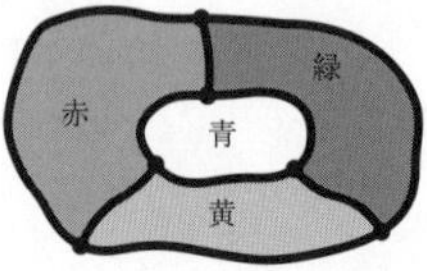

図2a

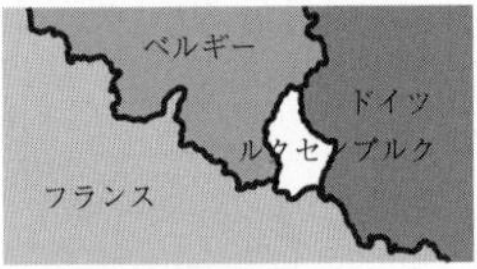

図2b

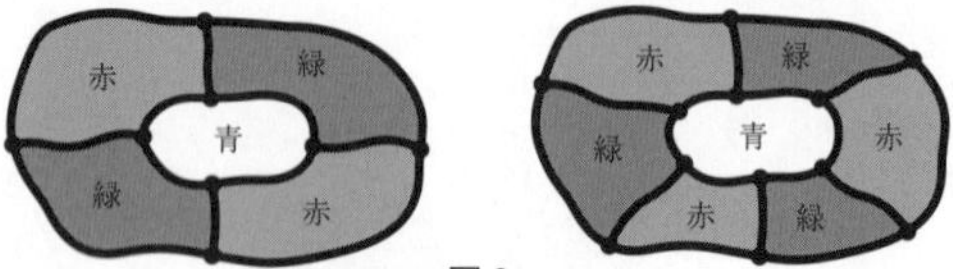

図3

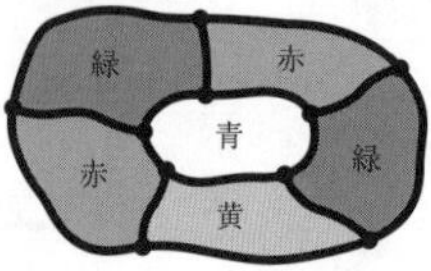

図4

の色を割り当てれば、合計三色で間に合うことになる。

相互に隣り合う四つの国を含んでいなくても、四色ないと塗り分けられない地図があることに注意されたい。図４では、五つの国からなる外側の環を二色で互い違いに塗り分けることはできず、第三の色が必要である。真ん中の国はこれとは違う色で塗らなければならないので、合わせて四色が必要になる。

同じ状況は、アメリカの連結した四八州（アラスカとハワイを除く）を塗り分ける際にも生じる。図５の

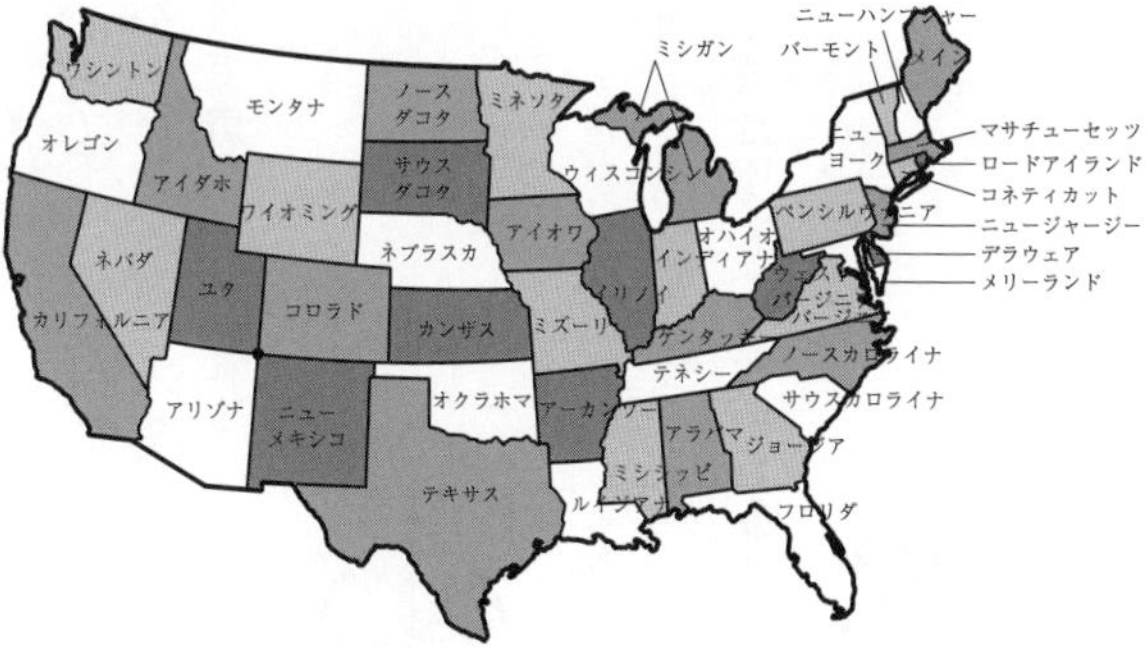

図5

地図を見ると、西部のネバダ州は、オレゴン、アイダホ、ユタ、アリゾナ、カリフォルニアの五つの州の環に囲まれている。この環になった州を塗り分けるには三色が必要で、真ん中のネバダ州は第四の色で塗らなければならない。あとは、四色によるこの塗り分けを全体に拡張すれば、上のように全体を塗り分けることができる。

この地図について、もう少し考えよう。まずは、ユタ、コロラド、ニューメキシコ、アリゾナの四州が一点で会していることに注目してほしい。ここで、二つの地域が一点で接している場合には、同じ色で塗ってよいという取り決めをしておこう。そうすれば、ユタとニューメキシコ、あるいは、コロラドとアリゾナは同じ色で塗ってよい。この取り決めがないと、いわゆる「パイ地図」を描けば、任意の数の色を必要とする地図ができてしまう。例えば、次の八等分のパイ地図は、八切れのすべてが中心で接しているので、八色ないと塗り分けられないことになってしまうのだ。前述の取り決めをしておけば、この地図は二色で塗り分けられる。

図6

二色だけで塗り分けられるお馴染《なじ》みの「地図」としては、この他にチェス盤がある。四つの正方形が会する点のまわりを黒と白で互い違いに塗り分ければ、次の図のように普通のチェス盤の色分けになる。

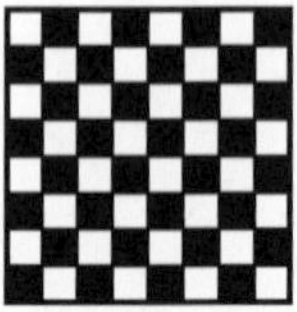

図7

アメリカの地図に関するもう一つの注意点は、五大湖の一つによって二分割されているミシガン州はどちらも同じ色に塗らなければならないという点である。アメリカの地図のように、地域や州が分割されていても問題にならない場合もあるが、次の図のように、「1」と書かれた二つの領域が一つの国を構成している場合はどうだろう？　このとき、五つの「国」のそれぞれが残りの四つの国と境界線を共有しているため、五色が必要ということになってしまう。

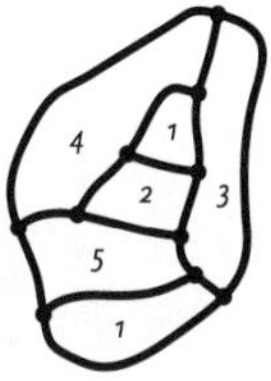

図8

以後、一つの国は一つにまとまっていることを要請することで、好ましからざる状況を回避することにしよう。

塗り分けの際に「外部領域」の色を考慮したがる人もいるが、一般に、外部領域の色を考慮するかどうかは取るに足りない問題だ。外部領域は、(環になった) もう一つの国と考えればよいからである (次ページ図9)。

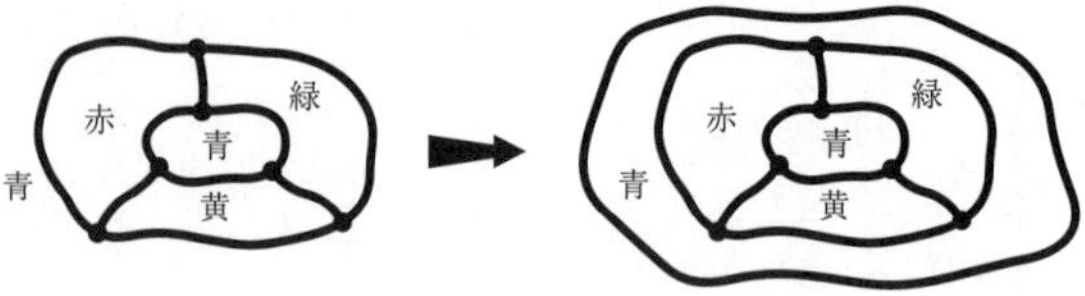

図9

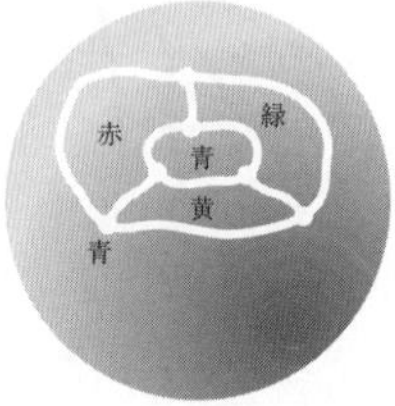

図10

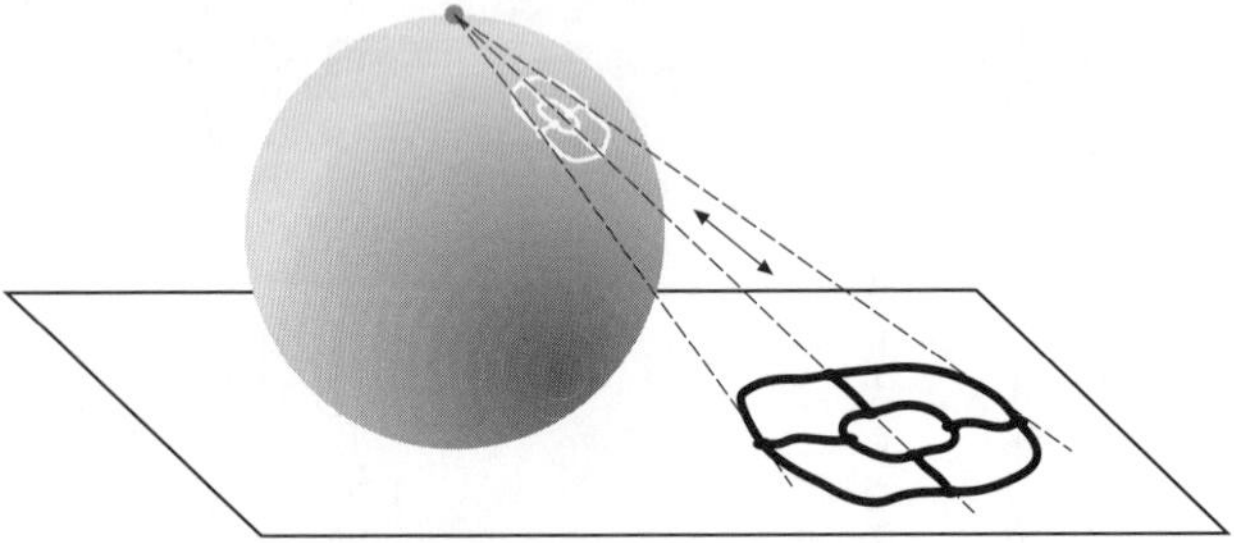

図11

けれども、外部領域については、もっとうまい考え方がある。その地図が、平面ではなく地球儀の上に描かれていると考えるのだ。そうすると、外部領域は、他の領域となんら違いがないものになる（図10）。

実際、平面上に地図を描くことは、地球儀の上（数学用語で言えば球面上）に地図を描くことと等価である。図11は、平面の上に球が載っているときに、球面上の点を平面上に射影する「立体射影」の方法を説明している。球面上に描かれた任意の地図は、北極から平面上への射影により、平面上の地図になる。逆に、平面上に描かれた任意の地図は、球面上に射影することができるのだ。

こうした射影は、地図の塗り分けに影響を及ぼさないことに注意されたい。隣り合う二つの国が赤と緑で塗られていれば、射影後の地図も赤と緑で塗ることができる（どちらの方向への射影でも同じである）。したがって、四色問題は、球面上の地図を塗り分ける問題として言い換えられることになる。

球面上の四色問題
四色あれば、球面上に描かれたどんな地図でも隣り合う国々が違う色になるように塗り分けることができるのか？

球面上に描かれた地図に関する四色問題を解くことができれば、ただちに、平面上に描かれた地図に関する四色問題の解が得られる。逆に、平面上に描かれた地図に関する四色問題を解くことができれば、ただちに、球面上に描かれた地図に関する四色問題の解が得られる。ゆえに、四色問題を考える際には、地図は平面上に描かれたものでも球面上に描かれたものでもよく、その外部領域は塗っても塗らなくてもかまわないことになる。

この他にも、四色問題の本質に影響を及ぼすことなく説明を簡単にするのに役立つ単純化の方法がある。まず、ほとんど言うまでもないことだが、われわれは一つにまとまっている地図だけを考えればよい。複数の断片に分かれた地図は、それぞれの断片を一つの独立した地図として扱い、個別に塗ることができるからだ。同様に、一点のみでつながっている断片からなる地図も除外することができる。ここでもまた、各断片を個別に塗ることができるからだ。特に、一本しか境界線のない国は無視してよい。結局、左図のような地図はすべて無視することができる。

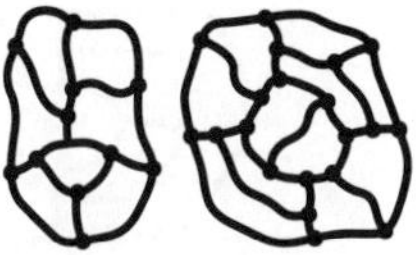

複数の断片に分かれた地図

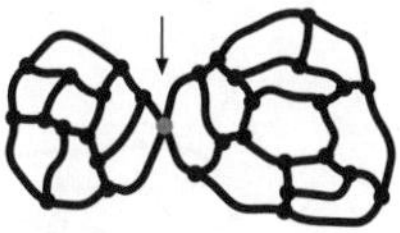

複数の断片がつながっている地図

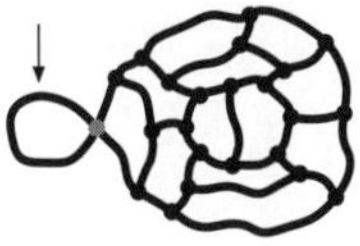

境界線が一本しかない国

図12

最後に、各交点では少なくとも三本の境界線が会していると仮定してよい。会している境界線が二本しかない交点は、除去しても塗り分けに影響を及ぼすことはないからだ（図13）。

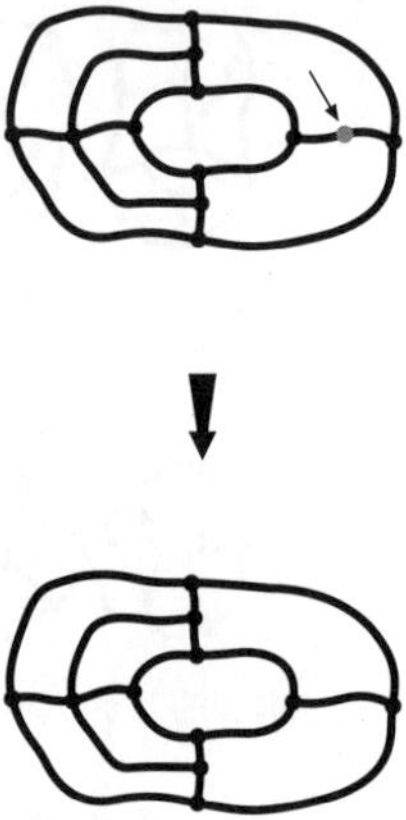

図13

第4章で説明するように、四色問題を解くにあたっては、すべての交点でちょうど三本の境界線が会している地図だけを考えればこと足りる（図14参照）。このような地図はよく出てくるので、「三枝《さんし》地図」と呼ばれている。興味のある方は、この地図を四色で塗ってみてほしい。三色だけで塗れるだろうか？

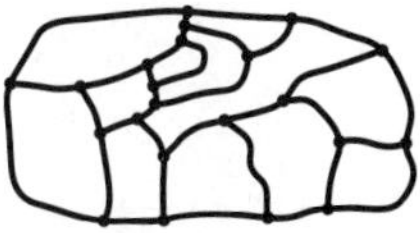

図14

二つの例

平面上の地図の塗り分けに関する練習問題を二問だけ考えて、この章を終わりにしよう。

例1

図15の地図で、三つの国には既に色が割り当てられている。赤、青、緑、黄の四色で全体を塗り分けるには、どうすればよいか？

まずは、緑と黄色で塗られた国々と境界線を共有しているA国は、青か赤で塗らなければならないことに注意されたい。この二つの可能性について、順番に考えてみよう。

A国を青で塗ったら、青、緑、黄色で塗られた国々と境界線を共有しているF国は赤で塗らなければならない。ならば、D国は緑、E国は黄色で塗らなければならず、結局、左のように塗り分けることになる。

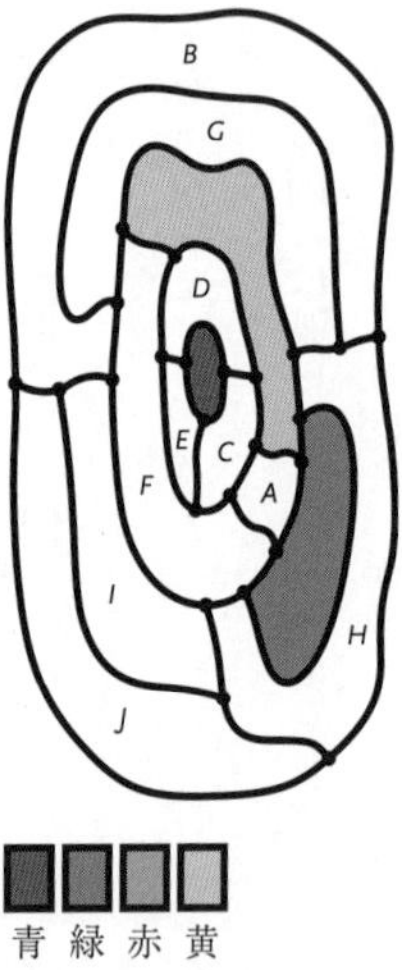

図15

けれどもそうすると、C国を塗ることができなくなる。C国と境界線を共有する国々は、四色すべてで塗られているからである。そこで、A国を青で塗ることは許されず、赤で塗らなければならないことが分かる。

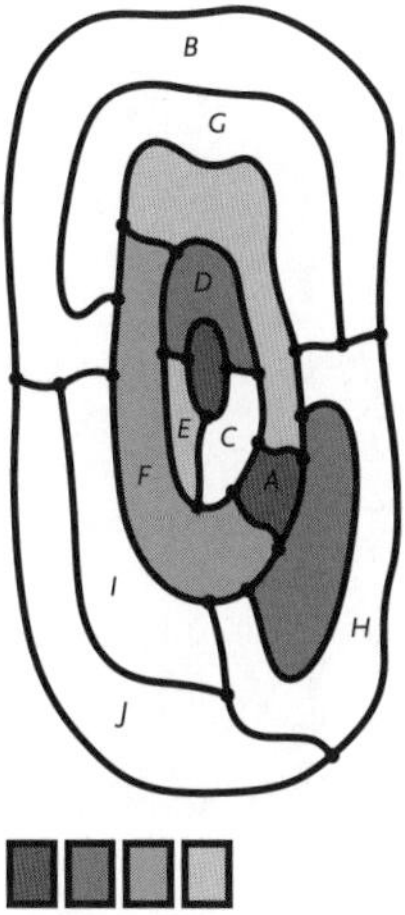

図16

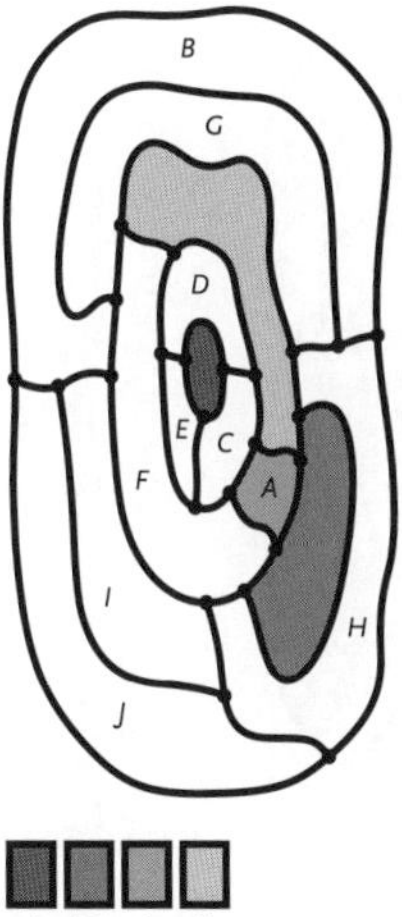

図17

このとき、F国は青で塗らなければならず、C国は緑、D国は赤、E国は黄色になる。さらに、H国は赤、G国は緑、B国は黄色、I国は緑、J国は青で塗ることができ、これで塗り分けは完了する。

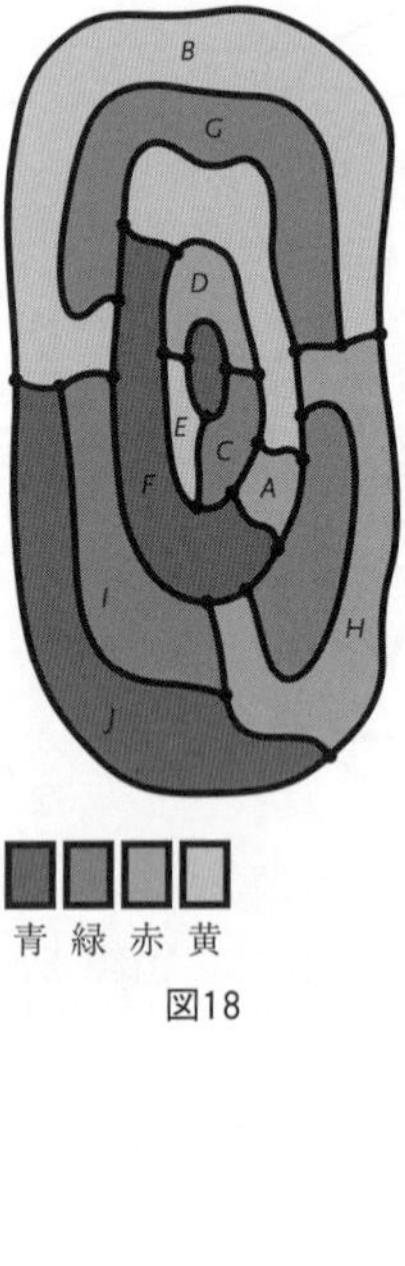

図18

例2

第二の例は、エイプリル・フールの冗談として、『サイエンティフィック・アメリカン』の人気数学コラムに掲載されたものである。当時、このコラムを連載していたマーティン・ガードナーが（その多くは後にまとめられて単行本になっている）、一九七五年四月一日号に、「なぜか話題にならなかった六つのセンセーショナルな発見」

図19

というタイトルのいたずら記事を載せたのだ。彼は、チェスをする機械の発明(当時は実現不可能だと考えられていた)、アインシュタインの特殊相対性理論の誤りを立証する思考実験の提案、水洗トイレの最初の発明者がレオナルド・ダ・ヴィンチであったことを裏づける古文書の発見などとともに、次のような嘘《うそ》の報告をした。

この一年間に純粋数学の分野でなしとげられた最もセンセーショナルな発見と言えば、もちろん、悪名高き四色地図定理の反証の発見である。……ニューヨーク州ワッピンガーズ・フォールズ在住のグラフ理論家ウィリアム・

マクレガーが昨年一一月に作成した一一〇の領域からなる地図は、五色以下では塗り分けることができない。

同誌の一九七五年七月の号には、四月一日のコラムがエイプリル・フールの冗談であったというガードナーの広告が掲載され、このコラムに対して一〇〇〇通以上の手紙が届き、数百人の読者が四色で塗り分けた地図を同封してきたという顚末《てんまつ》が報告された。問題のマクレガーの地図を図19に示す。皆さんはこれを四色で塗り分けることができるだろうか？

第2章　問題提起

数学の問題には珍しく、四色問題の起源は正確に追跡することができる。すべては、一八五二年にロンドンで書かれた一通の手紙から始まったのだ。それにもかかわらず、長年にわたって、この問題の起源はもっと古く、一八四〇年頃にドイツで行われた講義にまで遡《さかのぼ》ることができると信じられてきた。われわれの歴史物語は、二つの説を検証して、このような混乱がなぜ生じたのかを明らかにすることから始まる。

ド・モルガンの手紙

一八五二年一〇月二三日、ロンドンのユニヴァーシティー・カレッジの数学教授オーガスタス・ド・モルガンは、アイルランド人の著名な数学者であり物理学者でもあるウィリアム・ローワン・ハミルトン卿《きょう》に宛《あ》てて、一通の手紙を書いた。このこと自体は、とりたてて珍しいことではなかった。二人は長年の文通友達で、家族の近況を知らせたり、ロンドンとダブリンの科学界における最新のゴシップを報告したりする他に、自分の数学研究についても少しは打ち明けていたからである。二人とも、この文通から数学の歴史物語が紡《つむ》ぎ出されることになるとは予想だにしていなかったに違いない。けれども、四色問題は、たしかにこの手紙から始まったのだ。

親愛なるハミルトン様――

今日、わたしの学生が、ある事実の理由を教えてほしいと言ってきました。ところがわたしは、その「事実」が本当なのかどうか、今になっても分からないのです。彼によると、一つの図形を任意の方法で分割して各部分に色を塗るとき、境界線を共有する部分どうしが違う色になるようにすると、四色が必要になることはあっても、それ以上必要になることはないそうです。四色なければ塗り分けられない例として、彼は次の図を示しました。

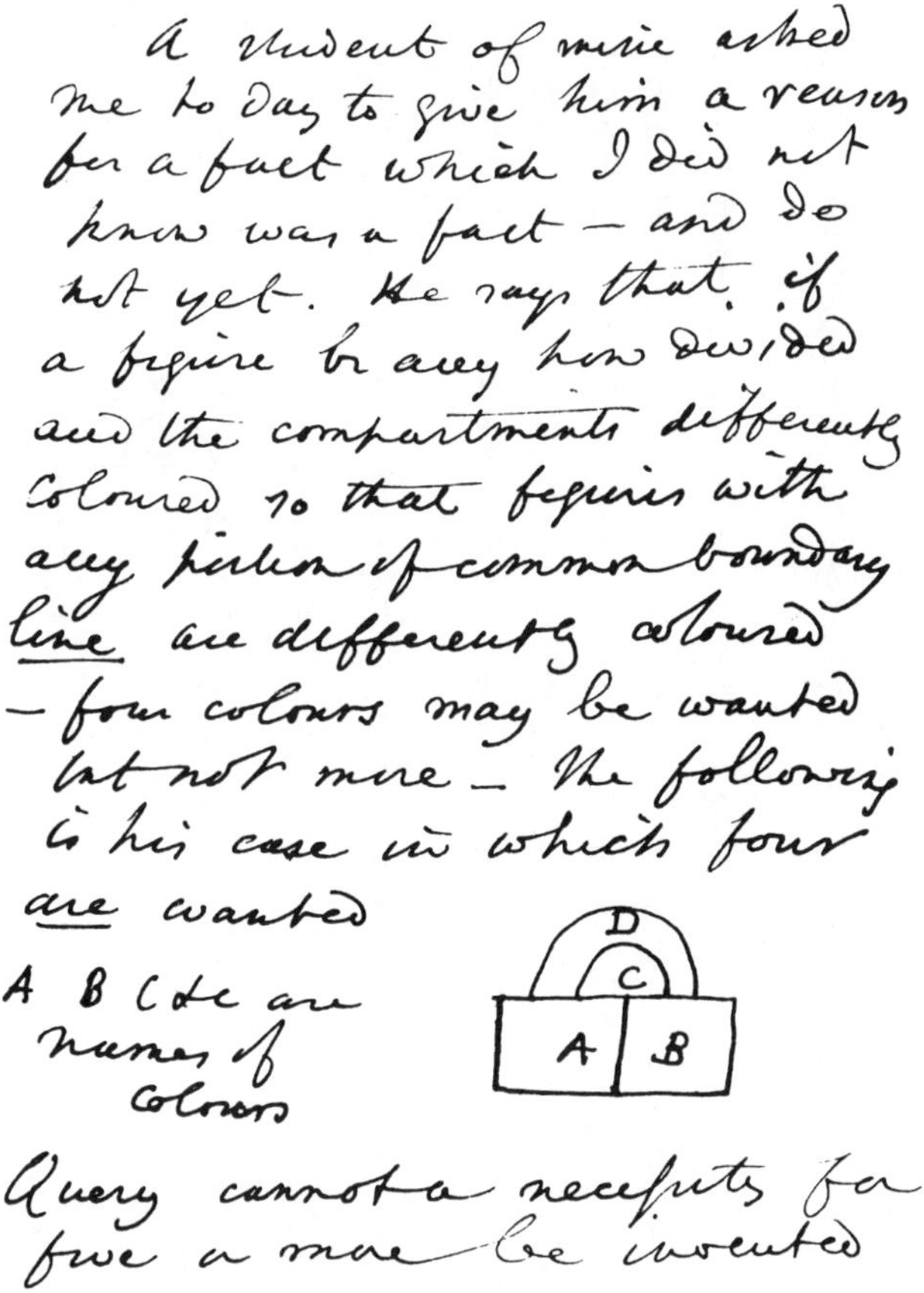
A student of mine asked me to day to give him a reason for a fact which I did not know was a fact — and do not yet. He says that if a figure be any how divided and the compartments differently coloured so that figures with any portion of common boundary line are differently coloured — four colours may be wanted but not more — the following is his case in which four are wanted

A B C &c are names of colours

Query cannot a necessity for five or more be invented

図1　1852年10月23日にオーガスタス・ド・モルガンがウィリアム・ローワン・ハミルトン卿に書いた手紙の一部

問題は、五色以上ないと塗り分けられないような地図はないのだろうかということです……。

あなたはどう思われますか？　この事実が本当なら、広く知られているのでしょうか？　わたしの学生は、イングランドの地図を塗っているときに、このことに気づいたと言っているのですが……。これについて考えれば考えるほど、正しいように思われます。非常に簡単な反証をあなたに示されでもしたら、わたしは自分の間抜けさに絶望して、スフィンクスに倣《なら》うしかなくなるかもしれません……。

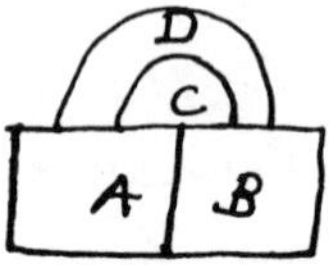

図2　ABCDは色の名前

スフィンクスに倣うとは、穏やかではない。古代の神話に登場するスフィンクスは、オイディプスに難しい謎《なぞ》かけをして正解されると、崖《がけ》から身を投じて自殺したと伝え

図3　フランシス・ガスリー（1831−99）。四色問題の考案者。

られているからだ。ちなみに、彼女が出した謎とは、「朝は四本、昼は二本、夜は三本の足で歩く動物は何か?」というもので、その答えは「人間（赤ん坊のうちは四つんばいで、大人になると二本足で歩き、年をとれば杖《つえ》をつく）」だった。
それから何年もたってから、運命の日にド・モルガンに質問をした学生がフレデリック・ガスリーだったことが明らかになった。彼は後に物理学教授になり、ロンドン物理学会の設立者にもなっている。ただ、イングランドの地図を塗っていたのは彼ではなかった。一八八〇年に、ガスリーは以下のように回想している。

三〇年ほど昔、わたしがド・モルガン教授の講義をとっていた頃、この講義を修了して間もない兄のフランシス・ガスリーから（彼は現在、ケープタウンにある南アフリカ大学の数学教授である）、線によって連結されている地域が同じ色にならないように地図を塗るのに必要な色は最大でも四色であるという事実を教えられた。これだけ長い時間が経過した今となっては、当時の彼の証明をご紹介するべきではないだろう。ここでは、重要な図を欄外に示すだけにする。

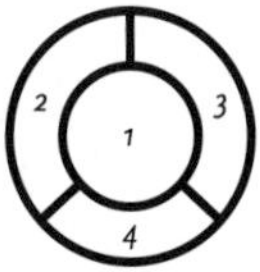

図4

わたしは兄の承諾を得て、この定理をド・モルガン教授に提出した。彼はこれを大いに喜び、新しい問題として受け取ってくれた。後にド・モルガン教授の講義をとった人々から聞いた話では、彼は常に、この情報の提供者に謝意を表していたという。

　わたしの記憶が確かなら、兄の証明は、本人にとっても満足にはほど遠いものであったようだ。それでも、この問題に興味を持つ人々には、彼のことを知っておいていただきたいのだ……。

　つまり、四色問題の提唱者を名乗ることができるのは、フレデリック・ガスリーの兄のフランシスであるというのだ。もっとも、彼がどんな「証明」をしたのかは知られていない。フランシス・ガスリーは、ユニヴァーシティー・カレッジのド・モルガンの下で学んだ後、一八五〇年に文学士号を取得した。その二年後に法学士号、一八五七年に弁護士の資格を取得した彼は、後に南アフリカに渡ってすばらしい成功をおさめた。最初はケープ植民地のグラーフ・レイネに新設された大学、続いてケープタウンの南アフリカ大学の数学教授になったのである。ガスリーは誰からも愛される人気者で、趣味の植物学にも貢献し、*Guthriea capensis* という植物と *Erica guthriei* というヒースの一種の学名にその名を残している。ただ、今日でもときどき「ガスリーの問題」と呼ばれている地図の塗り分け問題に関しては、何の論文も発表していない。

四色問題を三次元に拡張しても面白くないことを最初に発見したのは、フレデリック・ガスリーだったようである。実際、三次元の「国」というものを認めるならば、好きなだけ多くの色を必要とする地図ができてしまう。兄についての覚書の中で、彼は、数本のしなやかな棒（あるいは色つきの毛糸）が互いに触れ合っている様子を例としてあげている。どの棒も、触れている棒とは違う色でなければならないので、棒の本数と同じ数の色が必要になる。ガスリーが描いた図には五本の棒が描かれているので、これらを塗り分けるには五色が必要だ（図５）。

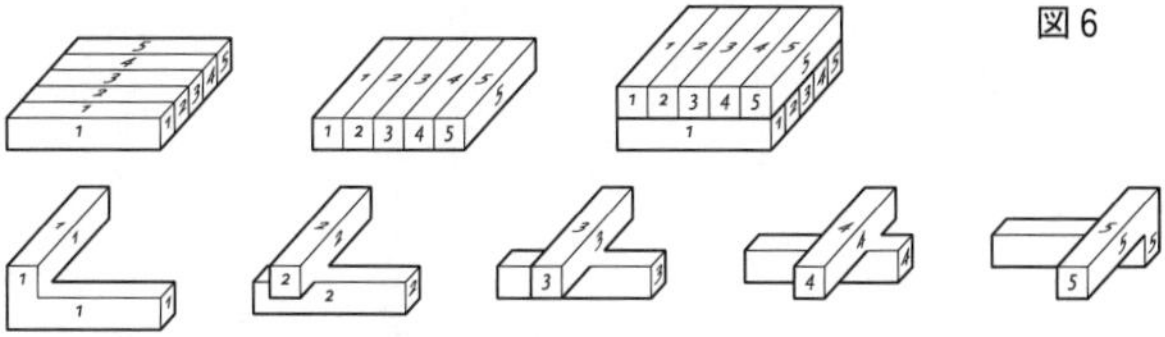

図6

三次元の例をもう一つあげよう。これは、後にオーストリア人の数学者ハインリヒ・ティーツェが説明に利用したもので、まずは、1からnまでの数字をつけた棒を横に並べ、その上に、1からnまでの数字をつけた棒を縦に並べる（図6）。次に、同じ数字がついている縦横の棒を組み合わせて（一つの「国」として）接着すると、三次元の国がn個できる。この国々は互いに触れ合っているので、塗り分けるにはn色が必要だ。ここで、nは好きなだけ大きな数にすることができる。上の図は、n＝5のときに五つの国を作る方法である。

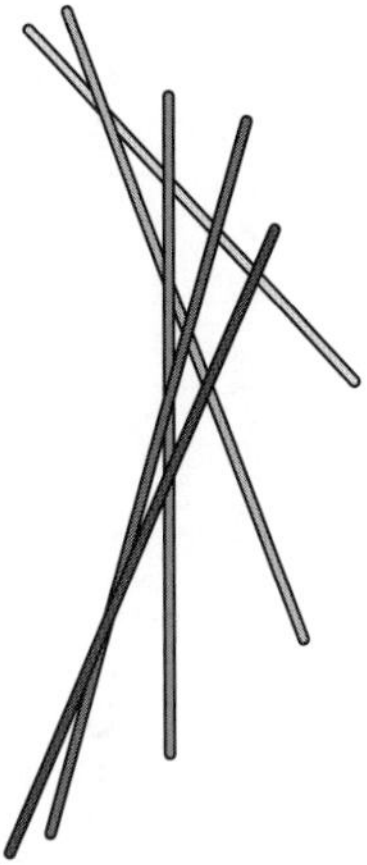

図5

ホットスパーと『アシニーアム』

オーガスタス・ド・モルガンもウィリアム・ローワン・ハミルトン卿も、一八五二年には既に成功をおさめていた。ド・モルガンは、ケンブリッジ大学を卒業後、ロンドンに新設されたユニヴァーシティー・カレッジの最初の数学教授になり、三〇年以上にわたってその地位にあった。著作も多く、風変わりで独特な文章スタイルで知られていた。主な業績としては、『パラドックス集』という大衆向けの著作、集合理論における「ド・モルガンの法則」、数理論理学への貢献などがある。ハミルトンは、五歳にしてラテン語、ギリシャ語、ヘブライ語に通じ、一四歳でアラビア語、サンスクリット語、トルコ語などを話した神童で、ダブリンのトリニティー・カレッジ在学中にアイルランド王室天文学者に任命され、一八六五年に亡《な》くなるまでその地位にあった。

前述のとおり、ド・モルガンがハミルトンに手紙を書いたのは、一八五二年の一度きりではない。彼らは、三〇年間、定期的に文通を続けていたのだ。ただ、実際に顔を合わせたことは一度しかなく、一八三〇年頃のことだったという。ちなみに、このとき二人を引き合わせたチャールズ・バベッジは、いわゆる「解析機械」を設計したことで知られている。この機械は、一世紀後に発明されることになるプログラム可能なコンピュータのさきがけとなるものだった。実は、ド・モルガンとハミルトンが同じ場所に居合わせたことがもう一度あった。それは、天文学者であり数学者でもあったジョン・ハーシェル卿《きょう》のために催されたフリーメーソンの晩餐会《ばんさんかい》でのことだった。あいにく、このときは会場が非常に混雑していたため、二人が話をすることはできなかった。

ド・モルガンは、地図の塗り分けに関する手紙を書きながら、ハミルトンがこの問題に興味を示すことを期待していたにちがいない。彼自身は、ハミルトンの研究に興味を持っていたからである。ハミルトンは、四元数《しげんすう》研究の草分けとして知られている。数学演算の多くは可換で、順序を入れ替えても同じ結果になる。例えば、われわれに馴染《なじ》みの数の加法と乗法は可換である（$3+4=4+3$、$3\times4=4\times3$）。ところが、ハミルトンの四元数では、乗法は可換ではない。彼の「数字」は$a+bi+cj+dk$という四つの項の和として表され（ここで、a、b、c、dは実数で、$i^2=j^2=k^2=-1$）、$i\times j=k$に対して$j\times i=-k$、$k\times i=j$に対して$i\times k=-j$など、その乗法は可換ではない。

実際には、地図の塗り分け問題に対するハミルトンの反応はそっけなく、「あなたの色の〝四元数〟の問題に今すぐ挑戦することはできそうにありません」という、いかにも彼らしい返事をよこしただけだった。ド・モルガンはくじけることなく、他の数学者たちにも手紙を書いて、この問題への興味を持たせようとした。彼は、問題の複雑さにすっかり魅了されていたのである。ハミルトンへの最初の手紙にも、その難しさがどこにあるのかを説明しようとするくだりがある。

現時点で分かっているのは、四つの基本的な区画がそれぞれの境界線を他の区画のどれか一つと共有しているときには、一つの区画は三つの区画に囲い込まれてしまうため、第五の区画と接することがないということです。これが本当なら、どんな地図でも四色あれば塗り分けられ、一点で接しているものを除けば、隣り合う区画が同じ色にならないようにできるはずなのです。

図7　オーガスタス・ド・モルガン（1806−71）

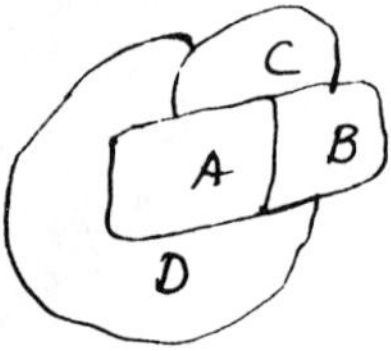

図8

このように、境界線を共有する三つの区画A、B、Cを二個ずつ組み合わせながら描いていると、第四の区画は、三つの区画のいずれかを囲い込まないかぎり、そのすべてと境界線を共有することはできないように思われます。もっとも、これは慎重を要する作業なので、どんな囲い込み方についてもそうなるという確信はありません。あなたはどう思われますか？　この事実が本当なら、言及されたことがあるのでしょうか？

ド・モルガンはここで、「地図に四つの領域があり、各領域が他の三つの領域と接しているときには、どれか一つの領域は他の三つによって完全に囲まれていなければならない」という事実に気づいている。彼は、問題の核心はここにあると信じ込み（実際には誤解だったのだが）、ついには、この考えにすっかり取りつかれてしまった。ただ、その正しさを証明することはできなかったので、これを公理（彼の定義によれば、「より単純な命題に従属させられないことが明らかな命題」）として仮定することを提案した。

一八五三年の一二月には、ケンブリッジ大学トリニティー・カレッジ長の有名な哲学者ウィリアム・ヒューエルへの手紙の中でこの発見を報告し、「完全な休眠状態」のまま放置されていた数学の公理が地図の塗り分け問題によって目覚めたと説明している。

わたしはやがて、以下のような事実に気づきました。最初は自分でも信じられなかったのですが、そのうち疑いなく正しいように思われてきて、ついには公理として考えるようになりました。この事実を、より明らかな命題に従属させることができないからです。

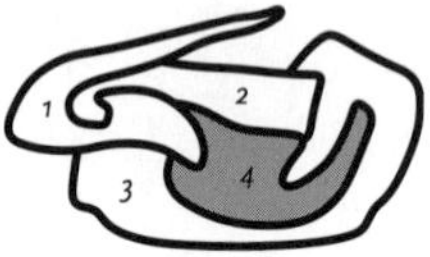

図9

四つの区画がそれぞれ妨げあうことなく境界線を他の三つと共有しているなら、四つの区画のうちの少なくとも一つは、他の三つ、あるいはそれ以下の区画に囲い込まれていなければなりません……。

その六ヶ月後にケンブリッジ大学の数学者ロバート・エリスに書いた手紙では、隠された公理に関するヒューエルの説の一例であり、最初はとうてい信じられないように思われながら、結局は第一原理に落ちつくものと説明されている。

四色問題が印刷物に最初に登場したのは一八六〇年四月一四日のことで、これにもウィリアム・ヒューエルが関係していた。当時人気を博していた文芸誌『アシニーアム』に掲載された彼の『発見の哲学　歴史・評論著作集』についての長い書評の中で、無署名の評論家が四色問題のあらましを説明し、これが地図製作者には馴染みの問題であったと主張しているのだ。説明の文章は、ひどく曖昧《あいまい》なものだった。

さて、地図製作者たちは、色の種類が四つで十分であることを昔から知っていたにちがいない。ホットスパーが言うような、曲がりくねった土地を想像してみてほしい。思いきり複雑で奇妙な形の囲い込みを考えて、女王陛下から州長官への令状の「A・Bは管轄《かんかつ》地域内で自由に行動することができる」という言葉が無意味に思われるほどに、出っ張らせたり、引っ込めたり、まわり込ませたりしてみてほしい。それでも、必要な区別をつけるには四色で十分なのだ。

ここで、「ホットスパーが言うような」とは、シェイクスピアの『ヘンリー四世』第一部の第三幕第一場に出てくる「この川がどれだけこちらに食い込んでいるかを見るがよい……」という彼の台詞《せりふ》をさしている。

評論家は次に、地図上の四つの領域のすべてが他の三つと境を接しているときには、一つの領域は他の領域によって囲い込まれていなければならないと主張する。この記述から、評論家の正体がド・モルガンであることが明らかになる。実際、一八六〇年三月三日にド・モルガンがヒューエルに書いた手紙には、彼の著書を送ってくれたことに対する感謝の言葉と、『アシニーアム』からも同じ本を書評用に受け取ったので、「そちらは切らずに返送するつもりです（当時は、本を読むにはまずカッターでページを切らなければならなかった）」という記述がある。

ド・モルガンが『アシニーアム』に寄せた評論により、四色問題は大西洋を横断してアメリカに渡った。この評論を精読した数学者、哲学者、論理学者のチャールズ・サンダーズ・パースは、生涯にわたって四色問題に関心を持ち続けることになった。「かくも単純な命題を証明できなかったとは、論理学と数学の名折れである」と考えた彼は、後にその証明に挑み、ハーヴァード大学で発表を行った。その場には、彼の父親で、同大学の数学および自然哲学の教授として有名なベンジャミン・パースも立ち会った。チャールズは後に、以下のように書いている。

一八六〇年頃、ド・モルガンは、この定理がいまだに証明されていないという事実を『アシニーアム』で指摘した。それから間もなく、わたしはハーヴァード大学の数学会にてこの命題を証明し、より多くの色を必要とする別の平面へと拡張した。この証明は活字にはなっていないが、会に出席していたベンジャミン・パース、J・E・オリバー、チョーンシー・ライトらは、この証明に間違いを見つけることはできなかった。

実際には、このセミナーは一八六〇年代の末に開かれたようである。ハーヴァード大学に保存されているパースの遺稿からは、彼の証明がどんなものであったのかをうかがい知ることはできない。ただ、「別の平面へと拡張した」という彼の言葉は、球面以外の表面に地図を描いたことを示唆《しさ》している。われわれが住む世界が、浮き輪やドーナツの表面のような形（数学者はこうした表面を「トーラス」と呼ぶ）をしていたらどうだろう？　地図を塗るには、何色あればよいだろうか？　パースの未発表のノートから、六色なければ塗り分けられないトーラス地図を発見していたことが分かっているが、実は、これより多くの色を必要とするトーラス地図を考えることができる。例えば、図10のトーラス地図には互いに隣り合う国が七つあるので、塗り分けに

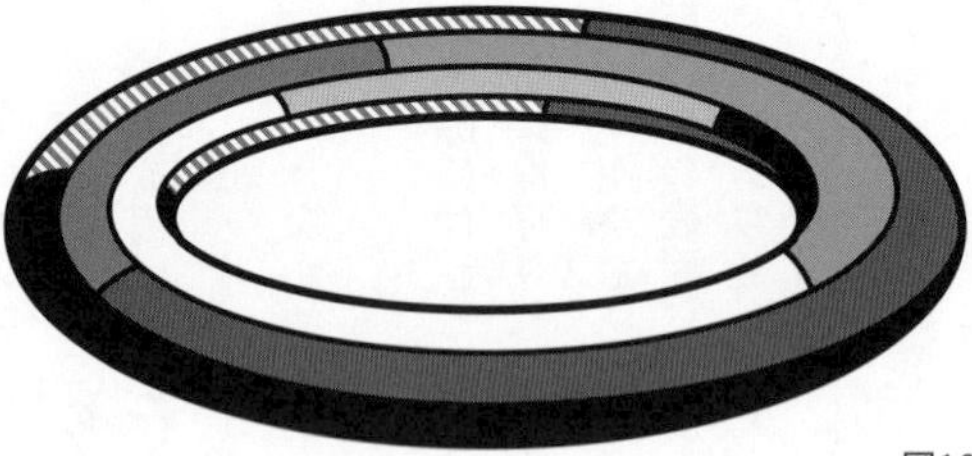

図10

は七色必要である（トーラス上の地図については、第7章でもう一度ふれる）。

パースは後に、四色問題は自分の論理能力の成長ぶりをテストする役に立ったと言っている。たしかに、数理論理に関する彼の研究には「関係の論理」の考案も含まれていたし、一八六九年の一〇月には、これを具体的な地図の塗り分けに応用している（彼のアプローチについては第5章で概説する）。

その後、ヨーロッパ全域をめぐる大旅行に出かけたパースは、一八七〇年の六月にはロンドンを訪れ、健康を害していたド・モルガンに会った。二人がこのとき四色問題について話し合ったのかどうか、非常に興味深いところだが、今となっては真実を知るよしもない。ただ、この頃には、イギリスでは四色問題はほとんど忘れられていたようだ。かつてド・モルガンから手紙を受け取った人々が、一八五二年に第一報を受け取ったハミルトン以上の興味を示したという証拠はないからである。オーガスタス・ド・モルガンは、一八七一年三月一八日にロンドンで永眠した。四色問題についてはほとんど進捗《しんちょく》がなく、その解決にはさらに一世紀以上の年月が必要になることを知らないままに。

メビウスと五人の王子

前述のとおり、四色問題は一八五二年にフランシス・ガスリーによってはじまった。ところがときどき、四色問題の起源はもっと古く、ドイツ人の数学者にして天文学者であるアウグスト・フェルディナント・メビウスが一八四〇年頃に行った講義にさかのぼれるという間違った説明が聞かれる。これは、メビウスが提起した「五人の王子の問題」が、一見、四色問題に似ているからである。以下、二つの問題がどのようにして混同されるに至ったのかを見ていこう。

メビウスは、長年にわたりライプツィヒ大学で天文学の教授をつとめ、ライプツィヒ天文台長にもなった。数学の分野では、数論における「メビウス関数」や、幾何学における「メビウス変換」などにその名を残しているが、いちばん有名なのは「メビ

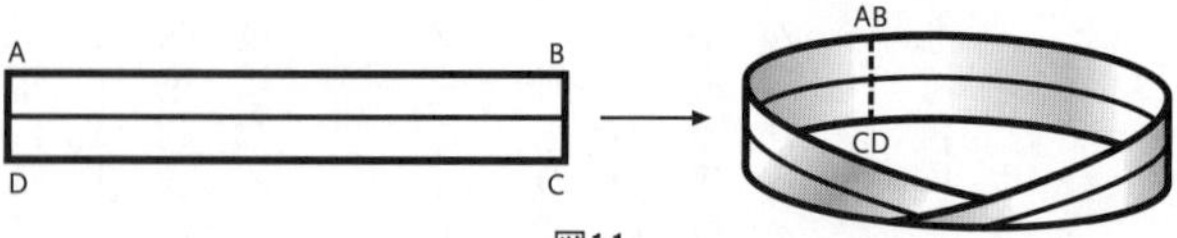

図11

ウスの帯」である。メビウスの帯は、細長い長方形の紙の一端を一八〇度ひねって他端につないだときにできる、奇妙な図形である（図11参照）。この図形には、面が一つ、辺が一つしかない。つまり、この図形の上を歩くアリは、表面から離れることも、境界線を越えることもなく、どの点からどの点にでも行くことができるのだ。六八歳のメビウスがこの帯について発表したのは一八五八年の末のことだった。実は、その六ヶ月前に、ヨハン・ベネディクト・リスティングという光学教授が同じ事実を発見していたのだが、このことはほとんど知られていない。

メビウスはある日、幾何学の講義中に、以下のような宿題を出した。彼はこれを、ライプツィヒ大学の文献学者で、数学に興味を持っていた友人のベンジャミン・ゴットホルト・ヴァイスケから仕入れたようだ。

図12　アウグスト・フェルディナント・メビウス(1790−1868)

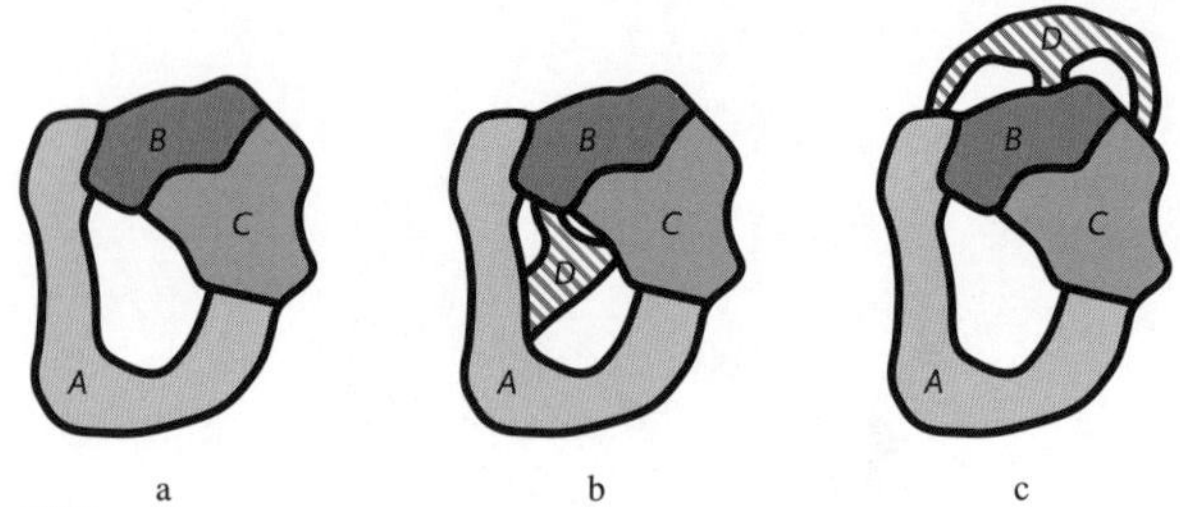

図13

五人の王子の問題

むかしむかし、インドに大きな国がありました。この国の王様が亡《な》くなるときに、五人の王子に言いました。

わたしが死んだら、王国は五人で分けなさい。ただし、どの領土も、他の四人の領土と境界線（点ではいけない）を共有するように分けなければならない。

さて、王国はどのように分ければよいでしょう？


次の講義で、「一生懸命考えたのですが、どうしても分かりませんでした」と告白する学生たちに、メビウスは笑って答えた。君たちがそんなに努力したとは、気の毒なことをした。王様の遺言どおりに王国を分けることは不可能なのだ。

メビウスの問題に答えがない理由を直観的に理解するのは簡単だ。年長の三人の王子の領土をそれぞれA、B、Cと呼ぶことにしよう。図13aに示すように、三つの領域は互いに境界線を共有していなければならない。このとき、四番目の王子の領土Dは、領土A、B、Cに完全に囲まれているか、完全にその外側にあるかのどちらかでなければならない。二つの状況は、それぞれ図13のbとcに相当する。各状況において、領土A、B、C、Dのすべてと共通の境界線を持つように五番目の王子の領土Eを配置することは不可能である。

メビウスの五人の王子の問題は、後に、ハインリヒ・ティーツェによって拡張されて、以下のような関連問題が誕生した。

五つの城の問題

王様はさらに言いました。

五人でそれぞれ自分の領土に城を建て、他の四人の城との間に道を造りなさい。ただし、どの道も交差させてはならない。

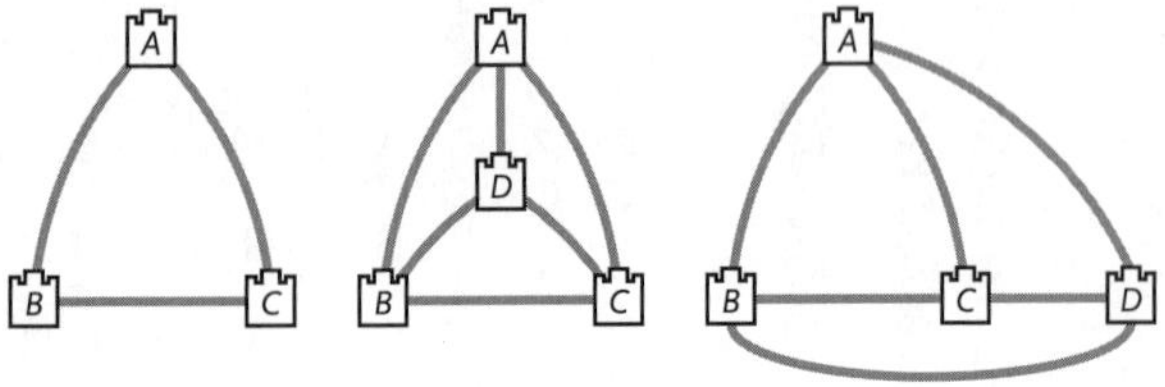

a b c

図14

さて、道はどのように造ればよいでしょう？

この問題にも答えはない。その理由は、メビウスの問題に答えがない理由と同じようにして理解できる。

年長の三人の王子の城をそれぞれA、B、Cと呼ぶことにしよう。図14 aに示すように、三つの城は互いに交差しない道によって結ぶことができる。四番目の王子の城Dは、城A、B、Cを結ぶ道に完全に囲まれているか、完全にその外側にあるかのどちらかでなければならない。二つの状況は、それぞれ上図のbとcに相当する。各状況において、五番目の王子の城Eと城A、B、C、Dとを結ぶ道が、四つの城の間を結ぶ道のどれとも交差しないようにすることは不可能である。

ここで、二つの問題の一方に答えられれば、他方の問題にも答えられることに注意されたい。五人の王子

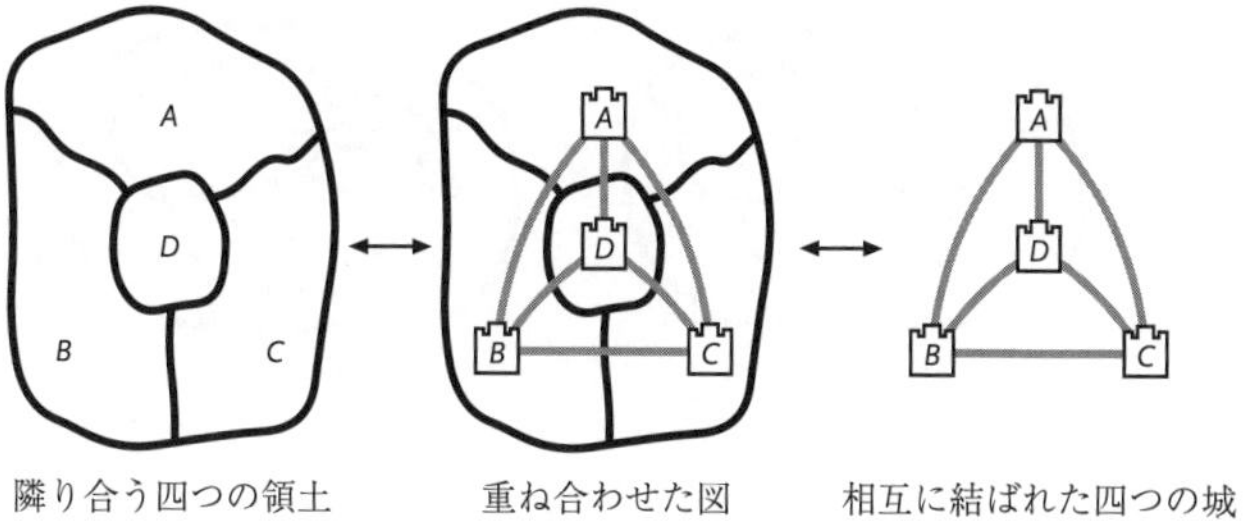

図15

の領土が互いに隣り合うように王国を分けられるなら、おのおのの領土に城を建てて、交差せずに互いの城を結ぶ道を造れるはずである。逆に、五人の王子がそれぞれ城を建てて、交差せずに互いの城を結ぶ道を造れるならば、五つの領土が互いに隣り合うように王国を分けられるはずなのだ。また、王子の人数が四人だったら、前述のとおり王国を分けることは簡単で、おのおのの領土に城を建てて、交差せずに互いに城を結ぶ道も造れたはずである。王子の人数が四人なら、一方の問題に対する答えから他方の問題に対する答えが得られたのだ（図15）。

メビウスの五人の王子の問題についての説明を終える前に、ハインリヒ・ティーツェによる「答え」をお教えしよう。彼は、こんなふうに話を続けている……。

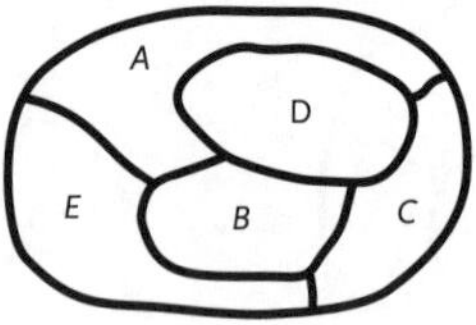

DとEが隣り合っていない

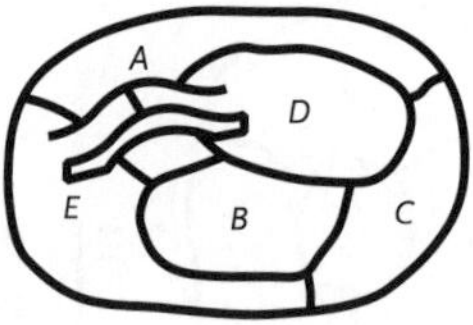

DとEを結ぶ橋をかける

図16

父王の遺言の条件を満たせないことを悟った五人の兄弟は、途方にくれてしまいました。そこに突然、さすらいの魔法使いがやって来て、自分は答えを知っていると言いました……。魔法使いは、さぞかしすばらしい褒美《ほうび》をもらったことでしょう。

魔法使いの答えは、五つの領土のうちの二つを結ぶ橋をかけることだった（図16）。

もちろん、この答えはごまかしである。われわれが平面上の地図について問題を解こうとしていたのに対して、魔法使いの答えはトーラスの表面上の地図について問題を解くことに相当するからだ。

トーラスを考えてよいなら、王様は七人まで息子を持つことができる。図17のようにすれば、トーラスの表面上にある王国は、互いに隣り合う七つの領土に分けられるからだ。けれども、平面に限定して考えるなら、隣り合って存在できる領土の数は前述のとおり四つまでで、五つは不可能である。

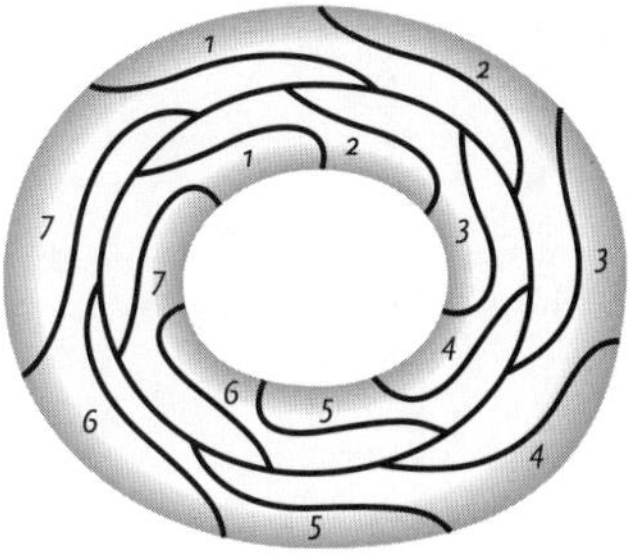

図17

混乱の影響

　メビウスの五人の王子の問題と四色問題との間に、どんな関係があるのだろうか？　両者はなぜ、混同されることになったのだろうか？　答えを明かす前に、お茶でも入れて論理学のおさらいをしよう！　わたしが今、

「このお茶が熱すぎるならば、わたしには飲めない」

と言ったら、その文は論理的に正しい。この文の肯定と否定を逆にし、さらに順序も逆にして、

「わたしに飲めるならば、このお茶が熱すぎるということはない」

　と言い換えても正しいままだが、

「このお茶が熱すぎないならば、わたしには飲める」

　と言い換えると正しくなくなってしまう。なぜなら、お茶を飲めなくする要因は、温度以外にもいくらでも考えられるからである。そのお茶は濃すぎるかもしれないし、甘すぎるかもしれない。ひょっとすると、ハエの死骸《しがい》が入っているかもしれない。

　こうした論理は、数論にも利用できる。自然数の割り算について、

「自然数が0で終わるとき、それは5で割り切れる」

と言うのはその例だ。例えば、10、70、530といった自然数はどれも0で終わっていて、5で割り切れる。

ここから、右の例と同様にして、

「自然数が5で割り切れないとき、それは0では終わらない」

が導かれる。たしかに、5で割り切れない11、69、534といった自然数は、どれも0では終わらない。

けれども、

「自然数が5で割り切れるとき、それは0で終わる」

と言うことはできない。15、75、535など、5で割り切れるが0では終わらない自然数がたくさんあるからだ。

論理学者は、こうした文を記号を用いて表現することを好む。上の二例の「このお茶は熱すぎる」や「自然数が0で終わる」という内容をPという文字で、「わたしには飲めない」や「それは5で割り切れる」という内容をQという文字で表現するなら、一連の論理の最初の文は、

「Pが真であるならば、Qは真である」、あるいは、「PはQを含意する」

となり、ここから、

「Qが偽であるならば、Pは偽である」、あるいは、「非Qは非Pを含意する」

が導かれるが、

「Qが真であるならば、Pは真である」、あるいは、「QはPを含意する」

と言うことはできない。

ここで、メビウスの五人の王子の問題に戻ろう。王様の遺言どおりに、五人の王子の領土が他の四人の領土と境界線を共有するように分けられたとしよう。このとき、地図上には五つの隣り合う領土があり、それぞれが残りの四つと境界線を共有している。この地図を塗り分けるには全部で五色必要で（一つの領土に一色）、四色定理は間違っていることになる。

この論証をまとめると、

「相互に隣り合う五つの領土を含む地図があるならば、四色定理は間違っている」

ということになる（ここで、Pは「相互に隣り合う五つの領土を含む地図がある」という文、Qは「四色定理は間違っている」という文に相当する）。

上の二つの例と同じく、ここから、

「四色定理が正しいならば、相互に隣り合う五つの領土を含む地図はない」

が導かれるが、

「相互に隣り合う五つの領土を含む地図がないならば、四色定理は正しい」と言うことはできない。ゆえに、メビウスの問題を解けないことを示す右の論証は、四色定理が正しいこととの証明にはならないのだ。

何年もの間、多くの人々が、相互に隣り合う五つの領域を含む地図がないことを示して四色定理を証明しようと試みてきた。けれども上述のとおり、これでは求める結果を証明することはできない。論理の道筋が間違っているからである。

ドイツ人の幾何学者リヒャルト・バルツァーは、不注意にも、この罠《わな》にまんまと引っかかってしまった。彼は、一八八五年一月一二日にライプツィヒ科学会で講義を行い、五人の王子の問題を紹介して（彼はこれをメビウスの遺稿の中から発見した）、五つの領土が相互に隣り合えない理由を説明した。彼はさらにこの講義の内容を論文として発表し、自分の証明からじかに四色定理が導かれるという間違った主張をしてしまった。

この論文を、フィラデルフィアにあるブリン・モア・カレッジのイザベル・マディソンが読んでいた。そして、一八九七年に『月刊アメリカ数学』に寄せた「地図の塗り分け問題の歴史について」という論文の中でバルツァーの論文に言及して、「メビウスが一八四〇年に行った講義の中で、この問題を少し違った形式で扱っていたことは、あまり知られていないようだ」と解説してしまった。

『月刊アメリカ数学』の読者は多く、メビウスが最初に四色問題を定式化したという説は広く流布《るふ》することになった。さらに、エリック・テンプル・ベルの『数学の発展』をはじめとする多くの有名な数学書が同じ間違いを繰り返したことで、信憑性《しんぴょうせい》が増してしまった。この状態は、一九五九年に幾何学者H・S・M・コクセターが真実を明らかにするまで続いたが、その後は、フランシス・ガスリーが四色問題の真の創始者であることを誰もが認めている。

四色問題の歴史的展開についてのお話は、ここで一旦《いったん》中断しよう。次の章では一八世紀にさかのぼり、多面体の世界を探りたい。

第3章　オイラーの有名な公式

この章は、プロイセンのフリードリヒ大王がベルリンに構えていた宮廷からはじまる。スイス人の数学者レオンハルト・オイラーは、二五年間にわたってここを定期的に訪れていた。彼は、一七四一年にベルリン科学アカデミーのメンバーとなり、数学部門の長をつとめていた。

最初のうち、オイラーと王との関係は良好で、オイラーは王に、自宅の庭でとれたイチゴを献上していたほどだった。けれども、一七五六年から六三年にかけての七年戦争でベルリンがロシア軍に占領された頃から、二人の関係は急激に悪化した。王はアカデミーの運営の細かいところにまで興味を持つようになり、オイラーは毎日のように王の相手をしなければならなくなった。次第に、オイラーは王を狭量《きょうりょう》で無知な人物であると考えるようになり、作曲や楽器演奏に秀《ひい》でていた王は、オイラーを無骨な田舎者であると考えるようになった（これは本当である）。そんな状態だったので、一七六六年にロシアのエカチェリナ二世から、ベルリンに来るまで数学部門の長をつとめていたペテルブルグ科学アカデミーに戻ってこないかという招待を受けたときには、オイラーは大いに安堵《あんど》したにちがいない。彼は残りの人生をペテルブルグで過ごした。

オイラーの暗算能力は伝説になっている。彼は、複雑な数列の和を計算していた二人の学生が「小数第五〇位が一致しない」と言っているのを聞くと、暗算で正しい答えを出してしまったと言われている。この逸話がフランス人の物理学者フランソワ・アラゴーをして、「彼は、なんの苦もなく計算した。人間が呼吸するように、ワシが空中を飛翔《ひしょう》するように」という名文句を言わせしめた。

オイラーは年齢とともに視力を失っていったが、数学研究は質・量ともに衰えを知らなかった。彼は、あらゆる時代をつうじて最も多作な数学者で、数百冊の本と、数万ページにのぼる論文を執筆した。彼の『全集』は、いまだ刊行が終わっていない。彼の論文のテーマは広く、素数の純粋性、音楽の調和、三角形の幾何学、微分積分法、力学、実用光学、天文学、音響学、航海術にまで及んでいる。後に、応用数学者のピエール＝シモン・ラプラスは、学生たちにこう言い聞かせている。

「オイラーを読みなさい、オイラーを読みなさい。彼こそは万人の師だ」

図1　レオンハルト・オイラー（1707–83）

オイラーの手紙

一七五〇年一一月一四日、ベルリンにいたレオンハルト・オイラーは、数学者クリスチャン・ゴールドバッハに手紙を書いた。二人はペテルブルグ時代の同僚で、一世紀後のド・モルガンとハミルトンのように、長年にわたって文通を続け、最新の数学研究の成果を打ち明け合っていたのである。ゴールドバッハは才能ある熱心な研究者で、今日もなお解決されていない「ゴールドバッハ予想」によってその名を知られている。これは、

「二より大きい偶数は、二個の素数の和として表される」

という予想であり、たしかに、

10＝5＋5、20＝13＋7、30＝19＋11、40＝23＋17

などとなっている。

彼がオイラーから受け取った手紙は、多面体に関するものだった。多面体とは、正

六面体（六個の正方形に囲まれた立体。立方体）や四角錐《すい》（一個の正方形と四個の三角形に囲まれた立体）などのように、複数の平面多角形に囲まれた立体のことである。

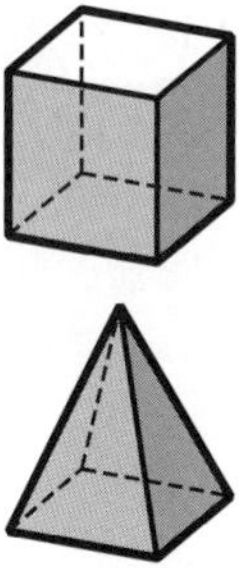

図2

多面体研究の歴史は長く、少なくとも、紀元前二〇〇〇年代の古代エジプトのピラミッドまでさかのぼることができる。ギリシャ人は、「正多面体」に特に興味を持っていた。正多面体とは、すべての面が同じ種類の正多角形からなり（正六面体なら正方形）、すべての頂点でこれらが同じ状態に並んでいるような多面体のことである。これらがしばしば「プラトン立体」と呼ばれるのは、プラトンが対話篇『ティマイオス』（紀元前四〇〇年頃）の中で正多面体について論じたからである。また、あらゆる時代の数学書の中で最も広く読まれているユークリッドの『原論《ストイケイア》』（紀元前三〇〇年頃）では、正多面体の作図法が示され、その種類が、

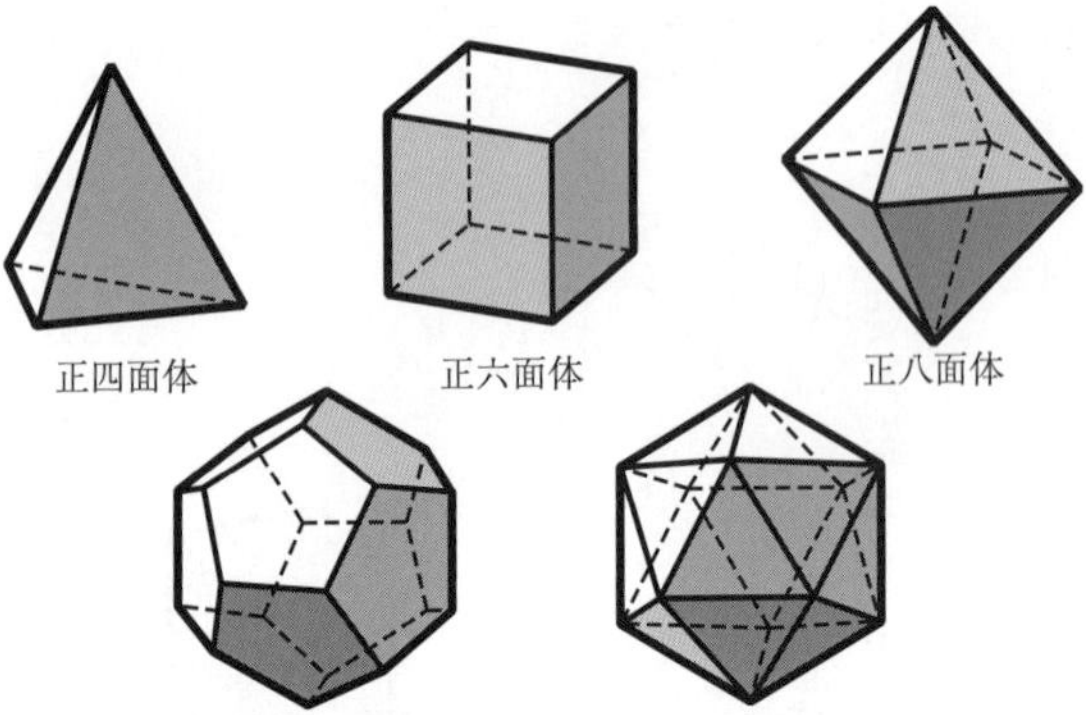

図3

正四面体（四個の正三角形に囲まれている）
正六面体（六個の正方形に囲まれている。立方体）
正八面体（八個の正三角形に囲まれている）
正一二面体（一二個の正五角形に囲まれている）
正二〇面体（二〇個の正三角形に囲まれている）

の五種類しかないことが証明されている。

ギリシャ人はこうした多面体を四大元素の火（正四面体）、土（正六面体）、空気（正八面体）、水（正二〇面体）と結びつけ、正一二面体は宇宙と結びつけた。

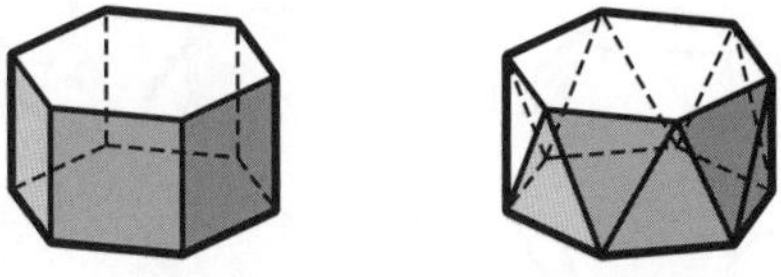

図4　角柱　反角柱

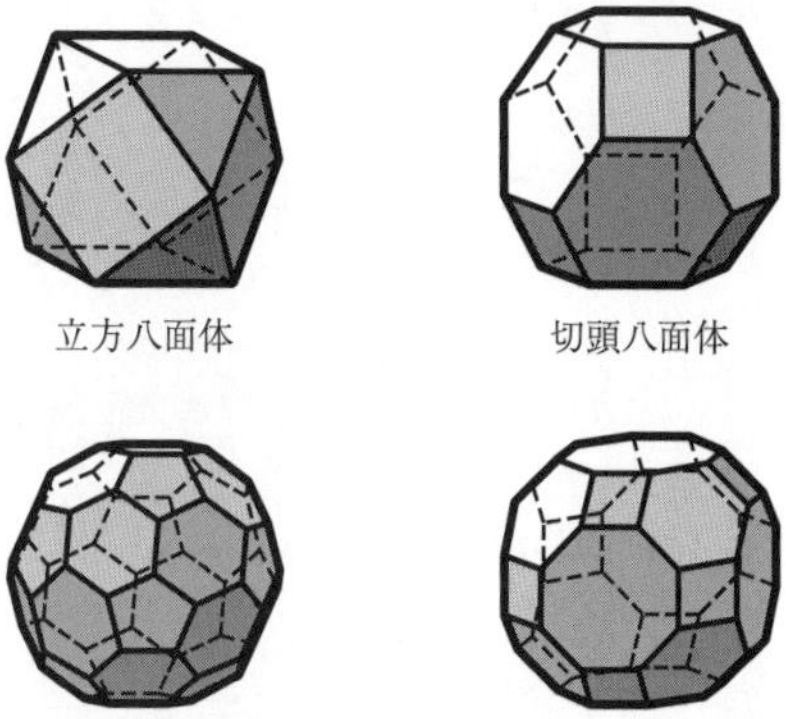

図5　切頭二〇面体　斜方切頭立方八面体

正多面体の条件を緩めて、すべての面が同じ種類の正多角形でなくてもよいが、すべての頂点でこれらが同じ状態に並んでいなければならないとすると、「準正多面体（アルキメデスの多面体）」になる。準正多面体には、角柱と反角柱という二つの無限の族がある。これらは上下に一対の合同な多角形を持ち、側面には正方形または正三角形が並んでいる（図4）。

この他に、「捩《ねじ》れ正六面体」や「斜方切頭《しゃほうせっとう》二〇・一二面体」など、一三種類の準正多面体がある。図5に、立方八面体（正

図6　C_{30}バッキーボール　C_{60}バッキーボール　サッカーボール

方形と正三角形の面を持つ)、切頭八面体(正方形と正六角形)、切頭二〇面体(正五角形と正六角形)、斜方切頭立方八面体(正方形、正六角形、正八角形)を示す。

こうした多面体は、数学的に面白いだけではなく、自然界のいたるところで見つかっている。例えば、黄鉄鉱の結晶は、正六面体、正八面体、正一二面体のかたちで産出するし、硫化鉛の結晶は立方八面体のかたちをとる。最近では、炭素原子が作るある種の化学分子が、正五角形と正六角形からなる多面体になっていることが発見された。この分子は、同様な多面体にもとづく測地線ドームを設計した建築家バックミンスター・フラーにちなんで「バックミンスターフラーレン」、あるいは「バッキーボール」というニックネームで呼ばれている。なかでも有名なのは、六〇個の炭素原子からなるバッキーボールC_{60}で、サッカーボール上の正五角形と正六角形の並びに似た切頭二〇面体のかたちをしている(図6)。

Folgende Proposition aber kann ich nicht recht rigorose demonstriren:

6. In omni solido hedris planis incluso aggregatum ex numero hedrarum et numero angulorum solidorum binario superat numerum acierum, seu est $H+S=A+2$, seu $H+S=\frac{1}{2}L+2=\frac{1}{2}P+2$.

図7 オイラーからクリスチャン・ゴールドバッハへの手紙の一部

ギリシャ人らは多面体の作図には興味を持っていたが、多面体の面や辺や頂点の数には興味がなかったようである。こうした観点から多面体を研究したのはオイラーが最初で、辺や頂点(彼はこれを「立体角」と呼んだ)などの概念はこのとき初めて導入された。

オイラーがゴールドバッハに書いた手紙には、ラテン語とドイツ語が奇妙に混交した言葉で(彼はときどきこうした言葉を使った)、以下のように記されていた。

最近、平面で囲まれた立体の一般的な特性を決定しようと考えるようになりました。これらに関する一般的な定理を発見しなければならないことは明らかです……。

それからオイラーは、面(hedrae)の数をH、立体角(anguli solidi)の数をS、辺(acies)の数をAとしていくつかの考えを述べ、命題を導いたが、第六番目の命題には少々苦戦させられた。

けれどもわたしは、以下の命題については十分に満足できる証明を与えることができていません。

六．平面に囲まれたすべての立体において、面の数と立体角の数の和は、辺の数より2だけ大きい。すなわち、H＋S＝A＋2……

オイラーは、「わたしが知るかぎり、立体幾何学におけるこの一般的な帰結に気づいた人は、これまで一人もいませんでした」とも主張した。今日では、この発見は「オイラーの多面体公式」、あるいは単に「オイラーの公式」として知られ、以下のように表現されている。

オイラーの多面体公式

任意の多面体について、

（面の数）＋（頂点の数）＝（辺の数）＋2

言い換えると、

（面の数）－（辺の数）＋（頂点の数）＝2
という関係が成り立つ。

本書では、オイラーの記号の代わりに、面（faces）の数をF、頂点（vertices）の数をV、辺（edges）の数をEという記号で表すことにする。このとき、オイラーの多面体公式は、F－E＋V＝2になる。この式をよりよく理解するために、もう一度、五つの正多面体を考えよう。

正六面体の面は六個、辺は一二本、頂点は八個なので、F＝6、E＝12、V＝8となり、オイラーの公式に代入すると、F－E＋V＝6－12＋8＝2となり、予想どおりである。同様に、

正四面体では、F＝4、E＝6、V＝4、
　ゆえに、F－E＋V＝4－6＋4＝2
正八面体では、F＝8、E＝12、V＝6、
　ゆえに、F－E＋V＝8－12＋6＝2
正一二面体では、F＝12、E＝30、V＝20、

ゆえに、F－E＋V＝12－30＋20＝2
正二〇面体では、F＝20、E＝30、V＝12、
ゆえに、F－E＋V＝20－30＋12＝2
となる。オイラーの公式は、正多面体以外の多面体においても成立し、
立方八面体では、F＝14（八個の三角形と六個の四角形）、E＝24、V＝12、
ゆえに、F－E＋V＝14－24＋12＝2
切頭八面体では、F＝14（六個の四角形と八個の六角形）、E＝36、V＝24、
ゆえに、F－E＋V＝14－36＋24＝2
切頭二〇面体では、F＝32（一二個の五角形と二〇個の六角形）、E＝90、V＝60、
ゆえに、F－E＋V＝32－90＋60＝2
斜方切頭立方八面体では、F＝26（一二個の四角形、八個の六角形、六個の八角形）、E＝72、V＝48、
ゆえに、F－E＋V＝26－72＋48＝2

となる。

ときどき、オイラーの公式の発見者はフランス人の哲学者ルネ・デカルトであると説明されることがあるが、これは間違いだ。たしかにデカルトは、一六三九年頃に、F個の面とV個の立体角（頂点）からなる多面体のすべての面が持つ角の総数に興味を持ち、2F＋2V－4という式を得ている。例えば、正六面体には六個の正方形の面があり、それぞれの面が四個の角を持っているので、角の総数は24だが、

$$2F+2V-4=(2\times 6)+(2\times 8)-4=24$$

である。デカルトは、それぞれの面の角と辺の数が同じであることにも気づいていた。ここで、どの辺も二つの面に共有されているので、角の総数は2Eに等しいことになる。この二つの結果を等式で結ぶとデカルト自身はこの結びつけを行わなかった。結果を等式で結ぶと2F＋2V－4＝2Eとなり、ここからオイラーの公式が導かれる。けれども、デカルト自身はこの結びつけに必要な概念を持っていなかったからである。ゆえに、最初に多面体公式を発見した功績は、やはりレオンハルト・オイラーのものなのだ。デカルトによる多面体の研究は、一六七〇年代にゴットフリート・ヴィルヘルム・ライプニッツがとった写

しによって知られるようになったが、この写しが注目されたのは一八五九年のことで、この時点ではオイラーによる多面体の研究は既に確立されていた。

オイラーは当初、この公式に「十分に満足できる証明」を与えることができなかったが、後に、「解体による証明」を提案した。これは、F－E＋Vの値が変わらないように、多面体から次々に正四面体を切り取っていくという方法である。最終的には一個の四面体が残るが、既に見てきたように、四面体ではF－E＋V＝2が成り立っている。解体の各段階でF－E＋Vの値は変わっていないのだから、最初の多面体でもF－E＋V＝2が成り立っていたはずである。オイラーは、一七五一年九月九日にペテルブルグ科学アカデミーでこの証明を発表し、続いて、多面体に関する二本の重要な論文をアカデミーの紀要に発表した。なお、この論文が執筆されたのは一七五二年のことだったが、発表されたのは一七五六年になってからだった。

オイラーには気の毒だが、このような解体作業が常に可能であるとは言い切れず、彼の証明は不十分である。最初の正しい証明は、一七九四年にフランス人の数論研究者であり天文学者であるアドリアン＝マリー・ルジャンドルによって、その教科書『幾何学の原理』の中で与えられた。この証明は、角と面積の概念を利用するもので、オイラーよりはデカルトのアプローチに近かった。

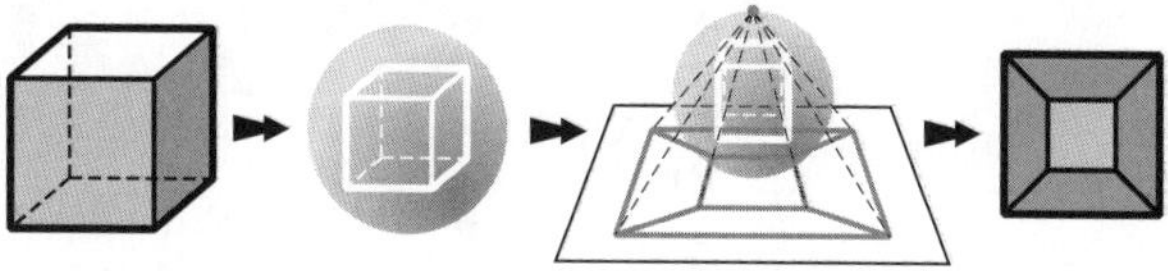

図8　立体を球で包んで平面上に置き、球の「北極点」と立体の頂点を結ぶ線を平面上まで伸ばす。

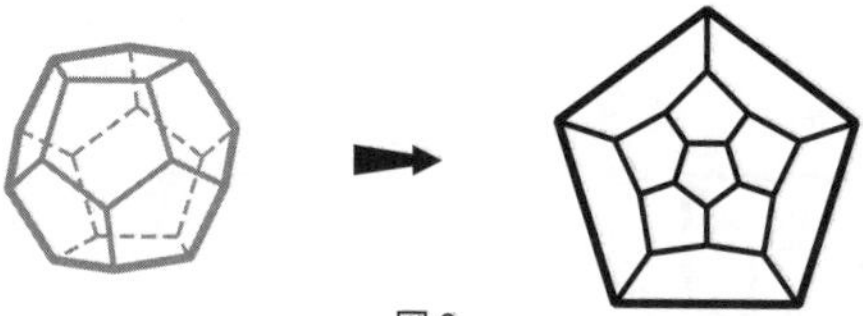

図9

多面体から地図へ

　多面体公式は、地図とどのような関係があるのだろうか？　その答えは、空間内の一点からテーブル面のような平面上へと多面体を射影することによって明らかになる。図8は、正六面体（立方体）をこの方法で射影する方法を示している。

　どんな多面体でも、この方法で平面上に写し取ることができる。図9は、立体的に描いた正一二面体と、その射影である。

　一九世紀前半のフランスを代表する数学者オーギュスタン＝ルイ・コーシーは、一八一三年に多面体に興味を持った。コーシーは、厳密な微分積分法の体系をはじめて整備し、群論と呼ばれる代数学の重要な分野の開拓にも大きく貢献した数学者であり、数学的な帰結や概念に彼ほど多くの名を残している人物は、おそらくいない。

コーシーは、上述の方法で多面体を平面上に射影することによってオイラーの公式を証明した。このときに生じる外部領域の扱いにさえ気をつければ、オイラーの公式は平面上の射影についても成立する。彼は、外部領域を無視することにした（多面体をつぶしたときに相当する）。これにより、領域の数は前より一個だけ少なくなるので、オイラーの公式はF－E＋V＝1になる。例えば、つぶれた正六面体には、五個の「内部」領域と、一二本の辺と、八個の頂点があるから、F－E＋V＝5－12＋8＝1である。けれども、多面体の射影を扱うときには外部領域を含めるのが普通であり、このように考えるならF＝6で、前述のようにF－E＋V＝6－12＋8＝2になる。

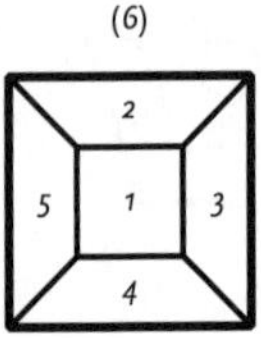

図10

ここで、オイラーの公式と地図との関係が生じてくる。平面上への射影において、面を国、辺を国境線、頂点を交点として見ると地図になるのだ。

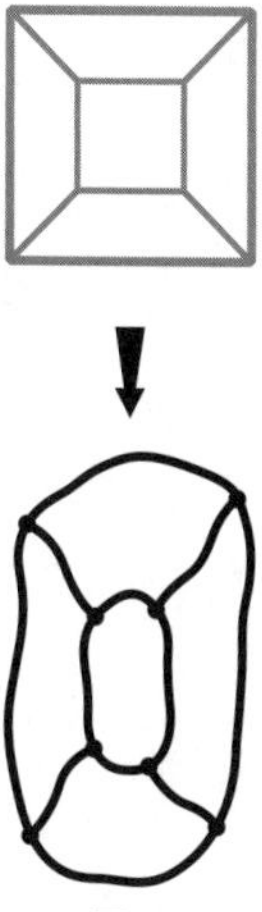

図11

すると、オイラーの公式は、以下のようなかたちになる。

地図についてのオイラーの公式

外部領域を含めるならば、

（国の数）－（境界線の数）＋（交点の数）＝2

この式の正しさは、オイラーの「解体による証明」に似た方法で説明できる。すなわち、平面上に多面体の絵（または地図）を描き、全体のつながりが切れないように気をつけながら、一本ずつ辺を取り去っていくのだ。このとき、各段階でのF－E＋Vの値はどうなるだろう？

辺を取り去る操作には二種類ある。

1. 二個の面を分けていた辺を取り去る場合

このような辺を取り去るとき、二個の面が融合して一個になるため、辺と面の数は1ずつ減るが、頂点の数は変わらない。つまり、EとFが1ずつ減り、Vは変わらないので、F－E＋Vの値も変わらない。

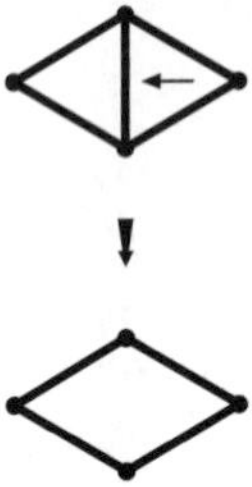

図12

2. 余っていた辺を取り去る場合

このような辺（と、その先の「余っていた頂点」）を取り去るとき（図13）、辺と頂点の数は1ずつ減るが、面の数は変わらない。つまり、EとVが1ずつ減り、Fは変わらないので、ここでもやはりF－E＋Vの値は変わらない。

図14は、正四面体から一本ずつ辺を取り去る過程を示している。外部領域を含める

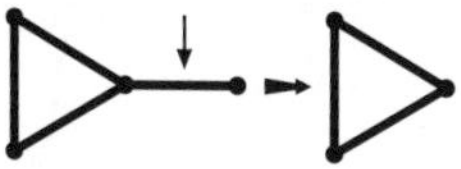

図13

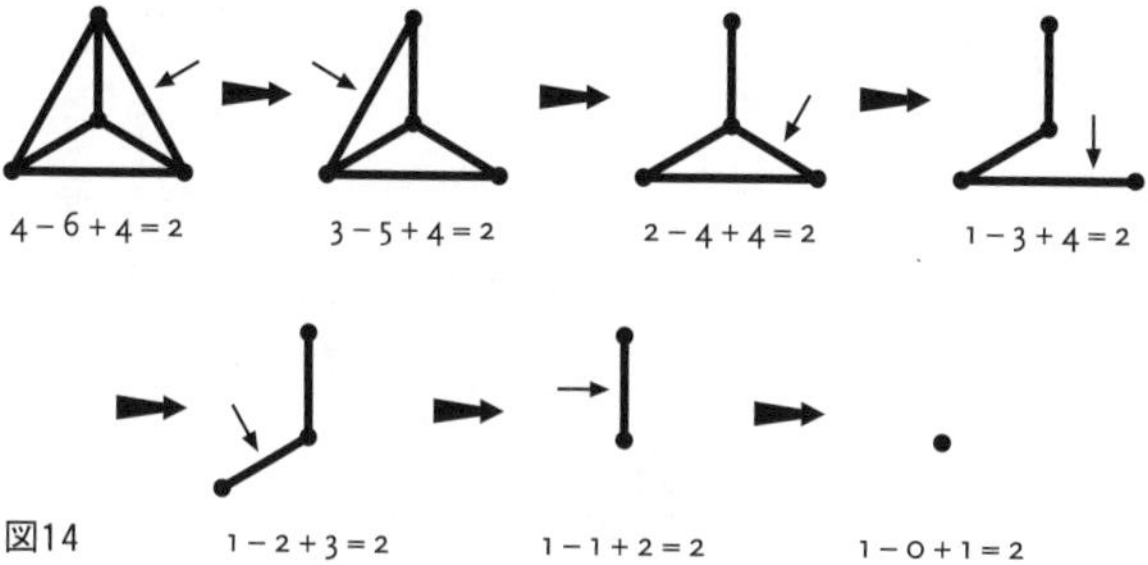

図14

とき、各段階でF－E＋Vの値が変わらないことに注意されたい。

　どのような多面体や地図から出発しても、最終的には一個の頂点だけが残り、F－E＋Vの値は2になる。この表現は最初から最後まで変わらないので、最初の多面体でもF－E＋Vの値は2だったと推定することができる。これによりオイラーの公式は証明できた。

　コーシーがこの論文を発表したのと同じ頃、スイス人の数学者シモン＝アントワーヌ＝ジャン・リュイリエが、ある奇妙な性質を持つ多面体ではオイラーの公式が成り立たないことを示した。彼はこうした多面体の例を三種類あげたが、ここでは、その中の「一個以上の穴が貫通している多面体については、F－E＋Vの値は2にはならない」という例だけを説明しよう。左図のように正六面体を貫通する穴をあけて、どの面も多角形で囲まれるように辺を足すと、この「多面体」には一六個の面、三二本の辺、一六個の頂点があるので、F－E＋V＝16－32＋16＝0になる。

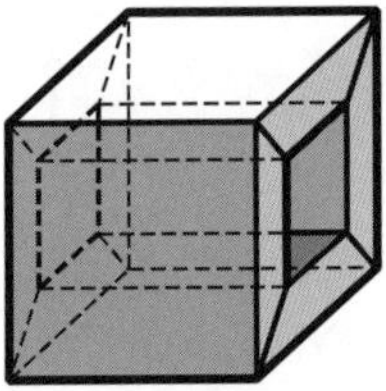
図15

一個の穴が貫通している多面体では、常にF－E＋V＝0であることが分かっている。リューリエはこれを一般化して、立体に新しい穴をあけるたびに、オイラーの公式の右辺が2ずつ小さくなることを証明した。すなわち、二個の穴が貫通している多面体ではF－E＋V＝-2になり、k個の穴が貫通している多面体ではF－E＋V＝2－2kになるのだ。

以下では、オイラーの公式の応用例を二つ説明する。四色問題の歴史的な展開にのみ興味がある方は数学的な詳細はとばしてくださってかまわないが、主な結果だけは心にとめておいていただきたい。

隣国は五つだけ

この章で見てきた多面体には、少なくとも一個の三角形、四角形、または五角形があったが、同じことはすべての多面体に当てはまる。これを平面または球面上に描かれた地図に当てはめると、次のようになる。

「隣国は五つだけ」定理
どんな地図にも、五個以下の隣国しか持たない国が少なくとも一つ含まれている。

この結果はきわめて重要で、あらゆる四色定理の証明の中核をなしている。一本しか辺のない国は無視してよいので、どんな地図にも、二本の辺を持つ（二辺）国、三

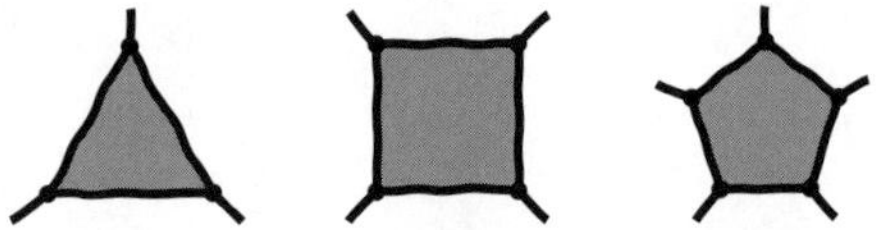

二辺国　三辺国　四辺国　五辺国

図16

本の辺を持つ（三辺）国、四本の辺を持つ（四辺）国、五本の辺を持つ（五辺）国のいずれかが、少なくとも一個はあることになる（図16）。

F個の国、E本の境界線、V個の交点からなる地図を考え、オイラーの公式を利用して、「隣国は五つだけ」定理を証明しよう。第1章の地図に関する議論から、地図の各交点には少なくとも三本の境界線があると仮定してよいことが分かっている。

次に、すべての交点から出ている境界線の総数を数える。V個の交点のそれぞれから少なくとも三本の境界線が出ているのだから、合計して、少なくとも3V本の境界線があるように思われるかもしれない。けれども、各境界線の両端に交点が一個ずつあるので、境界線は二回ずつ数えられていることになり、2で割らなければならない。ゆえに、境界線の総数Eは、少なくとも$\frac{3}{2}V$本ということになる。記号を使って表現するなら$E \geqq \frac{3}{2}V$、逆にして交点の総数Vに関する式にするなら$V \leqq \frac{2}{3}E$である。

どんな地図にも五個以下の隣国しか持たない国が少なくとも一

つあることを、その逆を仮定し（すなわち、このような国が地図上には一つもないものと仮定し）、そこから不合理な結果が導かれることを示すという方法によって証明しよう。仮定より、どの国も少なくとも六つの隣国に囲まれていることになる。ここで、すべての国を囲んでいる境界線の総数を数える。F個の国のそれぞれが少なくとも六本の境界線に囲まれているのだから、合計して、少なくとも6F本の境界線があるように思われるかもしれない。けれどもここでも、各境界線の両側に国が一個ずつあるので、境界線は二回ずつ数えられていることになり、2で割る必要がある。ゆえに、境界線の総数Eは、少なくとも$\frac{6}{2}F$（つまり3F）ということになる。記号を使って表現するなら$E \geqq 3F$、逆にして国の総数Fに関する式にするなら$F \leqq \frac{1}{3}E$である。

ここで、二つの不等式$F \leqq \frac{1}{3}E$と$V \leqq \frac{2}{3}E$をオイラーの公式に代入すると、

$$F - E + V \leqq \frac{1}{3}E - E + \frac{2}{3}E = 0$$

になる。けれども、オイラーの公式によれば$F - E + V$は2なのだから、われわれは$2 \leqq 0$という途方もない結果を証明してしまったことになる。これは、明らかに間

違っている。われわれの間違いは、それぞれの国が少なくとも六個の隣国に囲まれていると仮定したことに由来しているのだから、この仮定が間違っているのだ。よって、五個以下の隣国しか持たない国が少なくとも一つあることになるが、これはまさに、われわれが証明したかったことである。

数え上げの公式

オイラーの公式の第二の応用例は、多面体について興味深い帰結をもたらし、第8章で必要になってくる「数え上げの公式」である。話を単純にするために（そして、われわれが興味を持っているのはこの場合なので）、ここでは、各交点での境界線の数がちょうど三本になっている三枝地図だけを考えることにする。

地図上に、二つの隣国を持つ国（二辺国）がC_2個、三つの隣国を持つ国（三辺国）がC_3個、四つの隣国を持つ国（四辺国）がC_4個……という具合に描かれているとしよう。このとき、（外部領域を含めた）国の総数Fは、これらの総和になる。

$$F=C_2+C_3+C_4+C_5+C_6+C_7+\cdots\cdots \quad (1)$$

次に、この数を利用して、地図中のすべての境界線の数を数え上げる。すなわち、

どの二辺国にも境界線が二本あるから、
C_2個の二辺国は合計で２C_2本の境界線に囲まれている。
どの三辺国にも境界線が三本あるから、
C_3個の三辺国は合計で３C_3本の境界線に囲まれている。
どの四辺国にも境界線が四本あるから、
C_4個の四辺国は合計で４C_4本の境界線に囲まれている。
……

この数をすべて足し合わせれば、境界線の総数Eが得られるように思われるかもしれない。けれども、各境界線の両側に国が一個ずつあるので、実際に得られるのは、その二倍の２Eである。したがって、

$$2E = 2C_2 + 3C_3 + 4C_4 + 5C_5 + 6C_6 + 7C_7 + \cdots\cdots$$

であり、これを書き換えて、

$$E=C_2+\frac{3}{2}C_3+2C_4+\frac{5}{2}C_5+3C_6+\frac{7}{2}C_7+\cdots\cdots \quad (2)$$

とすることができる。

地図上の交点の総数も、同様にして数え上げることができる。われわれが考えているのは三枝地図で、V個の交点のそれぞれにちょうど三本の境界線があるので、境界線の合計は3Vであるように思われるかもしれない。けれども、各境界線は二個の交点を結んでいるので、境界線が二回ずつ数えられてしまっている。つまり、3V＝2Eなので、2Eに関する右の式から、

$$3V=2C_2+3C_3+4C_4+5C_5+6C_6+7C_7+\cdots\cdots$$

が得られる。これを書き換えれば、

$$V=\frac{2}{3}C_2+C_3+\frac{4}{3}C_4+\frac{5}{3}C_5+2C_6+\frac{7}{3}C_7+\cdots\cdots \qquad (3)$$

である。こうして、F、E、Vのすべてを、C_2、C_3、C_4……を用いて書くことができた。

（1）～（3）の式をオイラーの公式に代入すると、どうなるだろう？

$$\begin{aligned}2&=F-E+V\\&=C_2+C_3+C_4+C_5+C_6+C_7+\cdots\cdots\\&\quad-\left(C_2+\frac{3}{2}C_3+2C_4+\frac{5}{2}C_5+3C_6+\frac{7}{2}C_7+\cdots\cdots\right)\\&\quad+\left(\frac{2}{3}C_2+C_3+\frac{4}{3}C_4+\frac{5}{3}C_5+2C_6+\frac{7}{3}C_7+\cdots\cdots\right)\end{aligned}$$

これを並べ替えると、

$$2=C_2\left(1-1+\frac{2}{3}\right)+C_3\left(1-\frac{3}{2}+1\right)+C_4\left(1-2+\frac{4}{3}\right)+C_5\left(1-\frac{5}{2}+\frac{5}{3}\right)+C_6(1-3+2)$$

$$+C_7\left(1-\frac{7}{2}+\frac{7}{3}\right)+\cdots\cdots$$

$$=\frac{2}{3}C_2+\frac{1}{2}C_3+\frac{1}{3}C_4+\frac{1}{6}C_5+0C_6-\frac{1}{6}C_7-\cdots\cdots$$

となる。最後に、全体を六倍して分数をなくせば、求めていた「数え上げの公式」が得られる。

三枝地図の数え上げの公式

$$4C_2+3C_3+2C_4+C_5-C_7-2C_8-3C_9-\cdots\cdots=12$$

ここで、係数（Cの前の4、3、2……という数字）が順番に1ずつ小さくなり、係数が0になるC_6（六辺国の数）が式中に現れないことに注目されたい。

数え上げの公式の簡単な説明として、図17のような三枝地図について考えよう。

この地図には、四つの隣国を持つ国が九つ、九つの隣国を持つ国が（外部領域を含めて）二つあるので、$C_4=9$、$C_9=2$である。他の項はすべて0なので、数え上げの

公式は、

$$2C_4 - 3C_9 = (2\times 9) - (3\times 2)$$

で、予想どおり12になる。

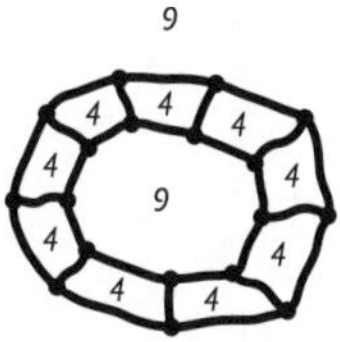

図17

数え上げの公式では、C_2、C_3、C_4、C_5のすべてが0になることはあり得ないことに注意されたい。これらがすべて0になると、等式の左辺から正の項が消えて、負の値になってしまうからである。右辺は12で正の数なので、左辺が負になるわけにはいかない。そこから、C_2、C_3、C_4、C_5の少なくとも一つが正の数で、地図上には二辺国、三辺国、四辺国、五辺国のうち少なくとも一個があることになるのだ。三枝地図においては、これが、どんな地図にも五個以下の隣国しか持たない国が少なくとも一つあるという「隣国は五つだけ」定理のもう一つの証明になっている。

さらに、地図上に二辺国、三辺国、四辺国が一個もないとき、数え上げの公式は、

$$C_5 - C_7 - 2C_8 - 3C_9 - 4C_{10} - \cdots\cdots = 12$$

になる。

ここで、C_5は左辺にある唯一《ゆいいつ》の正の項なので、少なくとも12でなければならない。ゆえに、

三枝地図上に二辺国、三辺国、四辺国が一個もないなら、少なくとも一二個の五辺国がなければならない。

われわれはこの事実を第8章で利用することになる。

最後に、三枝地図に関する数え上げの公式から導かれる三つの帰結をご紹介しよう。これらの帰結は、各頂点でちょうど三個の面が集まっている「三枝多面体」なら、どんなものについても当てはまる。

三枝多面体の面がすべて五角形と六角形であるなら、五角形の数は一二個である。

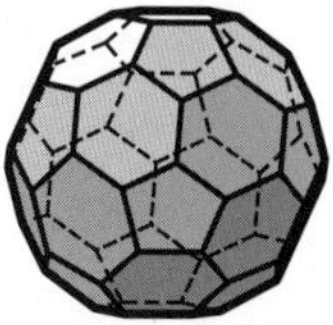
図18

これは、数え上げの公式の0でない項がC_5とC_6しかなく、$C_5=12$と書けるからである。こうした多面体の例として、切頭二〇面体（図18）があげられる。だから、バッキーボールやサッカーボールには五角形が一二個あるのだ！

三枝多面体の面がすべて四角形と六角形であるなら、四角形の数は六個である。

これは、数え上げの公式の0でない項がC_4とC_6しかなく、$2C_4=12$、すなわち、$C_4=6$と書けるからである。こうした多面体の例として、切頭八面体があげられる（図19）。

三枝多面体の面がすべて四角形、六角形、八角形であるなら、四角形の数は八角形の数よりも六個だけ多い。

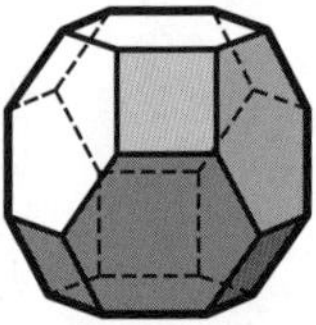

図19

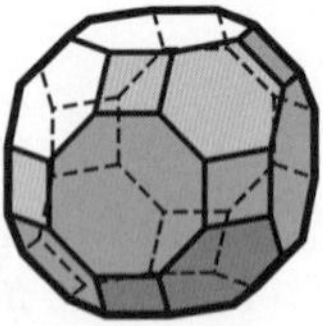

図20

これは、数え上げの公式の0でない項がC_4、C_6、C_8しかなく、$2C_4-2C_8=12$、すなわち、$C_4-C_8=6$と書けるからである。こうした多面体の例として、斜方切頭立方八面体があげられる（図20）。

第4章 ケイリーが問題を蘇《よみがえ》らせて……

一八七一年にオーガスタス・ド・モルガンが死去して以来、地図の塗り分け問題は休眠状態にあった。アメリカではチャールズ・サンダーズ・パースが問題を解くための努力を続けていたが、ド・モルガンのイギリス人の友人たちは、何の言及もしていない。それでも、四色問題は完全に忘れ去られたわけではなく、ケンブリッジ大学のアーサー・ケイリーの心の中に、懸案として存在し続けていた。

アーサー・ケイリーは、航空学の祖として知られる発明家のジョージ・ケイリー卿《きょう》の甥《おい》である。ケンブリッジ大学トリニティー・カレッジに入学した彼は、学生時代からすばらしい業績をあげ、一八四二年に首席で卒業すると、同年の一〇月には早くもフェローに選出された。一九世紀にケンブリッジ大学のフェローに指名された人々の中では最年少という快挙だった。ところが、当時の大学規則では、フェローは修士号を取得してから七年以内に聖職者になることが義務づけられていた。これを嫌ったケイリーはケンブリッジを去り、ロンドンのリンカーンズ・インで法律家になるための勉強をはじめた。

ケイリーは一八四九年に弁護士資格を取得し、以後、一四年間にわたって弁護士として活躍した。その間も数学研究を中断することはなく、三〇〇本にのぼる論文を発表している。彼の論文は、きわめて独創的なものが多かった。なかでも、行列代数学に関する一八五八年の論文は、この分野で最初の重要な論文となり、彼を行列代数学の先駆者の一人にした。なお、一八五〇年代初頭の彼の代数学研究の多くは、ジェームズ・ジョゼフ・シルヴェスターと共同で行われている。シルヴェスターは、非常に聡明《そうめい》だが、気まぐれなところのある人物で、イギリスでは数学者として確固たる地位を築くことができなかった。われわれは次の章で彼に再会することになる。

一八六三年に、ケイリーは、ケンブリッジ大学の純粋数学科に新設されたサドラー講座の教授に選出された。今回は、宗教的な義務は免除されていた。彼はさらに、トリニティー・カレッジの名誉フェローにも選出されて、終生、その地位にあった。

ケイリーの質問

一八七八年六月一三日に、アーサー・ケイリーはロンドン数学会（London Mathematical Society　略称ＬＭＳ）の会合に出席した。ＬＭＳは一八六五年にロンドンのユニヴァーシティー・カレッジで創設された権威ある団体で、オーガスタス・ド・モルガンを初代会長とし、当初の会員数は二七人だった。後にはシルヴェスターやケイリーがその地位を引き継ぎ、一八七八年の時点で会員数は一五〇人あまりに増加していた。

この日の会合では、前会長であるオックスフォード大学のヘンリー・スミス教授が議長をつとめ、「空間の流動性」から「代数方程式の微分解核の発見」まで、さまざまなテーマに関する論文が読み上げられた。数学会紀要の記録によると、ここでケイリーが質問をした。

王立協会フェローであるケイリー教授からの質問

複数の地域に分かれた国の地図を塗るときに、四色あれば、隣り合う二つの地域が同じ色にならないように塗り分けることができるという命題に対する答えは与えられたのでしょうか？

ケイリーの質問は、この会合について報告する『ネイチャー』七月一一日号にも掲載された。

一八六〇年にド・モルガンがヒューエルの『発見の哲学』についての書評を『アシニーアム』に寄稿し、その中で四色問題に言及していたことは、一九七六年まで忘れ去られていた（第2章参照）。そのため、ほぼ一世紀にわたって、四色問題は一八七八年のこの報告によってはじめて印刷物上に登場したものとされることになった。ＬＭＳのこの会合からちょうど一〇〇年目の一九七八年六月一三日に、わたしは、ＢＢＣラジオの『トゥデー』でこの話題を取り上げて、数百万人のリスナーの朝食時間を有意義なものにすることができた（実はその前に、一〇〇周年を記念するドキュメンタリー番組の制作をＢＢＣテレビの『ホライゾン』に提案していたのだが、プロデューサーに「今日の社会問題との関係が不十分」であると言われて却下された。ちなみに、その翌週の『ホライゾン』は、南米のワニたちの性生活についてのドキュメンタリーを放送していた！）。

図１　アーサー・ケイリー（1821—95）

ケイリーは本当に四色問題に興味を持っていて、会合での質問のすぐ後に、この問題に関する短い解説を発表している。発表の場になったのは、権威ある数学誌ではなく、『王立地理学会紀要』という、創刊されたばかりの地理学誌だった。彼は、この雑誌の一八七九年四月号に、「わたしはまだ一般的な証明には成功していないが、その難しさがどこにあるかを説明することは無駄ではないだろう」と書いた。

ケイリーの解説は、四色定理が「地図製作者に馴染《なじ》みの定理として、故ド・モルガン教授によってどこかで言及されたものである」という紹介からはじまる。われわれは今や、「どこか」が一八六〇年の『アシニーアム』の書評であることを知っている。彼は次に四色問題を提示し、よく用いられる例として、塗り分けるのに四つの色が必要な四つの国の地図をあげた。そして、

n個（nは任意の数）の領域からなる系が既に四色で塗られていて、そこに（n＋1）番目の領域が追加されるとき、もとの塗り分けを変更することなく新しい領域を同じ四色で塗り分けることは不可能である。

と考察する。

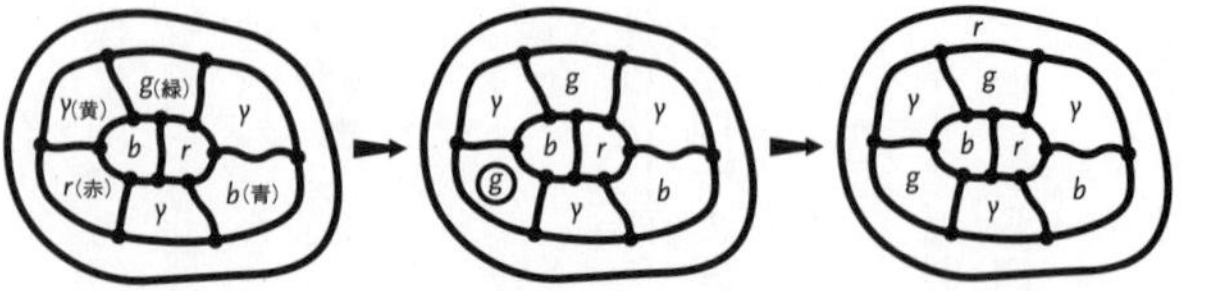

n個の領域の塗り分け
塗り分けの変更
n＋１個の領域の塗り分け

図２

例えば、地図の端にある国々が四色すべてで塗られているとき、その外側を新しい領域で囲むと、新しい領域に使える色がなくなってしまうので、もとの塗り分けを変更しなければならないというのである（図２）。

ケイリーは次に、役に立つ考察をした。すなわち、どんな地図でも四色で塗り分けられることを証明するにあたっては、地図にもっと厳しい制約を課してよいというのである。例えば、すべての交点でちょうど三個の国が集まっている三枝地図だけを考えることにしてかまわない。この制約が間違っていないことの証拠に、四個以上の国が集まっている交点を持つ地図を考えてみよう。この交点の上に丸い小さな「パッチ」を当てて、すべての交点にちょうど三個の国が集まっている新しい地図をつくる。この新しい地図が四色で塗り分けられるなら、パッチを小さくして点にしてしまえば、もとの地図も四色で塗り分けられることになる（図３）。

同様にして、別の制約条件を課すことができる。ケイリーが

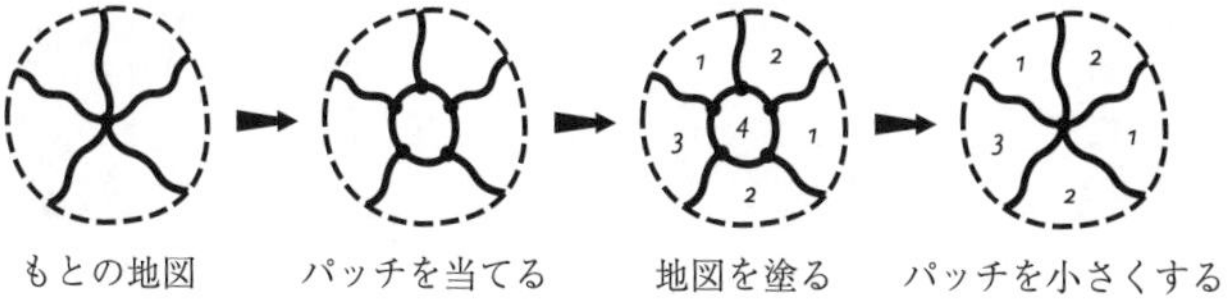

図3

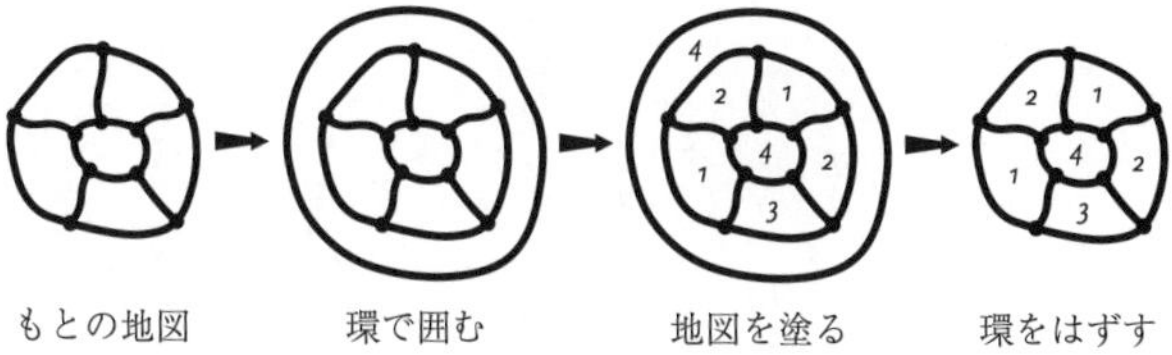

図4

言うように、どんな地図でも四色で塗り分けられるなら、地図の端にある国々は三色で塗り分けられるはずである。なぜなら、どんな地図でも、環《わ》になった国でさらにその外側を取り囲めるからである。この新しい地図が四色で塗れることは、ただちに、もとの地図の端にある国々が三色で塗り分けられることを意味している（図4）。

ドミノ倒し

塗り分けられたn個の国からなる地図に（n+1）番目の国を追加して塗り分けを拡張することについてのケイリーの考察から、四色問題に挑戦するための手段が導かれる。それは、数学者が「数学的帰納法」と呼ぶ方法で、少なくとも一四世紀のフランス人の数学者レビ・バン・ジェルソンにまでさかのぼれる。バン・ジェルソンは、航海用の直角器〔訳注：天体の仰角を測定する器械〕の発明者として知られ、数学的帰納法を利用して、順列・組み合わせに関するさまざまな帰結を証明している。

四色問題においては、数学的帰納法は以下のようなかたちをとる。任意の数字nについて、

n個の国からなるあらゆる地図が四色で塗り分けられるとき、
n＋1個の国からなるあらゆる地図が四色で塗り分けられる

ことが証明できたとしよう。われわれはたしかに、四個までの国からなる地図はどんなものでも四色で塗り分けられることを知っている。そして、

n＝4のとき、五個の国からなるあらゆる地図が四色で塗り分けられることが証明でき、

それならば、n＝5のとき、六個の国からなるあらゆる地図が四色で塗り分けら

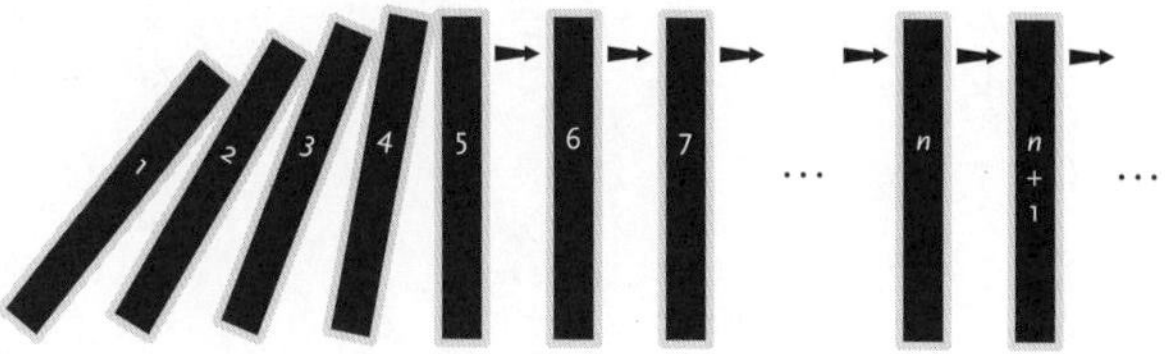
1
2
3
4
5
6
7
…
n
n+1
…

図5

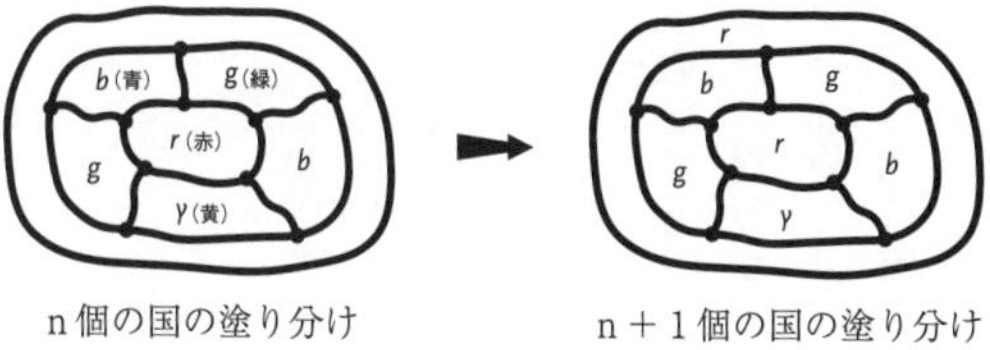
b（青）
g（緑）
r（赤）
g
b
y（黄）
r
b
g
r
g
b
y
n個の国の塗り分け
n＋1個の国の塗り分け

図6

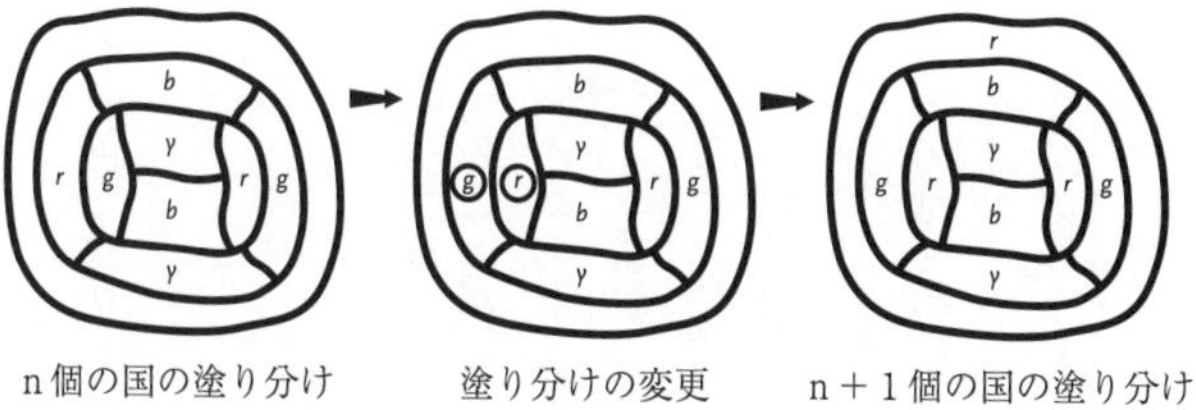
b
y
r
g
b
r
g
y
n個の国の塗り分け
塗り分けの変更
n＋1個の国の塗り分け

図7

れることが証明でき、
　それならば、n＝6のとき、七個の国からなるあらゆる地図が四色で塗り分けられることが証明でき、
　……
と続けていくと、あらゆる地図が四色で塗り分けられることが証明できる。
　帰納法による証明は、果てしなく続くドミノ倒しとしてイメージすることができる（図5）。最初のドミノ（ここでは、最初の四つ）を手で倒せば、これが次のドミノを倒す。われわれの仮定によれば、どのドミノも次のドミノを倒すので（n番目のドミノはn＋1番目のドミノを倒す）、最終的にはすべてのドミノが倒れることになる。
　ここで、n個の国からなる地図の塗り分けを、n＋1個の国からなる地図の塗り分けに拡張するには、どうすればよいのだろうか？　場合によっては、簡単に拡張できることもある。例えば、図6のような塗り分けは直接拡張でき、もとの地図の塗り分けを変更することなく、追加された外部領域を赤で塗れる。
　ときには、もとの地図の塗り分けを直接拡張できないこともある。それは、図7のように、地図の端にある国々が四色すべてで塗られている場合である。この場合には

もとの地図の塗り分けを変更して、地図の左側の赤い国を緑に、緑の国を赤に塗れば、外部領域を赤で塗れる。

上記のような単純な場合には、もとの地図の塗り分けを追加領域に拡張することは比較的容易である。けれども、地図が複雑になるにつれ、塗り分けの大幅な変更が必要になってくる。興味がある方は、次の図8の塗り分けを、真ん中の領域まで拡張してみてほしい（この例は、第7章でふたたび登場する）。

塗り分けを拡張する一般的な方法を見つけるのが困難であることは明らかで、四色問題の途方もない難しさはここにある。

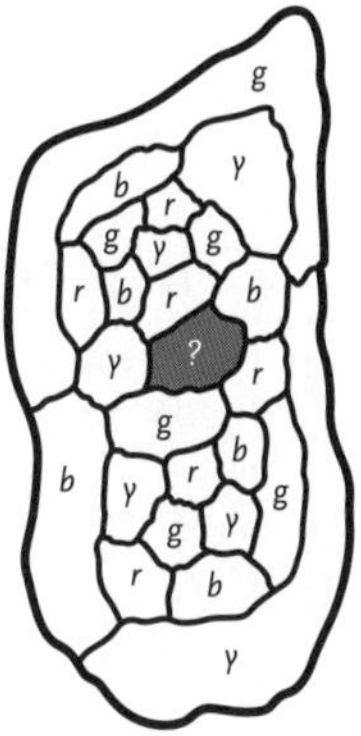

図8

最小反例

四色問題を解くためには、これに似た、もう一つのアプローチをとることもできる。四色定理が間違っていて、四色では塗り分けられない地図が存在すると想像してみよう。五色以上を必要とする地図を具体的に考えるとき、そこに描かれている国の数には最小値があるはずだ。本書では、こうした地図を「最小反例」と呼ぶことにしよう。四色で塗り分けられないという「罪」を犯した地図の中で最小のものという意味で、「最小犯人」と呼んでもよい。このとき、

最小反例は四色では塗り分けられないが、それより少ない国からなる地図はどれも四色で塗り分けられる

と言うことができる。どんな地図でも四色で塗り分けられることを証明するためには、最小反例が存在できないことを証明しなければならない。われわれは、最小反例にさらなる限定条件を課すことで、この証明を行いたい。犯人の肩身を狭くして、存在できないようにしてしまうのだ！

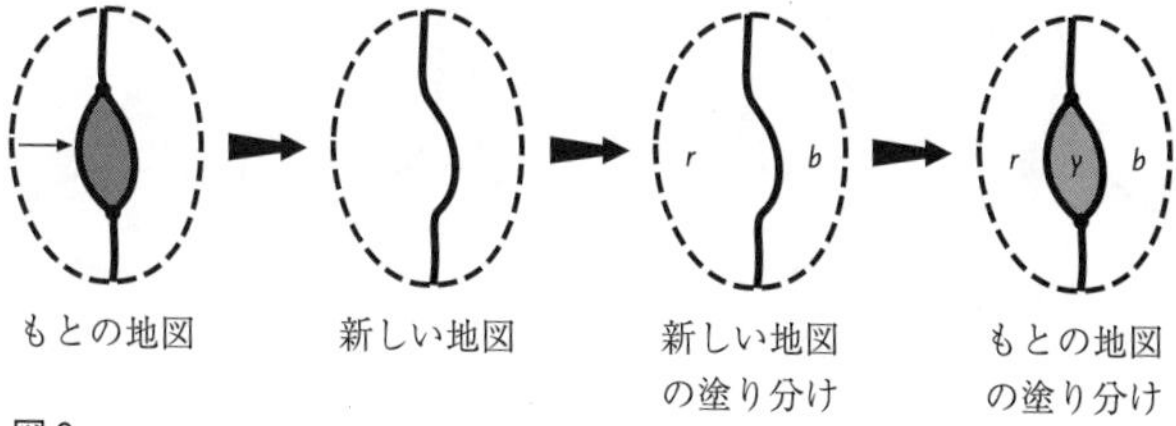

図9

例えば、最小反例が二つの隣国を持つ国（二辺国）を含まないことは、簡単に証明できる。図9のような二辺国を含む最小反例があるとしよう。二辺国から境界線を一本はずして隣国のどちらかと融合させると、最小反例よりも少ない数の国からなる新しい地図ができる。仮定により、この地図は四色で塗り分けられるはずである。

塗り分けができたら、はずした境界線をもとに戻して、二辺国を復元しよう。われわれが利用できる色は四色で、二辺国の二つの隣国を塗るためには二色あれば足りるのだから、復元した二辺国を塗るための色はまだ残っているはずである。つまり、われわれは最小反例を四色で塗り分けられることになり、これは仮定に反している。ゆえに、最小反例が二辺国を含まないことが示された。

同様にして、最小反例が三つの隣国を持つ国（三辺国）を含まないことも証明できる。図10のような三辺国があるとき、境界線を一本はずして隣国のどれかと融合させると、国の数が減

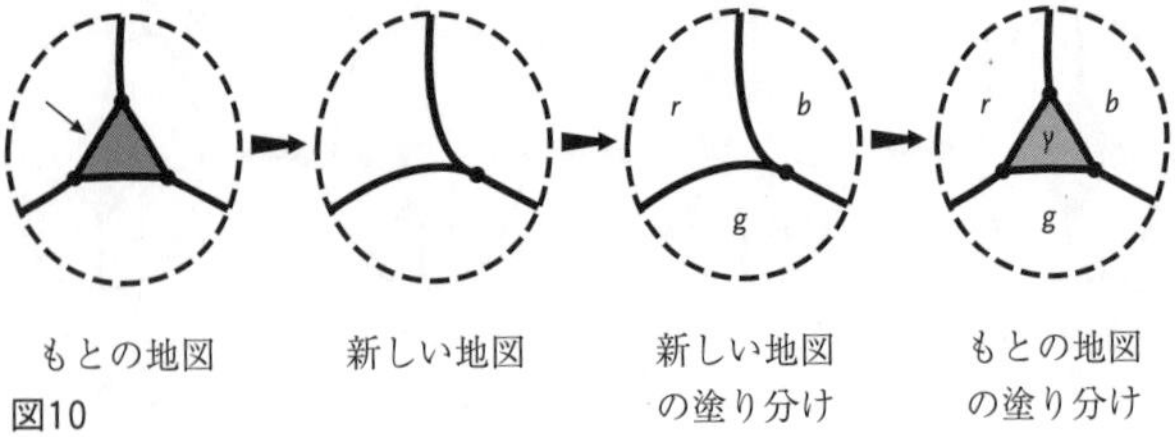

図10

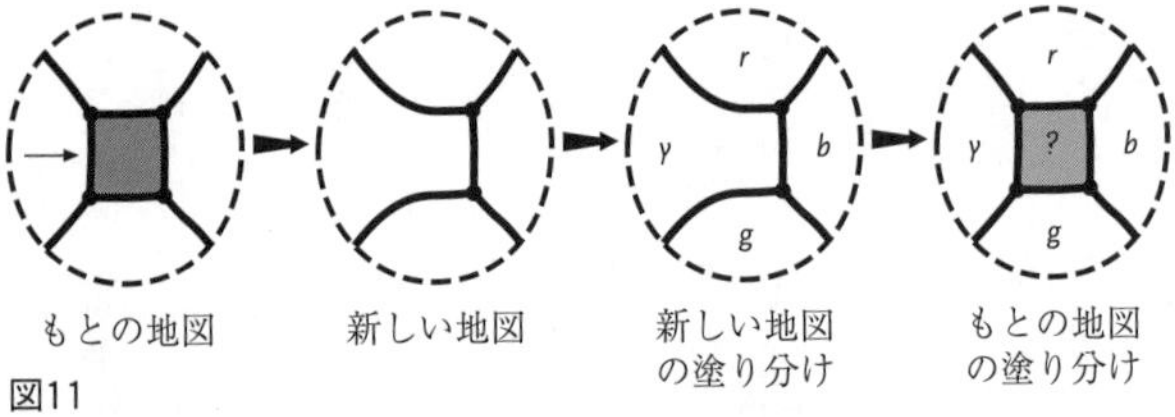

図11

り、四色で塗り分けられる地図になる。

　塗り分けができたら三辺国を復元する。三辺国の三つの隣国を塗るためには三色あれば足りるのだから、残った四色目で復元した三辺国を塗ることができる。最小反例を四色で塗り分けられたのだから、これもまた仮定に反している。ゆえに、最小反例が三辺国を含まないことが示された。

　この考え方を、四つの隣国を持つ国（四辺国）を含む最小反例に拡張するとどうなるだろう？

　これまでと同様、四辺国の境界線を一本はずして隣国のどれかと融合させると、国の数が減り、四色で塗り分けられる地図になる（図11）。

　ところが、塗り分けの後に四辺国を復元

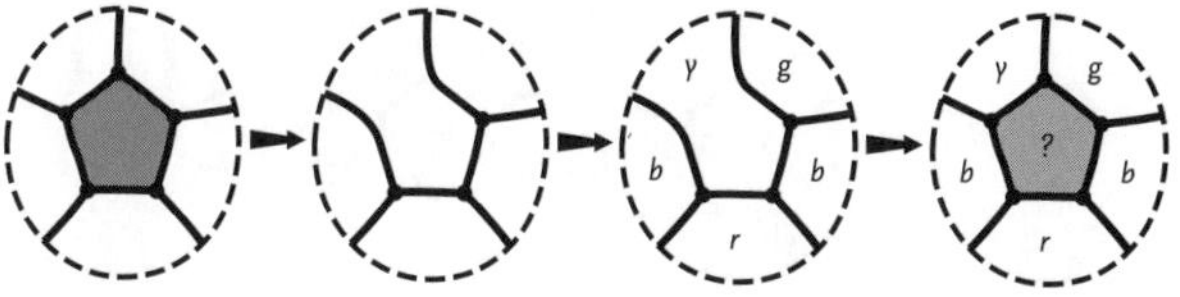

図12

すると、四辺国の四つの隣国を塗り分けるために四色すべてが使われてしまっている可能性がある。その場合、四辺国を塗るための色は残っておらず、これまでのように証明を進めることはできなくなる。

五つの隣国を持つ国（五辺国）を含む最小反例についても、同じことが起きる。まずは、五辺国の境界線を一本はずして隣国のどれかと融合させると、国の数が減り、四色で塗り分けられる地図になる（図12）。

けれども、塗り分けの後に五辺国を復元すると、五辺国の五つの隣国を塗り分けるために四色すべてが使われてしまっている可能性がある。その場合、五辺国を塗るための色は残っておらず、証明を進めることはできなくなる。

次の章では、アルフレッド・ケンプが「ケンプ鎖」を利用して四辺国を含む最小反例の問題を解決し、さらにこれを拡張して五辺国を含む最小反例の問題に挑戦する過程を見ていこう。

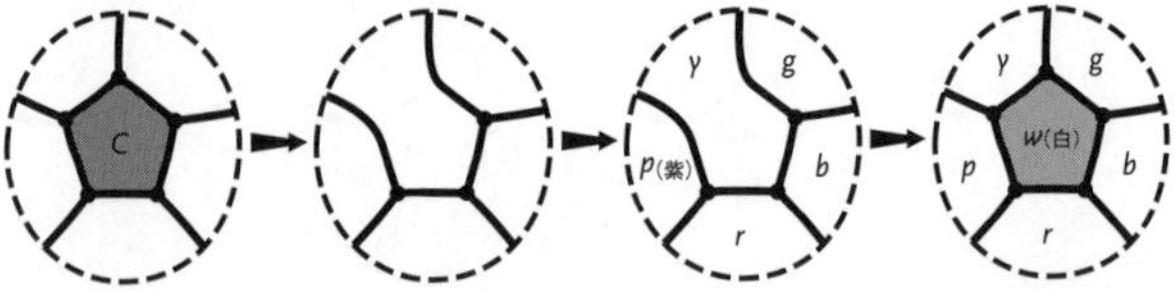

図13

六色定理

最小反例の考え方を利用すると、六色あればどんな地図でも塗り分けられることが証明できる。四色定理に比べるとインパクトはかなり弱いが、それでもなお驚くべき帰結である。

六色定理

六色あれば、どんな地図でも隣り合う国々が違う色になるように塗り分けることができる。

六色定理を証明するには、それが正しくないと仮定した上で、矛盾を探せばよい。すなわち、六色では塗り分けられず、七色以上を必要とする地図があると仮定する。その中には、最も少ない国からなる最小反例があるはずだ。この地図は六色では塗れないが、それより少ない国からなる地図はすべて六色で塗り分けられる。

ここで、「どんな地図にも、五個以下の隣国しか持たない国が少なくとも一つ含まれている」という「隣国は五つだけ」定理を利用する（第3章）。この国をCとしよう。図13のように、C国から境界線を一本はずして隣国のどれかと融合させると、国の数が減り、仮定により、赤、青、緑、黄、紫、白の六色で塗り分けられる地図になる。

ここでC国を復元する。われわれが利用できる色は六色で、C国の隣国を塗るためには五色あれば足りるのだから、C国を塗るための色はまだ残っているはずである。ゆえに、われわれは最小反例を六色で塗り分けられることになり、これは仮定に反している。こうして、最小反例が存在できないことが証明され、六色定理が証明された。

第5章　……ケンプが解いた

この章では、数学史上最も有名な「間違った証明」についてお話ししよう。それは、ロンドンの法廷弁護士にしてアマチュア数学者でもあったアルフレッド・ブレイ・ケンプによる四色問題の証明である。彼がすばらしい数学者で、同時代の人々から高く評価されていたことを考えると、今日、彼の名がこの間違いによってのみ知られているのは不幸なことだ。ケンプを弁護するために言うなら、この間違いは微妙なもので、発表から一一年間も気づかれずにいたほどなのだ。また、彼の「答え」にはいくつかの独創的なアイディアが含まれていて、後世の研究にきわめて大きな貢献をしている。ケンプの有名な論文は、『アメリカ数学ジャーナル』に登場した。ここからお話を続けよう。

シルヴェスターの新しい数学誌

図1 ジェームズ・ジョゼフ・シルヴェスター（1814–97）

ジェームズ・ジョゼフ・シルヴェスターは、一八五〇年代初頭の共同研究によって多大な成果をあげた数学仲間のアーサー・ケイリーと同様、大学で確固たる地位を得るまでにひどく苦労した。一八七一年まで、オックスフォード大学とケンブリッジ大学の教授には英国国教会三九箇条［訳注：英国国教会の教理に関する三九の要綱］への誓約が義務づけられていたため、ユダヤ人であるシルヴェスターは、伝統ある大学のどちらにも地位を得られなかったのである。それだけではない。彼は、ケンブリッジ大学のセント・ジョンズ・カレッジでの学位試験で優秀な成績をおさめていたにもかかわらず、なかなか学位を認められなかった。一八三七年にロンドンにある無宗教のユニヴァーシティー・カレッジで自然哲学の教授になったが（彼にとっては、一四歳の頃にオーガスタス・ド・モルガンのもとで短い間勉強した、馴染《なじ》みの大学だった)、一八四一年には大学を去り、ロンドンのエクイティー・アンド・ロー生命保険会社に勤めることになった。ここで一一年間にわたって保険計理士として勤務した後、一八五五年になってようやく、ウリッジの英国陸軍士官学校で教職につくことができた。けれども、一八七〇年には、陸軍省の新しい規則により、陸軍士官学校の教師は全員五五歳で休職給を受けて退職することになったため、シルヴェスターは失意のうちにウリッジを去って引退生活を送ることを余儀なくされた……と本人は思っていた。

シルヴェスターはその後の五年間を、詩集を出版したり、コンサートで歌を歌ったり(彼はフランス人作曲家シャルル・グノーから歌のレッスンを受けていた)、なぐさみに数学の研究をしたりしてすごした。けれども、一八七五年の末に、彼の人生を一変させる事件が起きた。アメリカのメリーランド州ボルチモアにジョンズ・ホプキンズ大学が新設されて、その初代学長となったダニエル・ギルマンが、最高の教授陣の獲得にのりだしたのである。ギルマンは、当時、英語圏で最高の数学者と見なされていたシルヴェスターにも働きかけを行った。大学が彼に提示した年俸は五〇〇〇ドルで、支払いは金貨だった。彼はこの申し出を受け入れて、新しい仕事に挑戦することが決まった。

ボルチモアでは至福の日々が待っていた。ウリッジとは違い、日々の授業に追われることなくさまざまなアイディアを心ゆくまで発展させることができたし、数学者のウィリアム・ストーリーや天文学者のサイモン・ニューカムなど、理想主義的で情熱的な同僚にも恵まれた。シルヴェスターは、ジョンズ・ホプキンズ大学、ひいてはアメリカ全土の数学研究を盛り上げることを心に誓った。

この大プロジェクトの一環として、シルヴェスターがみずから編集主幹になり、ストーリーを副編集主幹とする『アメリカ数学ジャーナル』誌を一八七八年に創刊した。この雑誌は今日も存続している。その目的は、アメリカ国内の数学者に情報伝達の手段を提供することにあったが、「そのページは常に外国からの寄稿に対して開かれている」とされた。実際、シルヴェスターは国内外の著名な友人に研究論文を依頼して、最初の二号には、イギリスのアーサー・ケイリーらの他、フランス、ドイツ、デンマークからの論文も載せている。おそらくケイリーが勧めたのだろう。編集主幹はアルフレッド・ケンプにも論文を依頼した。その論文のタイトルが、「四色の地理学的問題について」だった。

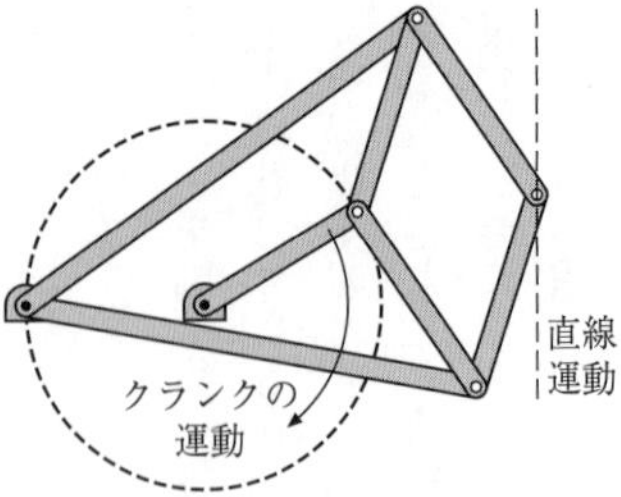

図2

ケンプの論文

アルフレッド・ブレイ・ケンプは、法律家として成功をおさめながら、生涯にわたって数学への情熱的な興味を持ち続けた。ケンブリッジ大学ではトリニティー・カレッジのケイリーのもとで学び、卒業した一八七二年には、機械的手法による方程式の解法について、最初の数学論文を執筆した。その五年後には、ポースリエが直線を引くためのリンク機構［訳注・数個の剛体を回転自在のピンで結合して、各部分の動きと位置が一義的に決まるような運動を行うようにした機構］を発明したことに触発されて（図2）、『直線の引きかた』という一般向けの論文集を出版した。

リンク機構に関するケンプの業績は、同時代の人々に高く評価されていた。実際、彼が王立協会のフェローに推薦されたときには、その根拠として引用された八本の論文のうちの最初の七本がこのテーマに関するもので、最後の一本が四色問題に関するものだった。ケンプは後に王立協会の会計係になり、この職務を二〇年以上にわたってつとめあげた。一九一二年には、王立協会への多大な貢献によりナイト爵《しゃく》を受けている。登山家としても有名で、南極のケンプ山やその近くのケンプ氷河は、彼にちなんで名づけられたものである。

ケンプが地図の塗り分けに興味を持つようになったきっかけは、ロンドン数学会でのケイリーの質問を聞き（ケンプもその会合に出席していた）、同じくケイリーが一八七九年四月号の『王立地理学会紀要』に寄稿した解説を読んだことだった。ケンプは、その年の六月には四色問題を解いたと思い込んで『ネイチャー』七月一七日号に予告を発表し、同年末に『アメリカ数学ジャーナル』第二号に完全な論文を発表した。一八八〇年二月二六日には、この論文の要約を『ネイチャー』と『ロンドン数学会紀要』に発表したが、もとの論文の小さな間違いを正しただけで、致命的な間違いはそのままにされていた。

『アメリカ数学ジャーナル』の論文は、四色問題の紹介からはじまっていた。彼はここで、ケイリーと同じく、ド・モルガンが「どこかで言及した」ように、四色問題は地図製作者にはよく知られていたと説明している。そして、ケイリーの貢献にふれた上で、以下のように続けた。

この問題の難しさは、地図の一部をわずかに変更しただけで、全体の塗り分けを変更せざるをえなくなる場合があるという事実に由来しているように思われる。弱点を発見してそこを攻撃しないかぎり、この問題を解くことは難しい。わたしはしばらく弱点探しに苦戦していたが、あるときふと、それを見つけることに成功した。ここを攻撃するのは容易であることも明らかになった。編集主幹からの要請により、いかにしてそれが可能になるのかを説明してみたい。

論文の残りの部分は、三つの主要なセクションと、いくつかの備考から構成されていた。あるセクションでは、地図に関するオイラーの公式を、コーシーが導いた平面についての帰結を引用して拡張していた（第3章参照）。彼はこれを、

単連結な表面上に描かれた任意の地図において、合流点（交点）の数と地域の数の和は、境界線の数より1だけ大きい

と表現した（つまり、V＋F＝E＋1）。そしてここから、

$$5d_1+4d_2+3d_3+2d_4+d_5-\cdots\cdots=0$$

という公式を導いた。式中、d_kは、k本の境界線を持つ領域の数を示している。ケンプの式は、第3章で導いた数え上げの公式に似ているが、一本しか辺を持たない領域も認めている点で異なっている。正の値をとる項は最初の五つだけなので、d_1、d_2、d_3、d_4、d_5のすべてが0になることはあり得ないと考えられる。彼の言葉を借りるなら、「単連結な表面上に描かれた任意の地図において、五本以下の境界線しか持たない領域が少なくとも一つある」ということになる。これは、わ

図3　アルフレッド・ブレイ・ケンプ（1849−1922）

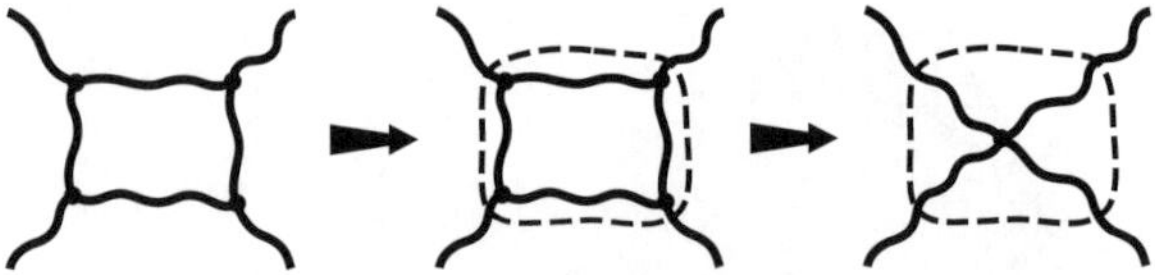

図4

れわれが「隣国は五つだけ」定理と名づけた帰結と同じである。

ケンプは次に、この帰結を利用して任意の地図を塗り分ける方法を説明した。この方法は、六段階にまとめることができる。

1. 五個以下の隣国しか持たない国を見つける（上の帰結より、この条件を満たす国は必ずある）。
2. この国を、同じ形で、すこし大きめの白紙（パッチ）で覆《おお》う。
3. 図4のように、パッチと交わるすべての境界線を延長して、パッチ内の一点で交わるようにする。これは、パッチで覆った国を小さくして点にすることに相当し、国の数が一個減る。
4. 新しい地図でも上記の操作を行い、一個しか国が残らなくなるまで繰り返す。これにより、地図全体をパッチで消せたことになる。
5. 残った一国を、四色のうちの好きな色で塗る。

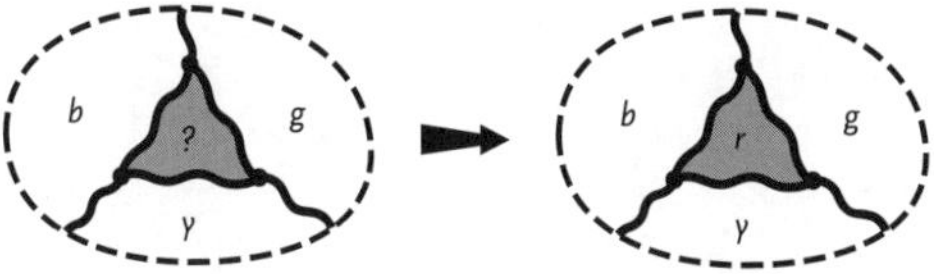

図５

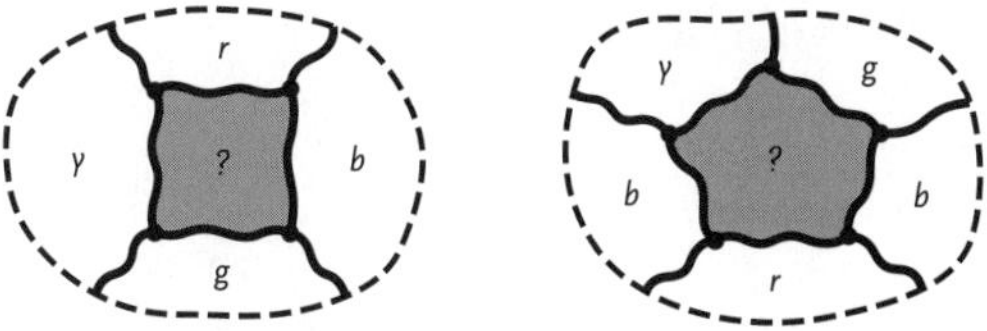

図６

6. 上記の操作の逆を行う。逆の順序でパッチをはがして、もとの地図を復元する。各段階で復元した国に色を塗れば、最終的には地図全体が四色で塗り分けられる。

ケンプは、この最後の操作において、地図の塗り分け問題に対する最も重大な貢献をした。なぜならここで、一つの問題が生じるからだ。それは、「ある国が復元されたときに、それを塗るための色が残っているという確証は常にあるのだろうか？」という問題である。前章の最後で見てきたように、復元された国に三本以下の境界線しかないならば、難しいことは何もない。復元された国が三辺国なら、三色で塗られた三つの隣国に囲まれていることになり、三辺国を塗るための第四の色が残っているからだ

（図5）。前章の用語で言えば、これは、最小反例が三辺国を含まないことを示している。

けれども、復元された国が四辺国や五辺国で、四本あるいは五本の境界線を持っていたらどうだろう？　どちらの場合も、復元された国は四色すべてで塗られた国々に囲まれている可能性があり（図6）、その場合、四辺国や五辺国を塗るための色はない。

ケンプ鎖

この困難を克服するためにケンプが考案したのが、今日、「ケンプ鎖の方法」あるいは「ケンプ鎖の論証」と呼ばれる方法である。この方法では、中心の国を取り囲む国々の色の中から隣り合っていない二色（例えば赤と緑）を選び、以後は、この二色で塗られた国だけを見ていく。最初の例として、四色で塗られた四ヶ国に囲まれた四辺国S（Sは square の頭文字）をケンプがどのように扱ったかを説明しよう。これは、最小反例が四辺国を含んでいる場合に相当する。

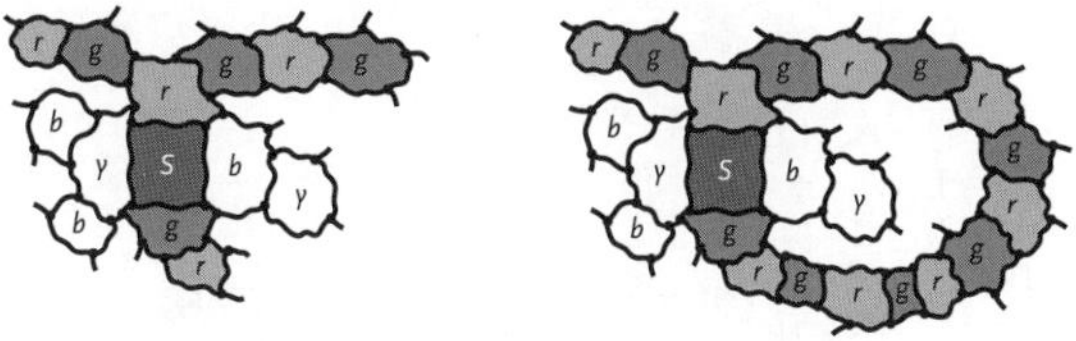

ケース1　図7　ケース2

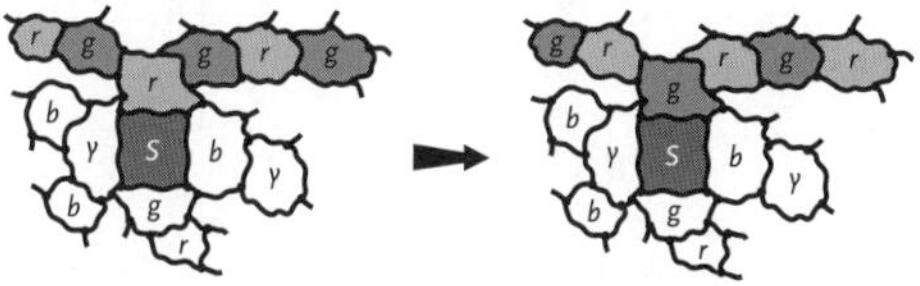

図8

最初に、四辺国Sに隣接する赤と緑の国々に注目する。この二国を出発点として、地図中の赤か緑の国々だけからなる部分をたどっていこう（以下、「赤‐緑部分」と呼ぶ。二色の国々からなるこの部分は「ケンプ鎖」と呼ばれているが、必ずしも「鎖」になるわけではなく、図7のように「枝」を持つ場合もある。枝の部分の国々の配置は任意で、規則どおりに塗り分けられているかぎり、その存在は、Sをどのように塗るかという問題とは無関係である）。

　ここで、二つの赤‐緑部分が離れているか、つながっているかによって、二つのケースが考えられる。

ケース1のとき

ここでは、Sの上の赤い国からはじまる赤‐緑部分は、Sの下の緑の国からはじまる赤‐緑部分とはつながっていない。ゆえに、図8のようにSの上方にある赤‐緑部分の色を入れ替えても、Sの下方にある赤‐緑部分の塗り分けに影響を及ぼすことはない。このとき、四辺国Sは、緑、青、黄の三色だけで囲まれることになるので、Sは赤で塗ることができる。これにより、地図の塗り分けは完成する。

ケース2のとき

ここでは、Sの上方にある赤‐緑部分は、Sの下方にある赤‐緑部分とつながっていて、問題を少しばかり複雑にしている。それは、赤と緑とを入れ替えても、何の利益もないからである。Sの上の赤い国が緑になり、Sの下の緑の国が赤になるだけで、事態は一向に好転しないのだ。そこで、地図中の赤‐緑部分ではなく青‐黄部分を見てみると、四辺国Sの右の青い国からはじまる青‐黄部分は、Sの左の黄色い国からはじまる青‐黄部分とはつながっていないことに気づく。赤‐緑部分の鎖が邪魔をしているからである。

ゆえに、Sの右側にある青‐黄部分の色を入れ替えても（図9）、左側にある青‐

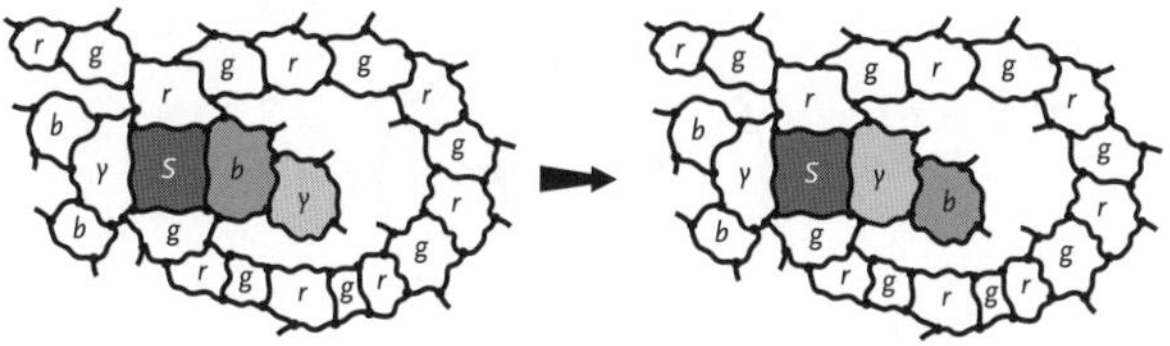

図９

黄部分の塗り分けに影響を及ぼすことはない。このとき、四辺国Ｓは、黄、赤、緑の三色だけで囲まれることになるので、Ｓは青で塗ることができる。

こうして、復元された国が四辺国である場合の地図の塗り分けが完成し、最小反例が四辺国を含まないことが示された。

ケンプは続いて、復元された国が五辺国Ｐ（図10。Ｐはpentagon の頭文字）で、四色で塗られた五ヶ国に囲まれている場合に挑戦した（第７章で説明するように、この部分の証明には根本的な間違いがある）。

彼はふたたび、Ｐを取り囲む国々の色の中から、隣り合っていない二色を選んだ。

まずは、Ｐの上下にあり、互いに隣り合っていない黄色と赤の国々に注目する。Ｐの上方にある黄－赤部分が、Ｐの下方に

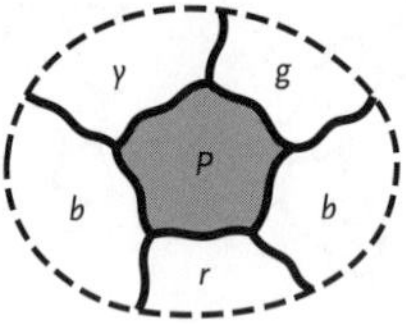

図10

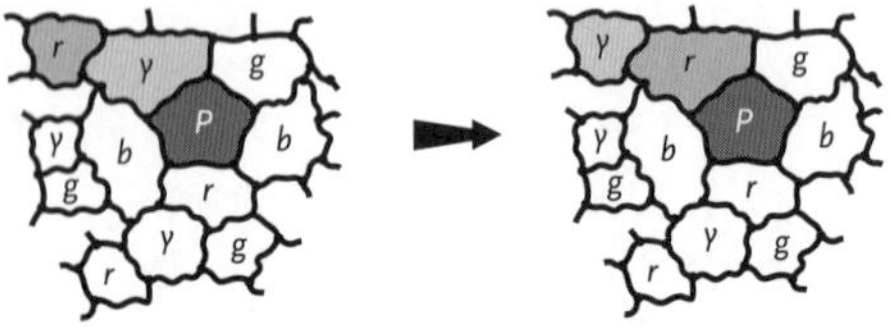

図11

ある黄－赤部分とつながっていない場合、上方部分の色を入れ替えても、下方部分の塗り分けには影響を及ぼさない（図11）。

　このとき、五辺国Pは、赤、緑、青の三色だけで囲まれることになるので、Pは黄色で塗ることができ、地図の塗り分けは完成する。

　あとは、Pの上方にある赤－黄部分が、Pの下方にある赤－黄部分とつながっている場合について考えればよい（図12）。

　Pの上下にあり、互いに隣り合っていない緑と赤の国々に注目する。

　Pの上方にある緑－赤部分が、Pの下

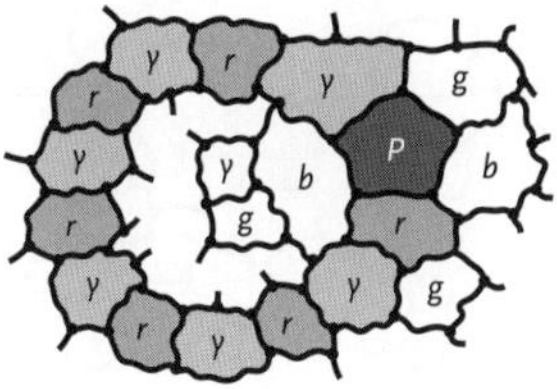

図12

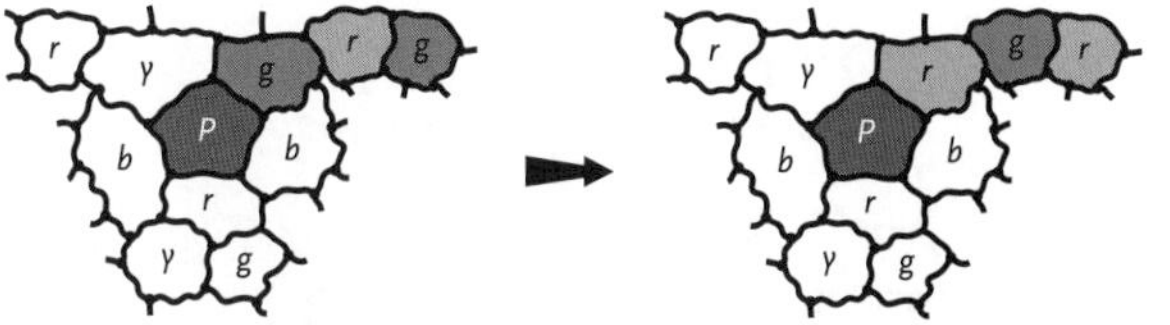

図13

方にある緑－赤部分とつながっていない場合、上方部分の色を入れ替えても、下方部分の塗り分けには影響を及ぼさない（図13）。

このとき、五辺国Ｐは、赤、黄、青の三色だけで囲まれることになるので、Ｐは緑で塗ることができ、地図の塗り分けは完成する。

あとは、Ｐの上方にある緑－赤部分が、Ｐの下方にある緑－赤部分とつながっている場合を考えればよい。この条件を以前の結果と組み合わせると、図14が得られる。

ここで、Ｐの右側にある青－黄部分が、

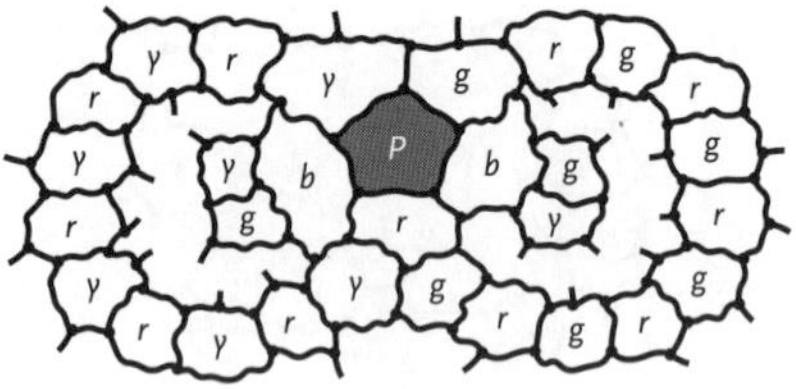

図14

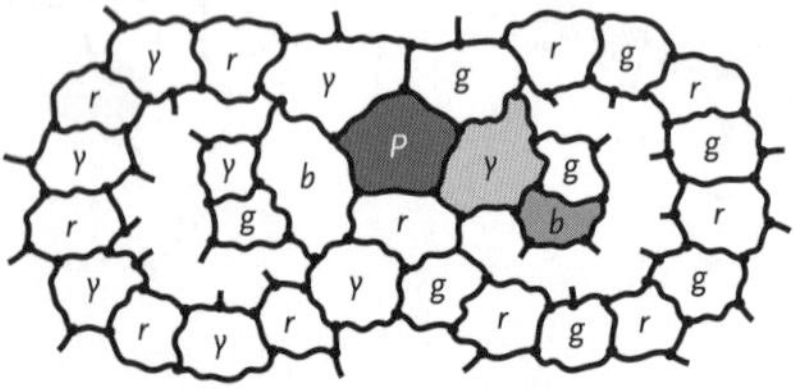

図15

Pの左側にある青－黄部分とはつながっていないことに注意されたい。

赤－緑部分の鎖が邪魔をしているからである。ゆえに、右側部分の色を入れ替えても、左側部分の塗り分けに影響を及ぼすことはない（図15）。

同様に、Pの左側にある青－緑部分は、Pの右側にある青－緑部分とはつながっていない。赤－黄部分の鎖が邪魔をしているからである。ゆえに、左側部分の色を入れ替えても、右側部分の塗り分けに影響を及ぼすことはない（図16）。

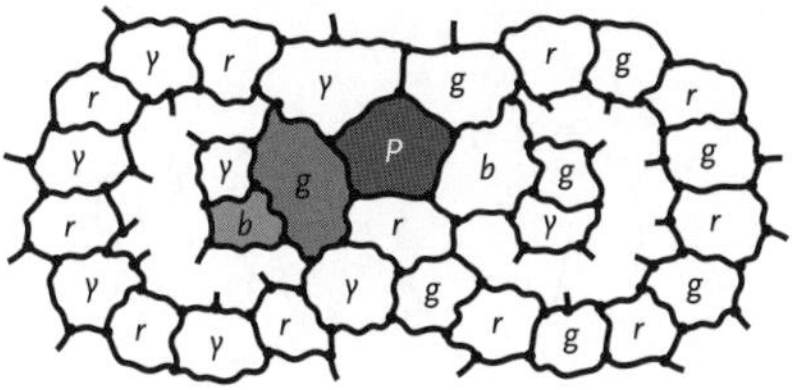

図16

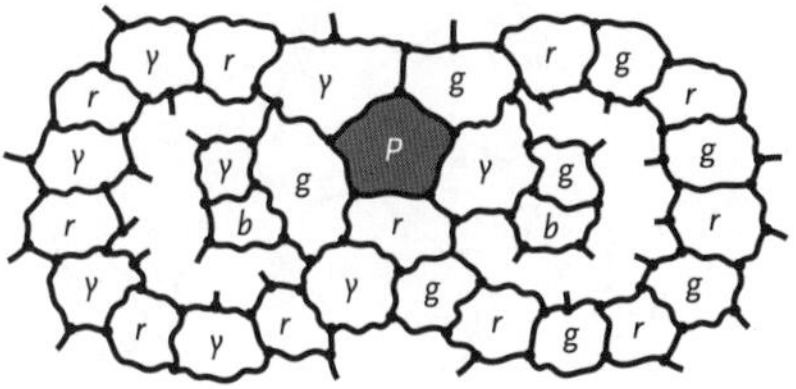

図17

二つの入れ替えを行うと、五辺国Pは、黄、赤、緑の三色だけで囲まれることになるので、Pは青で塗ることができる（図17）。

こうして、復元された国が五辺国である場合の地図の塗り分けが完成し、最小反例が五辺国を含まないことが示された。

以上、考えられるケースはすべて扱ったので、四色定理は証明された。

バリエーション

第7章で説明するように、ケンプ

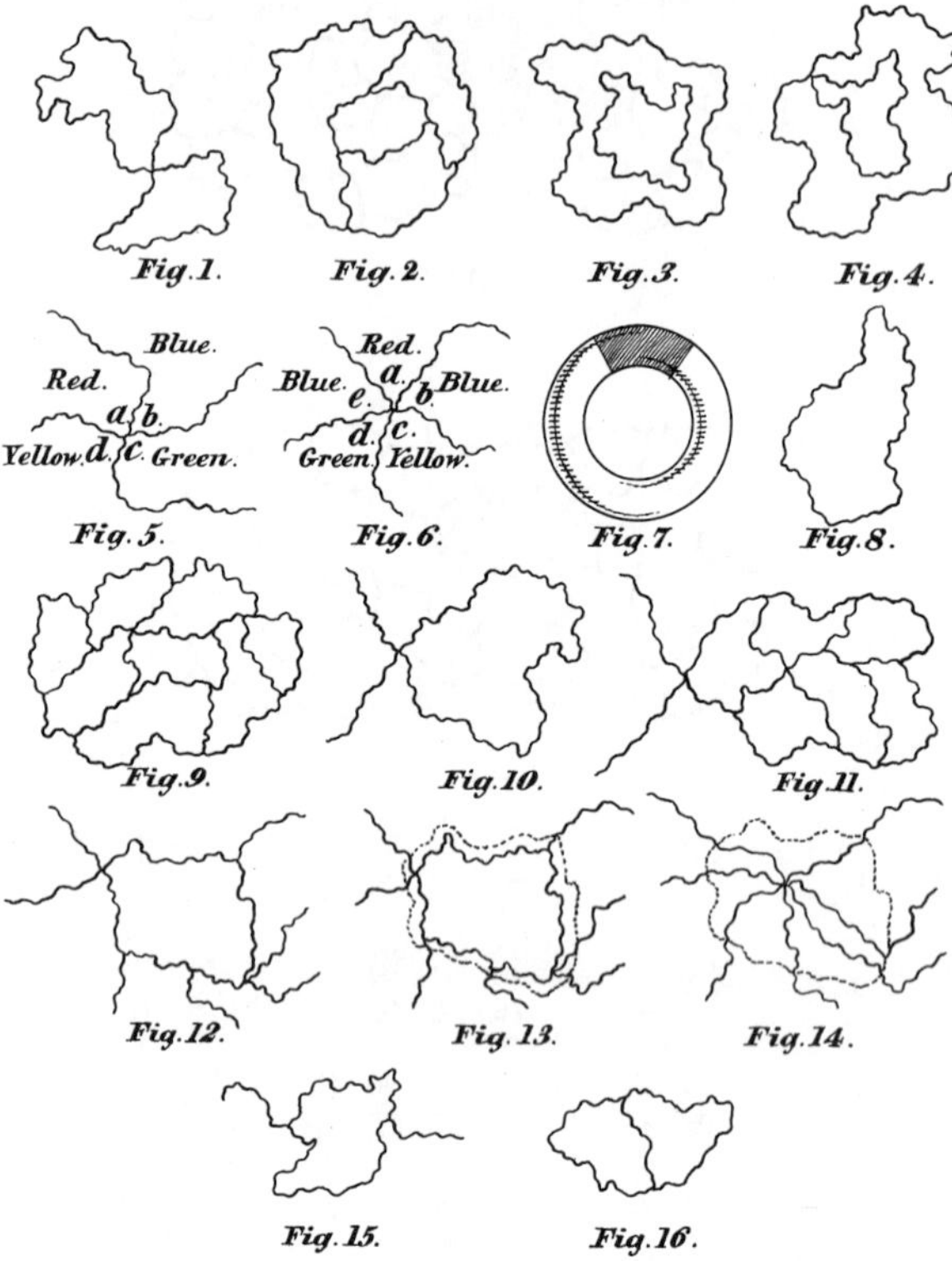

図18　『アメリカ数学ジャーナル』に掲載されたケンプの論文中の図

のこの証明は間違っていたのだが、論文にはいくつかの備考もついていた。その中の一つは、これまで誰も言及していない二つの興味深い具体例に関するものだった。

三枝地図の各地域が、境界線がかたちづくる閉路に沿った偶数個の地域と隣り合っているとき、この地図を塗り分けるには三色あれば足りる。

図19

この場合、各国は偶数個の隣国を持っている（右の地図には、三辺国や五辺国がない）ので、任意の国を取り囲む国々は、互い違いに塗り分けなければならない。

すべての合流点（交点）で偶数本の境界線が交わっている場合には、二色あれば足りる。

この場合、各交点は偶数個の隣国に取り囲まれているので、この国々は互い違いに塗り分けなければならない。ケンプはさらに、こうした地図を作成するには、「任意の回数だけ互いに交差し、自分自身とも交差する、任意の本数の連続した線」を描けばよいと注記した。例えば、左の地図を作成するには、互いに交差する三つの円を描けばよい。

図20

第二の備考は、地図の塗り分けの概念は、球面以外の表面に描かれた地図に拡張できるというものである。一八六〇年代のチャールズ・サンダーズ・パースと同様、ケンプは、トーラス上に描かれた地図を塗り分けるには六色が必要になると述べているが、第2章で見てきたとおり、七色が必要になる場合もある。一般的な表面上での地

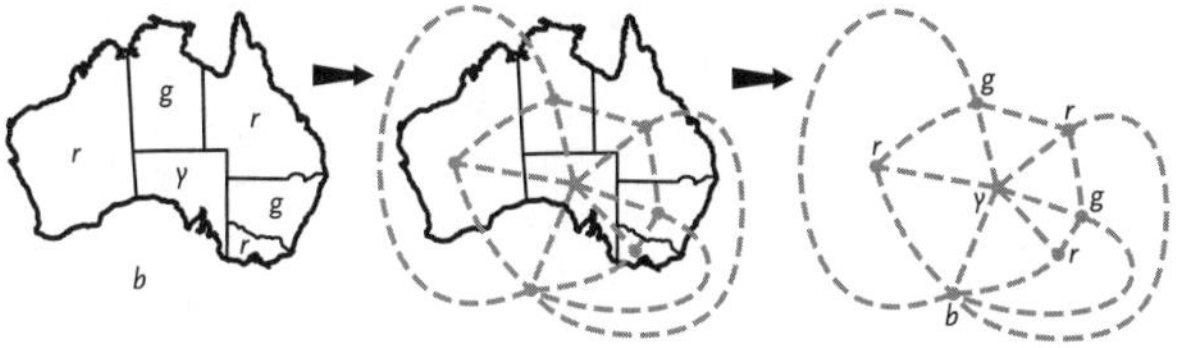

地図の塗り分け　　トレーシング・ペーパー上のリンク機構　　各点に文字を割り当てる

図21

図の塗り分けの概念は、一八九〇年に、パーシー・ヘイウッドによって飛躍的な発展を遂げることになる（第7章参照）。

ケンプの古典的論文についての説明を終える前に、彼が研究していたリンク機構と地図の塗り分けとの重要な関係について補足しておきたい。この点につき、彼は以下のように説明している。

地図上にトレーシング・ペーパーを置いて各地域の上に点を打ち、境界線を共有する地域に対応する点どうしを線でつなぐと、トレーシング・ペーパー上には「リンク機構」の図ができる。われわれはこのとき、線で直接結ばれた二点に同じ文字が割り当てられないようにリンク機構中のすべての点にできるだけ少ない種類の文字を割り当てるにはどうすればよいかという、これまで考えてきたのと完全に同種の問題に直面する。

この作図法は、第2章で「五つの城の問題」をメビウスの「五人の王子の問題」と関連づけたときの方法に似ている。図21に、オーストラリア本土の地図から作成したリンク機構の図を示す。この地図を塗り分けることは、線で直接結ばれた二点が同じ文字にならないようにリンク機構の各点に文字を割り当てることに相当する。

以後、このようなリンク機構を「グラフ」と呼び、上述の操作を「地図のグラフ（双対グラフ）の作成」と呼ぶことにする。四色問題を再定式化して点に文字を割り当てる問題にするというアプローチは、一八八〇年代に一時的に復活した後（第6章）、一九三〇年代に再導入され、以後、この問題を解くためのあらゆる試みに利用された。

問題を複雑にしないために、本書では今後も（グラフの点に文字を割り当てる問題に切り換えることなく）地図の塗り分け問題を考え続けることにする。

ふたたびボルチモアにて

その頃、ジョンズ・ホプキンズ大学では、ケンプの論文がきっかけとなって、四色問題への興味が高まっていた。一八七九年一一月五日に開かれたジョンズ・ホプキンズ科学協会の会合では、ウィリアム・ストーリーが、一八名の出席者の前でケンプの証明のポイントを紹介している。ストーリーは、ケンプの論文に小さな訂正をいくつか加え、彼が見落としていた種類の地図にまでオイラーの公式のセクションを拡張した。さらに、「証明を完全に厳密なものにするために」、『アメリカ数学ジャーナル』に掲載されたケンプの論文の後に、四ページにわたる「前掲論文のための解説」をつけ加えた。残念ながら、こうした改良は、ケンプの根本的な間違いを指摘するものではなかった。

ストーリーの「解説」は、シルヴェスターを激怒させた。シルヴェスターは、「解説」の掲載は不適切で、ストーリーは副編集主幹として職業道徳に反した行為をしたと考えたのだ。短気な彼は、ギルマン学長に対して怒りの手紙をしたためた。

本年の私の不在中におけるストーリーの振る舞いのみならず、昨年の私の不在中における指示への不服従、および、ケンプ氏の貴重な論文に対する「悪意ある」とは言わないまでも著しく良識を欠く扱いなどに鑑《かんが》みて、われわれが今後も共同で『ジャーナル』の運営に当たることは得策でないという結論に達しました……

幸い、ギルマンは事態を収拾することができたが、以後、『ジャーナル』の扉のストーリーの名前からは、「副編集主幹」の肩書きが消えることになった。

一一月の会合には、チャールズ・サンダーズ・パースも出席していた。彼は当時、米国沿岸調査局に勤務する傍ら、ジョンズ・ホプキンズ大学で論理学の非常勤講師もしていたのである。おそらく、ケンプの原稿に刺激されたのだろう。パースは八月一七日にストーリーに手紙を書いて、自分が四色問題を解決したときのこと（おそらく、一八六〇年代にハーヴァード大学で発表した証明のこと。第2章参照）を思い出したと言っている。ケンプの証明について紹介された一一月五日の会合でも、「この論文につき、C・S・パース氏による論評があり」、一二月三日に開かれた次の会合では、パースは、

四色の地理学的問題の新しい性質について論じたが、その際、ケンプ氏による問題の証明よりも優れた証明が可能であることを論理的立論によって示したという。

パースの「優れた証明」に関する詳細な記録は残っていないが、代数用語による四色問題の書き換えは、以下のようにして行われる。まず、A、B、C、Dという記号で色を、1、2、3という数字で国を表し、2の国にCの色を塗ることをC_2と表すことにする。次に、2の国にCの色が塗られていることを$C_2=1$、Cの色が塗られていないことを$C_2=0$という「方程式」で表すことにすると、四色問題は以下のように再定式化される（iという記号は、1、2、3の任意の国を表している）。式の後に説明を付記する。

$Ai^2-Ai=0$　B、C、Dについても同様。

$Ai\times Bi=0$　A、B、C、Dのすべての組み合わせについて同様。

および、$Ai+Bi+Ci+Di=1$。

また、境界線を共有する二つの国の番号をiとjという記号で表すとき、

$Ai\times Aj=0$　B、C、Dの同様のペアの積についても同じ。

一行目は、方程式$Ai^2-Ai=0$の解が$Ai=1$または0になるので、iの国はAの色で塗られているか塗られていないかのどちらかであることを意味している。B、C、D

の色についても同様である。二行目は、iの国にAとBの二色を同時に塗ることはできず、その他の色の組み合わせについても同様であることを意味している。三行目は、iの国にA、B、C、Dのどれか一色が塗られていなければならないことを意味している。四行目は、iの国とjの国が境界線を共有しているとき、Aの色を両方に塗ることはできず、B、C、Dについても同様であることを意味している。

ケンプの証明は、ニューヨークの定期刊行誌『ザ・ネイション』の一八七九年一二月二五日号にも登場した。コンサートや演劇、オペラの批評や書評に混ざって、『アメリカ数学ジャーナル』最新号についての記事があり、「それが正しいことはずっと前から分かっていたにもかかわらず、どうしても証明できなかった数学上の命題」が、「リンク機構の研究で有名なケンプ氏」によって初めて証明されたことに関する「パース氏による報告」が、「野球におけるカーブの原理」と並んで特集されたのである。

パースとストーリーは、その後も生涯にわたって四色問題への興味を持ち続けた。パースは、一八九九年一一月一五日にニューヨークで開かれた米国科学アカデミーの会合で、この問題についての講義を行っているし、ハーヴァード大学に残された彼の各種のノートには、地図のメモと、その塗り分けがいくつもスケッチされている。最後に、ストーリーがパースに書いた手紙からの抜粋をご紹介して、この章を終わりにしよう。二人がこの問題にどれほど苦しめられていたかがよく分かる。

一九〇〇年一二月一日
親愛なるパース様
……四色問題について、私があなたにお答えできることは何もありません。私は心底、うんざりしているのです。この問題に注いだ膨大な時間は、すべて無駄になってしまいました。あなたが提案されている第一の方法については、私も以前考えてみたことがありますが、何も得られませんでした。

一九〇〇年一二月六日
私がこの手紙をなかなか投函《とうかん》できずにいるのは、あなたのせいです。あなたが私に、魅力的だが捉《とら》えどころのないこの問題を思い出させたりするものだから、上の文章を書いてから今までずっと、私はこの問題に没頭していたのです。けれどもああ！　ケンプの方法に対する例外は、地図中に少なくとも一個の三辺国または四辺国があることを要請するように思われます。その場合、次に塗るべき国は五辺国ではないことになり、すなわち、例外は起こり得ないことになります。けれども私は、それを証明することができません……。

敬具

ウィリアム・E・ストーリー

第6章　運の悪い人々

ケンプによる四色定理の証明は広く受け入れられ、たちまち数学神話の一部になった。この定理がボルチモアのジョンズ・ホプキンズ大学で議論されるようになった過程は前の章で見てきたが、アーサー・ケイリーや後述するピーター・ガスリー・テイトらイギリス人数学者の間でも広く受け入れられたようである。この業績により、ケンプは一八七九年一一月二四日に王立協会のフェローに推薦され、一八八一年六月二日に選出された。

四色問題を楽しんだビクトリア朝のイギリス人の一人に、『不思議の国のアリス』と『鏡の国のアリス』の著者として知られるルイス・キャロルがいる。彼の本名はチャールズ・ラトウィッジ・ドジソンと言い、オックスフォード大学クライストチャーチ学寮の数学講師だった。彼は、伝統的な幾何学のアプローチを擁護し、特に、ユークリッドの『原論』の研究を重視していた。また、記号論理学という数学の一分野で先駆的な研究をしたことでも知られている。彼については、『アリス』を好んだビクトリア女王から「次の作品を送ってほしい」と言われて『行列式入門』を送ったが喜ばれなかったという逸話が残っている（ドジソン自身は常にこの話を否定していた）。

ドジソンは、なぞなぞやゲームを作って、知人の子供たちに解かせることを楽しみにしていた。『アリス』の本も、こうした子供たちの一人であるアリス・リデルとその姉妹のために書かれたものだった。甥《おい》のスチュアート・コリングウッドによると、ドジソンのお気に入りのなぞなぞに、次のようなものがあった。

Aは架空の地図を描いて、いくつかの国に分割する。
Bは、できるだけ少ない色を使って、その地図に色を塗る。
（あるいは、色の名前を表す印をつける）
隣り合う二国は、別々の色で塗らなければならない。
Aの目的は、Bにできるだけ多くの色を使わせることにある。
AはBに、何種類の色を使わせることができるだろうか？

フランスでは、エデュアール・リュカによるケンプの論文の翻訳が一八八三年の

『ルビュ・シアンティフィック』に掲載された。一一年後、リュカの死の直後に出版された名高い『数学遊戯』全四巻の最終巻には、その増補版が収録されている。

ドイツでは、一八八五年のライプツィヒ科学会の会合でリヒャルト・バルツァーがメビウスの五人の王子の問題についての講義を行った際に（第2章参照）、ドイツ人の著名な数学者であるフェリックス・クラインが、「ロンドンのケンプ氏による四色の地理学的問題についての関連研究」への注意を促している。既に見てきたように、二つの問題を混同していたバルツァーは、自分のように、五つの領土が相互に隣り合えないことを証明すれば、四色問題はずっと簡単に解くことができると誤解していたので、最後に、「友人のヴァイスケの簡潔な証明がこんなに広く応用されていることをメビウスが知ったら、さぞかし喜んだにちがいない」とコメントした（メビウスはヴァイスケから五人の王子の問題を仕入れたと考えられている）。運が悪かったのはバルツァーだけではなかった。

主教への挑戦

一八八七年一月一日に、雑誌『ジャーナル・オブ・エデュケーション』に以下のような小さい記事が掲載された。題材を提供したのは、ブリストルのパブリック・スクール、クリフトン校の校長のジェームズ・モーリス・ウィルソン師だった。彼は、学校における科学教育の草分け的存在である。

クリフトン校「名物」の一つに、一学期に一度、校長が全校に出題するチャレンジ問題がある。チャレンジ問題は、機械の発明や電気の利用に関するものになることも、数学の問題になることもあるが、「正一〇角形のすべての頂点の間に線を引き、あらゆる辺と対角線をくまなく組み合わせていくと、一万個の三角形ができることを証明せよ」など、知識だけでは解けない、独創性が必要とされる問題ばかりである。

校長はわれわれに、先学期のチャレンジ問題を送付してくれた。読者の中には、解答を提出してみようと思われる方があるかもしれない。

「平面に描かれた地図に色を塗る際、境界線を共有する二国が同じ色にならないように塗るのが望ましいことは当然である。このとき、国や地域の形態や個数にかかわらず、どんな地図も四色あれば塗り分けられることが経験的に知られている。この事実に対する優れた証明を求む。なぜ四色なのか？　球面を覆《おお》い尽くすように描かれた地図についても正しいのか？」

「校長への提出期限は一二月一日……証明は一ページ、三〇行までとし、図表も一ページまでとする」

上流階級の人々の多くが、クリフトン校のチャレンジ問題に興味を持って、これに挑んだ。ウィルソンは、『ジャーナル・オブ・エデュケーション』一八八九年六月一日号にも寄稿して、以下のように述べている。


しばらく前に貴誌のコラムに掲載された問題は、人々の興味を大いにかき立てた。……多くの人々が証明に挑み、数人の数学者が私に手紙をよこして、「いくつか証明を考えてみたが、どの証明にも満足がゆかない」と打ち明けた。この問題に対するきちんとした満足のゆく証明は得られているのかという問い合わせも多かった。そこで私は、貴誌に解答を送付すれば、読者諸氏にも喜んでもらえるだろうと考えた。これは、ロンドン主教から送られてきた証明だが、手紙には、「同封の証明は、＊＊での夜の会合で××が熱弁をふるうのを聞き流しながら書いたものです」と書かれていた。

ちなみに、その会合の翌朝の新聞は、このときの主教の様子を次のように報告している。

ロンドン主教は××氏のスピーチに大いに興味を示し、スピーチの間じゅうメモをとっていた。

ここに登場する「ロンドン主教」とは、後にカンタベリー大主教になったフレデリック・テンプルのことである。テンプルはかつてオックスフォード大学ベーリアル・カレッジで数学を教えていたこともあり、数学ゲームやなぞなぞに特に興味を持っていた。残念ながら、彼の「解答」を見ると、リヒャルト・バルツァーらと同様、五つの国が互いに隣り合う地図を平面上に描くことはできないと証明するだけで足りると誤解していたことが分かる。テンプルの誤解は、数年後に、オックスフォード大学のウィッカム論理学教授ジョン・クック・ウィルソンによって詳しく解説されることになった。

スコットランドへ

図1　ピーター・ガスリー・テイト（1831−1901）

もう一人の不運な人物は、エディンバラ大学の自然哲学教授で、ウィリアム・トムソン（後のケルビン卿《きょう》）との共著による『自然哲学論』が広く読まれていたピーター・ガスリー・テイトである。著名な理論物理学者で、熱烈なゴルフ愛好家でもあった彼は、軌跡のモデルと衝撃下での物体の挙動に興味を持ち、ゴルフボールの軌跡に関する古典的な論文も執筆している。彼は何度も実験を重ねた末にゴルフボールの最大飛距離の理論値を計算し、その結果をエディンバラ王立協会に提出したのだが、彼の息子で、卓越したアマチュア・ゴルファーだったフレデリック・ガスリー・テイトが、父親が予言した最大飛距離の五ヤード先までボールを飛ばしてみせたという逸話が残っている。残念ながら、『ゴルフ』誌のこの逸話は、ジャーナリストの豊かな想像力の産物であった可能性が高い。

『ネイチャー』一八八〇年二月二六日号に四色問題が解けたと主張するケンプの論文の要約が発表されたとき、テイトはこの論文に大いに興味を持った。数年前にケイリーからこの問題について聞いていた彼は、結び目に関する数学上の問題に取り組む傍ら、「各交点で偶数本の境界線が会しているような地図は、二色あれば塗り分けられる」というケンプと同様の結果を独自に得ていた（ただし、彼自身も気づいていたように、「普通の地図では三本の境界線が会している」のだが）。

テイトは、ケンプによる解答は不必要に長く、四色問題の「本質や意味について何の洞察も与えていない」と考えた。彼は、三週間もしないうちに、もっと単純な解答を四種類か五種類も考えついた。実は、どの解答も間違っていたのだが、彼はこれらを三月一五日のエディンバラ王立協会の会合で自信たっぷりに発表し、『紀要』でも論文を発表した。

失敗に終わったテイトの最初の挑戦では、ケンプの双対グラフが利用された。双対グラフは、個々の国を表す点と、隣り合う国々に対応する点どうしを結ぶ線とからなるグラフである。これに何本か線を追加して、全体を三角形に分割する。「三角形化」

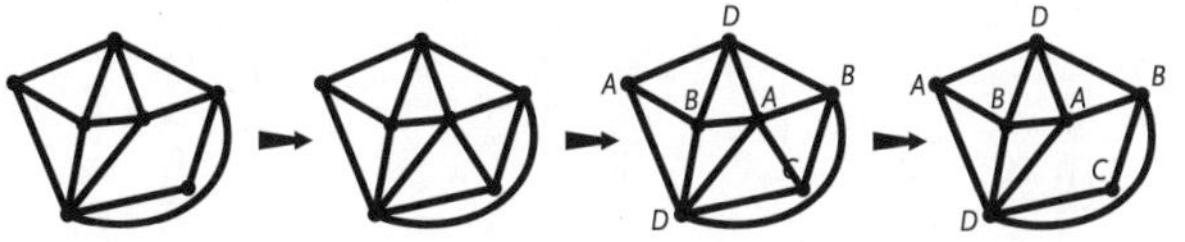

双対グラフ　「三角形化」したグラフ　文字の割り当て　文字を割り当てられた双対グラフ

図２

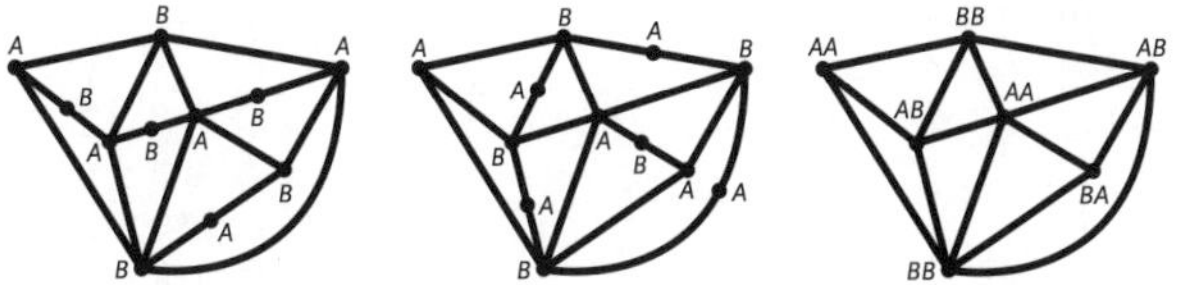

第一回目の文字の割り当て　第二回目の文字の割り当て　文字の割り当てを重ねたもの

図３

したグラフ中の各点に、線で結ばれた点どうしが同じ文字にならないように四種類の文字を割り当てて、その後、追加した線を除去すれば、もとのグラフの点にも四つの文字が割り当てられたことになる（図２）。

テイトは次に、三角形の国々に点を追加して、辺の数が四本になるようにした。このとき、すべての点にAとBの二文字を交互に割り当てることができる。それから、彼の言葉を借りると、「もう一つの方法で同じことを行う」。すなわち、三角形の国々の前とは違った位置に点を追加して、すべての点にAとBの二文字を交互に割り当てるのだ。最後に、文字を割り当てた二種類の地図を重ね合わせて、追加した点を消す（図３）。

彼は、この方法により、どんな地図中の点に対しても、線で結ばれた点どうしが同じ文字にならないようにAA、AB、BA、BBという四種類の「合成」文字を割り当てられると主張した。けれども、こうした文字の割り当てが常に可能であるという確証はない。テイト自身も、一八八〇年四月一三日に試験監督をしながら走り書きしたケンプへの手紙の中で、

二つのグラフを全体的に違ったものにするために二通りの方法で文字を割り当てることに関して、当初はちょっとした問題がありました。けれども、二、三の単純な規則の助けを借りれば、その克服は難しいことではありません。

と言って、この問題の存在を認めている。それにもかかわらず、「二、三の単純な規則」についても、この方法でうまく行く理由についても説明されていないために、彼の試みは四色問題の解答としては認められていないのだ。

同じ年に、テイトは真に有益で独創的なアイディアを提案した。彼は、これにより四色問題の答えが出ると信じていた。実際にはそうはいかなかったのだが、今日も研究されている、興味深い一分野を切り開くことになった。三枝地図から出発した彼は、

国ではなく境界線の塗り分けを考えたのである。

　各交点でちょうど三本の境界線が会している地図では、同じ色の境界線どうしが端点を共有しないように境界線を塗り分けるには、三色あれば足りる。

　例として、地図中の国々がA、B、C、Dの四色で塗り分けられている三枚地図を考えよう。このとき、次のようにして、地図中の境界線をα、β、γの三色で塗り分けることができる。

A色の国とB色の国のペア、またはC色の国とD色の国のペアの間の境界線をα色で塗り、

A色の国とC色の国のペア、またはB色の国とD色の国のペアの間の境界線をβ色で塗り、

A色の国とD色の国のペア、またはB色の国とC色の国のペアの間の境界線をγ色で塗る。

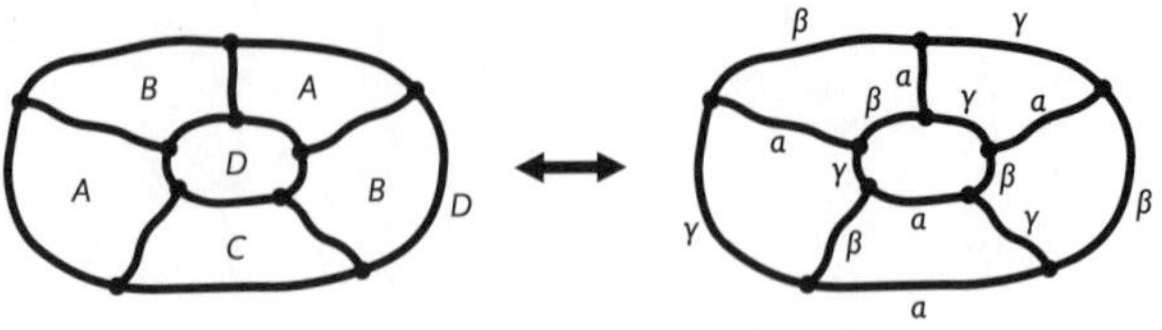

図4　国々の塗り分け　　境界線の塗り分け

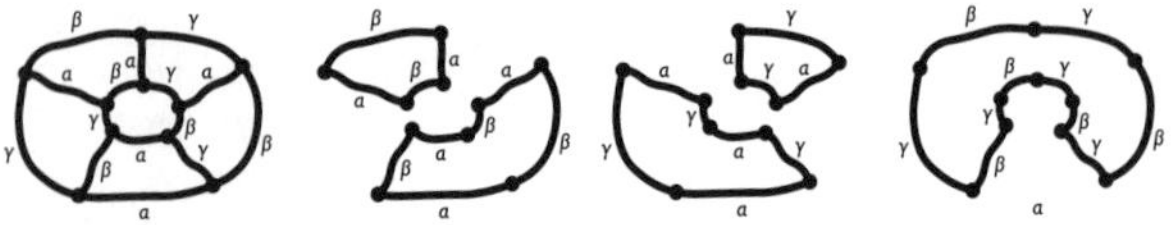

図5　地図　αとβ　αとγ　βとγ

この操作を絵で説明すると、図4のようになる。

この操作は、必ず逆向きにも進められる。今ここに三枝地図があり、各交点で三色すべての境界線が会するように境界線が塗り分けられているとしよう。任意の国を選んでAの色を塗ると、あとは上述の手順により、この国に隣接する国々の色が分かる。例えば、もとの国と、その隣りの国との間にある境界線がβの色で塗られているなら、隣りの国はCの色で塗られなければならない。この作業を続けていくと、地図中のすべての国に色を塗ることができる。

もう一つの逆向きの操作は、後で重要になってくるもので、三色の中から二色を選び、

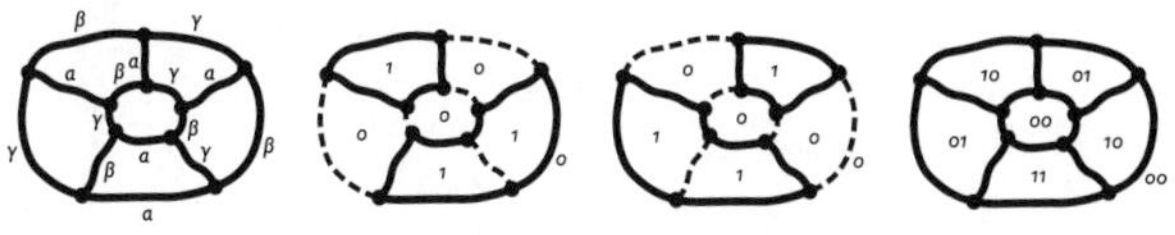

地図　α-βの閉路　α-γの閉路　重ねたもの

図6

この二色で塗られた境界線に注目するというものである。このとき常に、一種類以上の「閉路」のパターンが作られる（図5）。

ここで、第一の閉路の内側にあるすべての国に1、外側にあるすべての国に0という数字を割り当てる。さらに、第二の閉路についても同じ操作を行って、二つの結果を重ね合わせる（図6）。この方法により、地図中の国々は常に00、01、10、11という四つの「色」で塗り分けられることになる。

地図中の境界線を塗ることの重要性を正しく認識していたテイトは、ケンプにふたたび手紙を書いた。彼は、三枚地図の境界線が常に三色で塗り分けられるという自分の発見を、以下のように評価している。

……容易に証明できる補助定理であり、格好の出発点になります。

そこでわたしは、前回のエディンバラ王立協会の会合では、長い論文を撤回して、(上記の補助定理にもとづく)もっと短い、単純な論文を読み上げました。
わたしは今や、すべての基礎にある単純な補助定理を発見したと信じています。

テイトは、一八八〇年七月一九日のエディンバラ王立協会の会合においてこの結果を報告し、その要約も王立協会の『紀要』に掲載された。テイトは、この「容易に証明できる補助定理」は、数学的帰納法(第4章参照)によって簡単に証明でき、四色問題の解答も、そこから上述のようにして導出できると考えていた。残念ながら、彼の「容易に証明できる補助定理」の証明は、もとの四色定理の証明に負けず劣らず難しかった。

なお、四色問題に関するテイトの初期の論文には追記がある。彼の最初の論文がきっかけになって、

『エディンバラ王立協会紀要』第一〇六号五〇一ページによると、地図の塗り分けに興味が集まっているらしい。本稿は、主としてこの問題の歴史に関するものである。

という言葉からはじまる、もう一つの「地図の塗り分けについての解説」が、エディンバラ王立協会の『紀要』に掲載されたのだ。著者はフレデリック・ガスリーで、このときはじめて、四色問題が彼の兄のフランシスによって提唱されたことが明かされたのである（第２章参照）。

立体のまわりをまわる

エディンバラ王立協会の『紀要』に概要を発表したテイトは、すぐにこれを拡張して、「位置の幾何学の定理についての解説」という論文を王立協会の『会報』に発表した。この論文で、彼はふたたび三枝地図の境界線の塗り分けに取り組んだ。

２ｎ個の点が３ｎ本の線で結ばれていて、各点で３本の線が会しているとき、これらの線をｎ本の線からなる三つのグループに分類し、各点で各グループのどれか１本の線が終わっているようにすることができる（普通、分類方法は複数ある）。

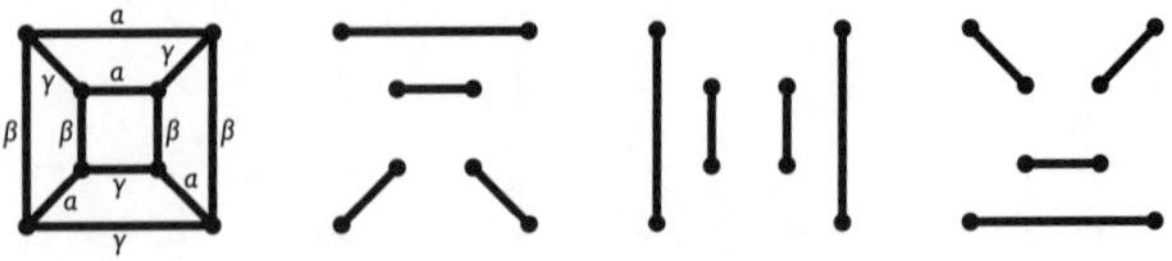

グラフ　α色の線　β色の線　γ色の線

図7

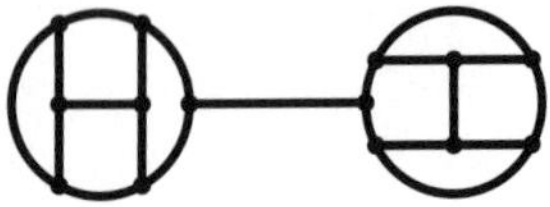

図8

例えば、8個の点と12本の線からなる上の色つきのグラフでは（n＝4に対応）、α色の線が第一のグループ、β色の線が第二のグループ、γ色の線が第三のグループを形成している（図7）。

テイトは次に、

この定理の単純な証明を得ることの困難は、それが制約なしには正しいものになり得ないという事実に由来している。

という、ややこしい主張をした。彼は、定理が成立しない例として、14個の点と21本の線からなる（n＝7に対応）、上図のようなグラフを示した。けれども、このグラフに対応する地図は存在しない。中央の線は、二つの「異なる」国を分けるものではないからである（図8）。

テイトは、こうした望ましくない場合を除外するために、多面体を平面上に射影したときに得られる三枝地図だけを考えることにした。射影して三枝地図が得られる多面体は、四面体、六面体、一二面体など、各頂点で会している辺（または面）の数がちょうど三になっている「三枝の立体」でなければならない。八面体や二〇面体は、各頂点で会している辺（または面）の数が三より大きいので、三枝の立体ではない。テイトは、自分の帰結があらゆる三枝の多面体に「普遍的に当てはまる」と信じ、

　これらの多面体の地図の境界線を三色で塗り分けて、各交点で三色すべての境界線が会するようにさせられるという命題は、四色定理に含まれると同時に、この定理を含んでもいる。

と主張した。
この「制限つきの問題」に挑戦するために、テイトは以下のように問いかけた。

　どんな三枝の多面体にも、すべての頂点をちょうど一回ずつ通る、一本の閉路があるのだろうか？

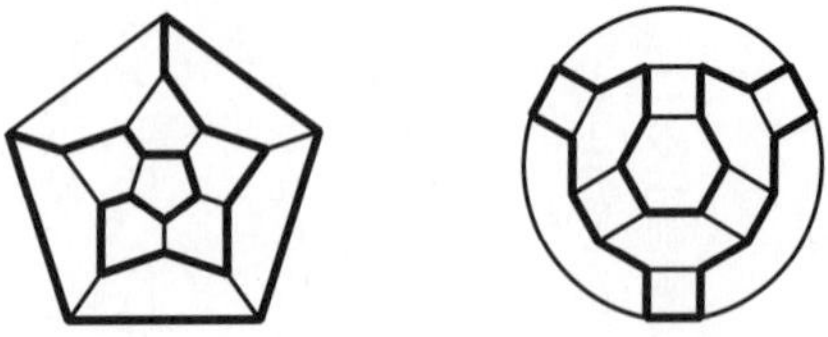

図9　一二面体　切頭八面体

図10　六面体　閉路　辺の塗り分け

一二面体と切頭八面体のすべての頂点を一回ずつ通る閉路を図9に示す。

このような閉路にテイトが興味を持ったのは、三枝の多面体に閉路があれば、その辺は三色で塗り分けられるという事実に由来している。例えば、閉路を構成する辺を赤と緑で交互に塗って、残りの辺を青で塗ればよいのである。この方法による六面体の辺の塗り分けを図10に示す。

実は、多面体のすべての頂点を通る閉路を見つけるというこの問題は、トーマス・ペニントン・カークマン師とウィリアム・ローワン・ハミルトン卿《きょう》によって、二〇年以上前から研究されていた。ここで少し脱線して、彼らの貢献について検証したい。

世界一周

トーマス・カークマンは、ランカシャーのウォリントンに近いクロフト・ウィズ・サウスワースの小さい教区の司祭だった。教区での職務はさほど負担にならなかったので、彼にはたっぷり余暇があり、七人の子供をもうけながら、数学研究に没頭して王立協会のフェローになることができた。カークマンは多面体に魅了されていて、任意の多面体の頂点のすべてを一回ずつ通る閉路を見つけようとした。残念ながら、彼の論文を読むのは容易ではない。彼は独自の用語を作り上げていて、ｐ個の面とｑ個の頂点を持つ多面体を「ｐ－エドラルｑ－アクロン」と呼んだり、三個の面が会している頂点を「三次サミット」と呼んだりしているからである。

一八五五年に、カークマンはこのような閉路を持たない多面体を発見した。彼の説明によると、ハチの巣室を六本の平行な辺を切断する方向に二分すると、一個の六角形と九個の四角形からなる13－アクロンが得られる。ここで、閉じた13－ゴン［訳注：これもカークマンの独自の用語で一三角形のこと］を描くことはできない。

この立体を平面上に射影すると図11のようになる。

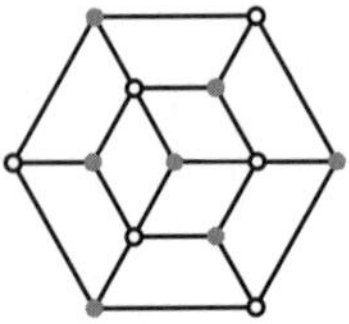

図11

一三個の頂点のすべてを通る閉路を描くことが不可能である理由を理解するために、すべての辺が黒と白の端点を一つずつ持つように、頂点を黒と白で塗り分けてみよう。このとき、どんな閉路も黒の頂点と白の頂点を交互に通らなければならないが、それが可能になるのは、黒と白の頂点の個数が等しくなるときだけである。右の図では、黒い頂点が七個で白い頂点が六個なので、閉路を描くことはできない。もっとも、カークマンが言うように、中央の頂点をその左側の頂点と結んでやれば、閉路を描くことができる。

翌年、ウィリアム・ローワン・ハミルトン（第2章にも少しだけ登場している）が、四元数についての研究の結果（いわゆる「二〇点解析」）、一二面体の上に閉路を描くことに興味を持つようになった。彼は、ι（イオタ）、κ（カッパ）、λ（ラムダ）というギリシャ文字で表される三つの量を考えて、これらが、

$$\iota^2=1、\kappa^3=1、\lambda^5=1、ただし、\lambda=\iota\kappa$$

という方程式を満たしているものとした。ハミルトンはここでμ（ミュー）$=\iota\times\kappa^2$とすることで、$\mu^5=1$を示すことができた。さらに、

$$\lambda^3\mu^3\lambda\mu\lambda\mu\lambda^3\mu^3\lambda\mu\lambda\mu=1$$

という長い表現も得た彼は、これを

図12　トーマス・ペニントン・カークマン（1806–95）

一二面体上の閉路についての用語に言い換えた。すなわち、

頂点Bから出発してCに向かい、各交点でλを「右に曲がる」、μを「左に曲がる」の意味に解釈すると、求める閉路は、以下のアルファベット順の文字列により表される。

BCDFGHJKLMNPQRSTVWXZ

そしてふたたびBに戻ってこられる。

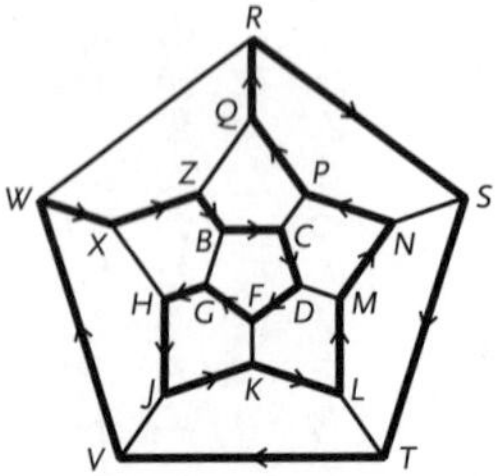

図13

「二〇点解析」を誇りにしていたハミルトンは、これをもとにして「世界一周ゲーム」を作成した。彼によれば、これは「客間で楽しむための、新しく、非常に面白いゲーム」であり、二〇個の頂点には、B（ブリュッセル）、C（広東《カントン》）、D（デリー）、……X（シェレス）、Z（ザンジバル）という具合に、都市名を表す子音字が書かれている。目標は「世界一周」で、これらの都市を一回ずつ通って、出発点に戻ってくることだ。一つの答えは、右の図のようにアルファベット順に進む経路である。若者にこのゲームを試させて、彼らが「とても楽しんでいる」ことに気をよくしたハミルトンは、ロンドンのハットンガーデンにあるジョン・ジャック・アンド・サン社に売り渡した。買い取り価格は二五ポンドだったが、結果的にはハミルトン側に有利な取引になった。なぜなら、このゲームは全然売れなかったからである。

二〇点ゲームには番号をふった杭《くい》が二〇本ついていて、閉路の順にB、C、D……の穴に差し込んでいくようになっている。ゲームの説明書（図14）には、「最初から五番目までの点が指定されたときに、閉路を完成させる方法は何通りあるか？」という形式の問題がいくつも提案されている。例えば、BCDFGからはじまる閉路はいくつあるだろうか？（答えは二つ）LTSRQやJVTSRではじまる閉路はどうだろうか？

ウィリアム・ローワン・ハミルトン卿は有力者で、大きな影響力を持っていた。この閉路は、彼より数ヶ月前に論文を発表し、正一二面体だけでなく多面体全般を扱っていたカークマンにちなんで「カークマン閉路」と呼ばれるべきものなのだが、今日では誰もが「ハミルトン閉路」と呼んでいる。

ちっぽけな惑星

ここでふたたびピーター・ガスリー・テイトの研究に話を戻そう。既に見てきたとおり、彼は、三枝の多面体上のハミルトン閉路に関心を持っていた。これが存在するならば、多面体の辺を三色で塗り分け、その面を四色で塗り分けることが可能になるからだ。彼の一八八〇年一一月の論文では、すべての三枝の多面体がこのような閉路を持っているという「定理」について論じられ、以下のような説明が付されている。

ハミルトンの「二〇点ゲーム」は、この定理の一つの応用例であり、対応する図形は五角一二面体の射影である。ゲームのヒントになったのは、カークマン氏の多

THE ICOSIAN GAME.

Entered at Stationers' Hall.

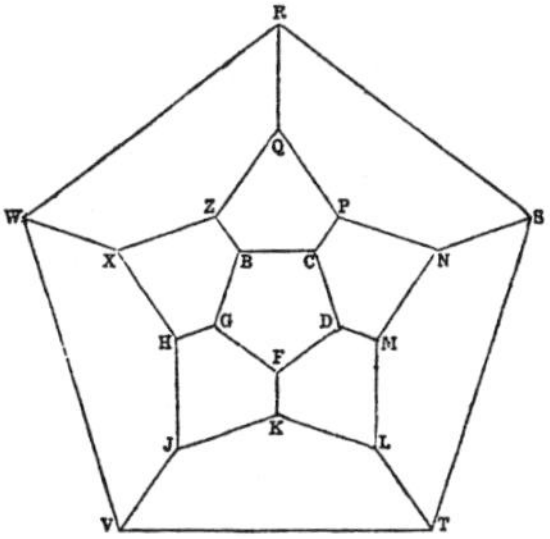

Registered agreeably to Act V. & VI. Vic. cap. 100.

In this new Game (invented by Sir William Rowan Hamilton, LL.D., &c., of Dublin, and by him named *Icosian*, from a Greek word signifying "twenty") a player is to place the whole or part of a set of twenty numbered pieces or men upon the points or in the holes of a board, represented by the diagram above drawn in such a manner as always to proceed *along the lines* of the figure, and also to fulfil certain *other* conditions, which may in various ways be assigned by another player. Ingenuity and skill may thus be exercised in *proposing* as well as in *resolving* problems of the game. For example, the first of the two players may place the first five pieces in any five consecutive holes, and then require the second player to place the remaining fifteen men consecutively in such a manner that the succession may be *cyclical*, that is, so that No. 20 may be adjacent to No. 1; and it is always possible to answer any question of this kind. Thus, if B C D F G be the five given initial points, it is allowed to complete the succession by following the alphabetical order of the twenty consonants, as suggested by the diagram itself; but after placing the piece No. 6 in the hole H, as before, it is *also* allowed (by the supposed conditions) to put No. 7 in X instead of J, and then to conclude with the succession, W R S T V J K L M N P Q Z. Other Examples of Icosian Problems, with solutions of some of them, will be found in the following page.

LONDON:
PUBLISHED AND SOLD WHOLESALE BY JOHN JAQUES AND SON, 102 HATTON GARDEN;
AND TO BE HAD AT MOST OF THE LEADING FANCY REPOSITORIES
THROUGHOUT THE KINGDOM.

図14 ハミルトンの二〇点ゲームにつけられていた説明書

面体に関する論文（*Phil. Trans.* 1858, p.160）中の、「独特な型の明瞭《めいりょう》な『辺の閉路』が、この多面体のすべてのサミットを通っている」という記述だった。

テイトは、カークマンがハミルトンに二〇点ゲームのアイディアを与えたと思っていたが、これは間違いである。

彼は、この論文の発表から三年後にエディンバラ数学会で行った講義でも、『フィロソフィカル・マガジン』に発表した論文でも、すべての三枚の多面体はハミルトン閉路を持っていると主張した。

この興味深い命題の証明がいまだに見つかっていない理由は、それがあまりに単純であるからだろう。普段からきらびやかな星ばかり眺めている者は、地上の事物のつつましい美しさを見落としがちであるからだ。

テイトが自分の研究に興味を持ったことに勇気づけられたのだろう。カークマンは、一八八一年に多面体上の閉路の研究に戻ってきた。彼は、三枚の多面体上のハミルトン閉路の問題を詩の形式に書き直して、『エデュケーショナル・タイムズの数学問題とその解』に送付した。ビクトリア朝の数学者はしばしば問題を詩の形式で表現していたので、カークマンもそれに倣《なら》ったのである。第六六一〇問として発表された五三行からなる恐るべきへボ詩は、次のようにして始まる。
第六六一〇問（T・P・カークマン師、文学修士、王立協会フェロー）
最近、どうにもぱっとしないちっぽけな惑星に
私は意見してやらなければならない。
小さい領土を改良するために
どんなデザインにすればよいかを。
島々に飽きた彼らは、大陸にあこがれている。
彼らが私に言うことには、横並びにつながりたいのだそうだ……

そして最後はこんな具合である。

島々の上に、三つ、四つ、それとも二つ、
街々が、六〇個まで、それとも二つ、

おまえのｎ－エドロンを三次のサミットで覆《おお》え。
それができたら、
おまえの島々の上には細い雲がたなびき、
街々に海岸線が与えられる。
みんな白い
フェリーも、ケーブルも、そして海も。
おまえはちょっとばかり得意に思うだろう
いくらかの骨折りの末に、欲するものを見出《みいだ》したなら、
一つの大陸にある街々を結ぶただ一本の閉路を。
それが見つかったとき、とりもなおさず、
すべての場合に当てはまる一つの規則が証明されたことになる。

「出題者による解」は、以下のような言葉ではじまる。

「三次のサミットのみを持つあらゆるｐ－エドロン（Ｐ）の辺の上には、すべてのサミットをちょうど一度ずつ通る閉路がある」というこの定理には、疑問も証明も

ひとしくはねつけるという挑発的な面白さがある。

つまり、すべての三枝の多面体がハミルトン閉路を持っているのかどうかを決定することは非常に難しいというのである。カークマンの「ハチの巣型多面体」にはハミルトン閉路はなかったが、これは三枝の多面体ではないので反例にはならないのだ。カークマンはさらに、この命題に対してもっともらしい証明を与え、以下のように結論づけた。

これは、私が提示しようとする一般的な定理を証明するための試みであり、証明にはなっていない。とはいえ、求める閉路を持たないp－エドロンが発見されないかぎり、信頼してもよいだろう。三次のサミットを持つp－エドロンの単純な定義からはじまる厳密な証明が得られれば、それにこしたことはない。けれども私は、こうした証明が得られるのはずっと先になるだろうと考える点で、Ｐ・Ｇ・テイト教授と同じ意見である。この閉路について、彼は他の誰よりもよく分かっているというのが、私の印象である。

こうした証明が「不可能」であることが最終的に示されるまでには、六五年もの時間がかかった。イギリス人の数学者ビル・トゥットが一九四六年に発見した左図の三枝の多面体にはハミルトン閉路は一つもなく、不運なテイトがまたしても間違っていたことが立証されたのだ。

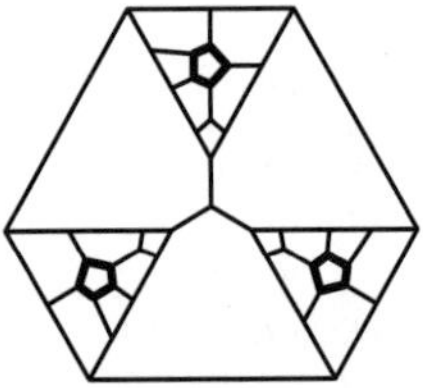

図15

最後に、「ケンプ（Kempe）」と同様、「トゥット（Tutte）」という名前も最後の「e」を発音しないことを指摘して、この章を終わりにしたい。これに関して、トゥットの同僚は、以下のような詩をしたためている。

トゥットを怒らせないように気をつけろ。

彼は普段は温厚だが、
誰かが「ケンペ」と言うのを聞くと、
かんしゃくを起こすことがある。
そしてつぶやく。「トゥッテじゃない。トゥットなんだ」

第7章　ダーラムから飛んできた爆弾

四色定理に関するケンプの証明は、非常に良いものだった。実際には間違っていたのだが、それでも非常に良い証明だったのである。彼の証明は、一一年間にわたってビクトリア朝の数学者に支持されただけでなく、そのアイディアの大半は理にかなっていて、後世の挑戦（最終的に成功したものも含めて）の基礎になった。ケンプの論文の間違いを発見したのは、ダーラム・カレッジ（後のダーラム大学）の数学講師パーシー・ヘイウッドだった。

ヘイウッドの地図

パーシー・ジョン・ヘイウッドは、オックスフォード大学のエクセター・カレッジで数学と古典学の学位を取得した。在学中に数学の賞を二回も獲得した彼は、一八八七年に数学講師としてダーラムに赴くと、後に教授を経て副総長になり、一九三九年に七八歳で引退するまで、残りの人生をそこで過ごした。

ヘイウッドは、生涯にわたって各種の委員会を愛した。毎日、複数の会合に出席しなければ気がすまず、稀《まれ》に一つも会合がない日があったりすると、一日を無駄にしてしまったと悔やむほどだった。彼は、ラテン語、ギリシャ語、ヘブライ語の学者として名をはせる一方で、引退後も数学と古典学の研究を続け、九〇歳のときに二本の研究論文を発表している。一本は『ロンドン数学会紀要』に発表された四色問題に関する論文で、もう一本は、『季刊ユダヤ評論』に発表された最後の晩餐《ばんさん》の日付に関する論文だった。

図1　パーシー・ジョン・ヘイウッド(1861−1955)

本書に登場する一部の人々と同じく、ヘイウッドもかなり風変わりな人物だった。ロンドン数学会による彼の死亡記事には、

風采《ふうさい》、物腰、ものの考え方において、ヘイウッドは、はなはだ非凡な

人物だった。巨大な口ひげをたくわえ、体躯《たいく》はひょろりとしていて、姿勢はやや前かがみだった。奇妙な柄の年代物のインバネス・ケープと、これまた年代物の鞄《かばん》を愛用していた。せかせかと神経質そうに歩き、よく犬を連れていた。この犬は、彼の講義への出席を許可されていた。

という、親愛の情がこもった記述が見られる。

「ヘイウッド猫（口ひげの形が猫のひげに似ていたことから、彼はこうあだ名されていた）」の数ある特徴の中で特に風変わりだったのは、一年に一度、クリスマスの日にしか時計を合わせないということだった。時計が狂うペースを心得ていた彼は、時刻を知る必要があるときには、いちいち暗算をしていたのである。伝えられているところによると、あるとき同僚に時刻を尋ねられた彼は、「この時計は、二時間進んでいるのではなくて、一〇時間遅れているのだ」と答えたという。

ヘイウッドは、これから説明する地図の塗り分けに関する研究の他に、ダーラム城の保存運動によっても知られている。ダーラム城は一一世紀の壮麗な建築物で、ウィア川をのぞむ断崖《だんがい》の上に建っている。一九二八年にこの城の土台がぐらついていることが明らかになり、放置すれば崖《がけ》をすべって川に落ちる危険があると指摘されたが、修復のための資金がなかった。そこで、ヘイウッドがダーラム城保存委員会の幹事に就任し、ほとんど独力で必要な資金をかき集めて、城を救ったのである。この功績により、彼は一九三一年にダーラム大学から民事法の名誉博士号を授与され、一九三九年には大英帝国四等勲士（OBE）にもなった。

四色問題に対するパーシー・ヘイウッドの興味は、オックスフォード大学での最初の学期にはじまった。一九二〇年代に彼がベルギー人の数学者アルフレッド・エレーラに書いた手紙には、以下のような記述がある。

一八八〇年にオックスフォード大学に入学したとき、わたしはH・J・S・スミス教授から幾何学を学びました。彼の講義は、きわめて明快で興味深いものでしたが、本来の授業内容に入る前に、幾何学的な属性を（1）状況の属性、（2）記述的な属性、（3）計量的な属性の三種類に分けて説明されました。そして、（1）の例を二、三あげられた際に、おそらく正しいと思われるがまだ証明が済んでいないものとして四色定理を紹介されたのです。以来、わたしはこの問題に魅了され続けているのです。

一八七八年六月一三日のロンドン数学会の会合でケイリーが地図の塗り分けについて質問をしたときの議長がヘンリー・スミスであったことは、第4章で説明したとおりである。けれどもスミスは、ケンプがその直後に証明を発表したことは知らなかったようである。ヘイウッドの手紙は、次のように続いている。

そのためわたしは、いわゆる「ケンプの証明」について聞いたとき、自然とこれに注目することになりました。そして、批判的に検討した結果、『季刊数学ジャーナル』に発表した論文で指摘したような間違いを発見したのです。この論文以前に、ケンプの証明の妥当性に疑問を投げかけるものはなかったはずです。

ヘイウッドの有名な論文「地図の塗り分け定理」は、一八八九年の六月に執筆され、翌年の六月に『季刊数学ジャーナル』に掲載された。彼の序文は、ケンプの論文の間違いを発見してしまったことを詫《わ》びているようにさえ見える。

本稿は、この独創的な定理を証明するものではない。その目的は、建設的というよりは破壊的で、今日、正しいものとして受け入れられている証明の間違いを指摘することにある。

ヘイウッドは、ケンプの証明における五辺国の扱いに重点を置いて、これを突き崩した。第５章で見てきたとおり、ケンプは左図のような国々の配置を考えていた。

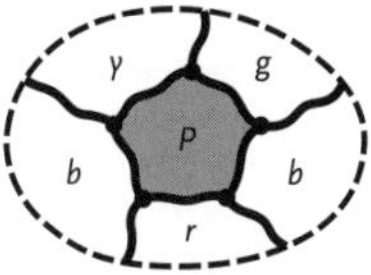

図２

（以下、五辺国を取り囲む国々の色は、この章の例に合わせて変えてある）ケンプはここで、五辺国の両側を取り囲む国々の色を二通りの方法で同時に入れ替えることで、五辺国を塗るための色が余るようにした。ところが、二通りの方法での色の入れ替えは、単独ではどちらもまったく問題ないが、同時に行うことは許されないのだ。

その理由を説明するために、ヘイウッドは次ページの図のような地図を考案した。

地図中の二五の国々は、中心の五辺国を除いて、赤、青、黄、緑の四色で塗り分けられている。この地図も四色で塗ることはできるのだが、ヘイウッドの目的は、四色定理そのものではなくケンプの証明方法の間違いを示すことにあるので問題はない。

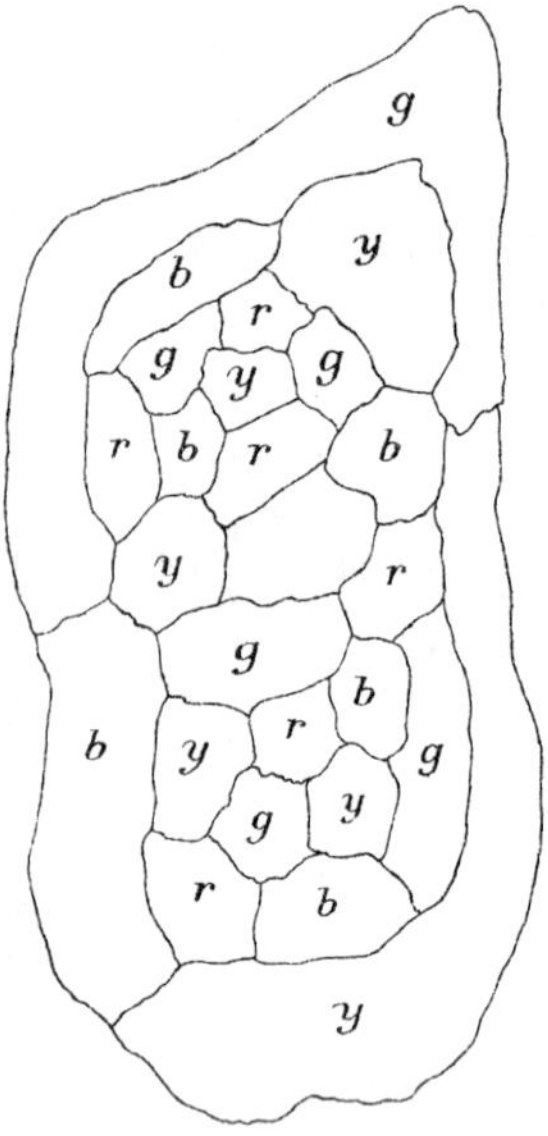

図3　ケンプの証明に対するヘイウッドの反例

ケンプに倣《なら》って、五辺国Pを取り囲む国々の色の中から二色を選んで入れ替えを行い、Pを塗るための色を余らせてみよう。最初に気づくのは、Pの左右にある青と黄色の国々が青－黄部分の鎖によって結ばれていて、この青－黄部分の鎖が、Pの上方

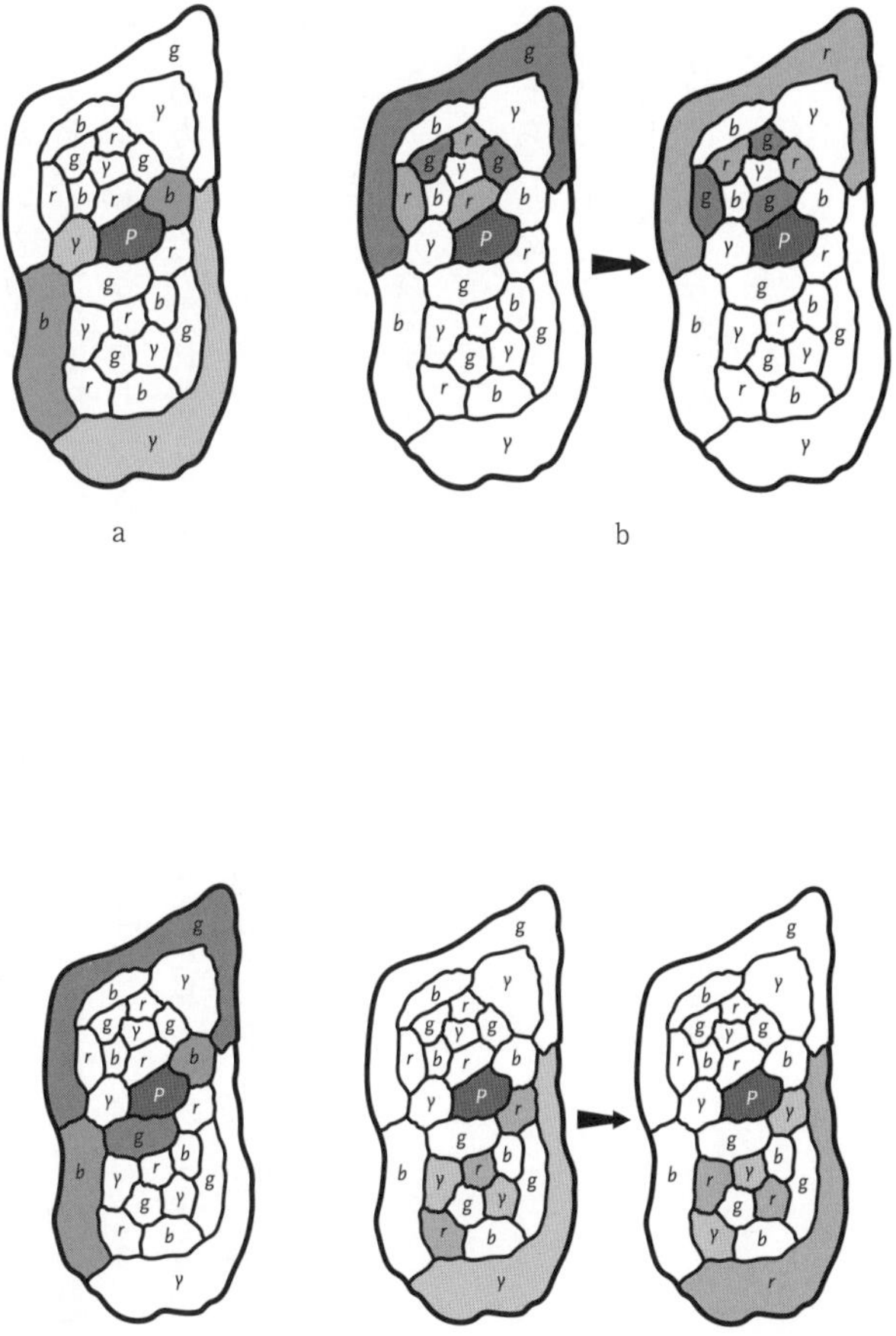

図4

にある赤－緑部分とPの下方にある赤－緑部分とを隔てているということである（図4a参照）。ゆえに、図4bのように、Pの上方にある赤－緑部分の色を入れ替えても、Pの下方にある赤－緑部分の塗り分けに影響を及ぼすことはない。

別の方法で色の入れ替えを行うこともできる。図4cを見ると分かるように、Pの上下にある青と緑の国々は青－緑部分の鎖によって結ばれているが、この青－緑部分の鎖は、Pの上方にある赤－黄部分とPの下方にある赤－黄部分とを隔てている。ゆえに、図4dのように、Pの下方にある赤－黄部分の色を入れ替えても、Pの上方にある赤－黄部分の塗り分けに影響を及ぼすことはない。

どちらの色の入れ替えも、単独で行う分には問題ない。けれどもケンプは、これらを同時に行おうとした点で間違っていた。なぜなら、Pの上方にある赤－緑部分とPの下方にある赤－黄部分の色の入れ替えを同時に行おうとしたら、緑色のA国と黄色のB国はどちらも赤になってしまい、これは許されないからだ。

こうして、二通りの色の入れ替えを同時に行う可能性を許容するケンプの証明が間違っていることが示された。ヘイウッド自身は、この点を以下のように説明した。

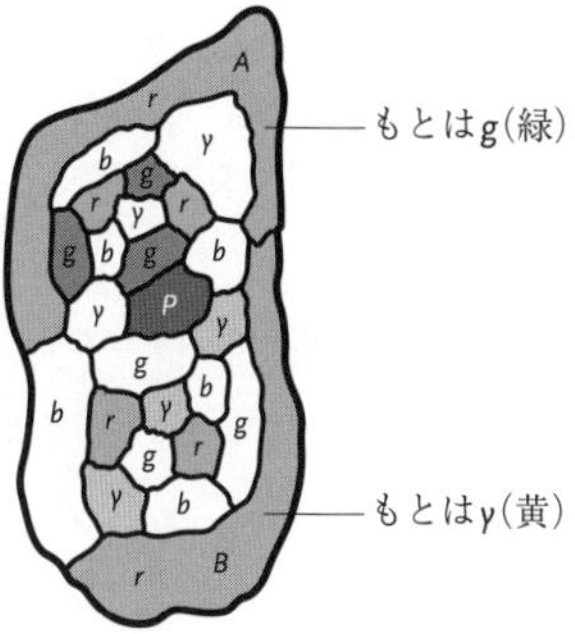

図5

けれどもあいにく、どちらか一方の入れ替えにより一方の赤を除去できたとしても、両方の入れ替えにより両方の赤を除去できるとはかぎらないように思われる。わたしの地図は、この可能性の実例である。ここでは、一方の入れ替えにより、赤い区画ともう一方の色の区画とが同じ領域になるために、他方の入れ替えが無意味になってしまう。つまり、ケンプ氏の方法ではうまく行かないのだ。こうした事例も扱えるように修正されないかぎり、ケンプ氏の証明は間違っていることになる。

ケンプの論証の不備は重大であることが明らかになった。アルフレッド・ケンプは、『ロンドン数学会紀要』のコラムでみずからの間違いを認め、一八九一年四月九日には、その会合で問題の難しさについて語っている。

わたしは、どんな地図でも四色で塗り分けられる方法を提案することで四色定理を証明しようとした。ヘイウッド氏は、この方法がうまく行かない例を挙げることにより、わたしの証明が間違っていることを示された。わたしはまだこの不備を取り除くことに成功していないが、ヘイウッド氏の地図も四色で塗り分けることはできるので、この批判はわたしの証明にのみ当てはまり、定理自体には当てはまらない。

実は、ヘイウッドの地図は、ケンプの証明に対する反例の中で最も単純なものというわけではない。このことは、二人のベルギー人数学者によって示された。一九二一年にアルフレッド・エレーラが示した反例は、バッキーボールC_{30}の形をした魅力的なものである（第3章参照）。その一例を図6に示すが、ここでも、赤－緑部分と赤－黄部分のどちらかの色を入れ替えることはできるが、両方を入れ替えることはできない。それより昔の一八九六年には、素数の分布についての研究と素数定理によって知られるシャルル＝ジャン＝ギュスターヴ＝ニコラ・ドゥ・ラ・ヴァレ・プーサンが、反例を提案している。彼は、ヘイウッドの論文については何も知らずに、エデュアール・リュカの『数学遊戯』でケンプの証明の翻訳を読んで、その間違いを発見した。ここでは、五辺国は一個の点として表現されていて、左側の青と黄色の国か、右側の青と緑の国の色を入れ替えることはできるが、両方を入れ替えようとすると、色をつけた二国がどちらも青になってしまう。

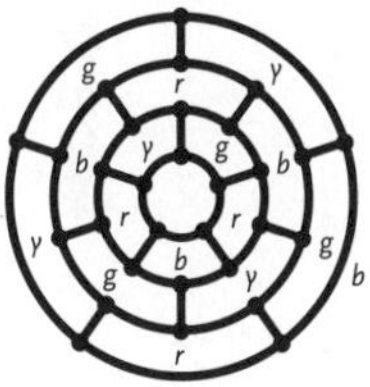

エレーラの反例

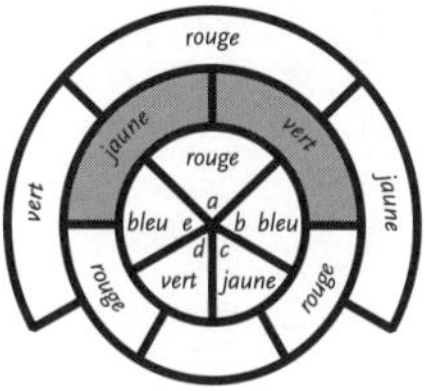

ドゥ・ラ・ヴァレ・プーサンの反例

rouge＝赤
bleu＝青
jaune＝黄
vert＝緑

図6

救出作業

ヘイウッドは、ケンプの証明の不備を正すことはできなかったが、ケンプのアイデイアにもとづいて五色定理を証明することで、これを十分に救うことができた。五色定理は、四色定理に比べればインパクトは弱いが、それでもなお驚くべき帰結である。

五色定理

五色あれば、どんな地図でも隣り合う国々が違う色になるように塗り分けることができる。

五色定理を証明するためには、四色問題に対するケイリーとケンプのアプローチに倣えばよい（第4章、第5章）。つまり、五色定理が間違っていて、五色では塗り分けられない地図が存在すると仮定するのだ。塗り分けるために五色以上を必要とするこれらの特別な地図の中には、最小反例（最も少ない国からなる地図）があるはずだ。この地図を五色で塗り分けることはできないが、これより少ない国からなる地図はどれも五色で塗り分けられる。

ここで、第3章の「隣国は五つだけ」定理を利用する。この定理によれば、われわれの地図は、五個以下の隣国しか持たない国（二辺国、三辺国、四辺国、五辺国）を少なくとも一つは含んでいなければならない。まず、二辺国、三辺国を含む場合については証明は簡単なので、以下では、四辺国、五辺国を含む地図についての証明方法だけを説明する（二辺国や三辺国を含む地図についての証明はこれに似ているがもっと簡単で、第4章で説明した二辺国や三辺国を含む地図についての四色定理の証明とほとんど同じである）。

われわれの最小反例が、図7のような四辺国を含んでいるとしよう。四辺国から境界線を一本はずして隣国のどれかと融合させると、国の数が一つ減る。仮定により、この新しい地図は、赤、青、緑、黄、橙《だいだい》の五色で塗り分けられるはずである。

塗り分けができたら、四辺国を復元する。四辺国の四つの隣国を塗るためには四色あれば足りるので、利用可能な五色のうちの一色が余り、この色で四辺国を塗ること

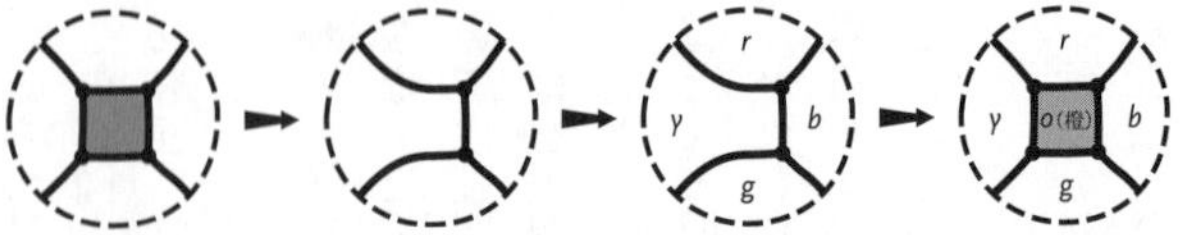

図7

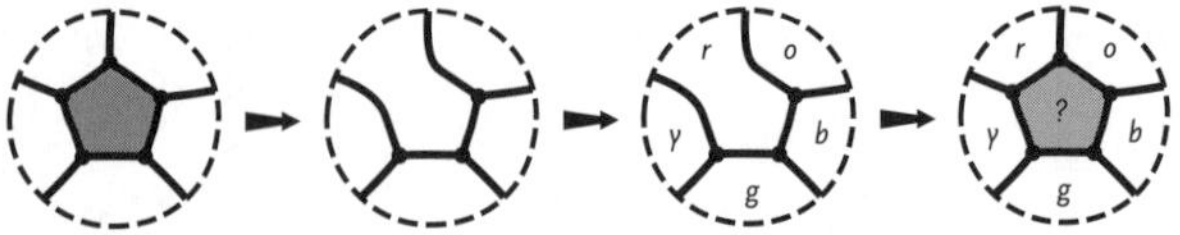

図8

ができる。つまり、最小反例を五色で塗り分けられることになり、これは仮定に反している。ゆえに、最小反例が四辺国を含まないことが示された。

　次に、最小反例が五辺国を含んでいる場合にも、五辺国の境界線を一本はずして隣国のどれかと融合させ、国の数を一つ減らす。仮定により、この新しい地図は五色で塗り分けられるはずである（図8）。

　塗り分けができたら、五辺国を復元する。けれども今回は、五辺国の五つの隣国を塗り分けるために五色すべてが使われてしまっている可能性があり、その場合、五辺国を塗るための色は残っていないことになる。

　この状況を救うために、ケンプ鎖の論証を

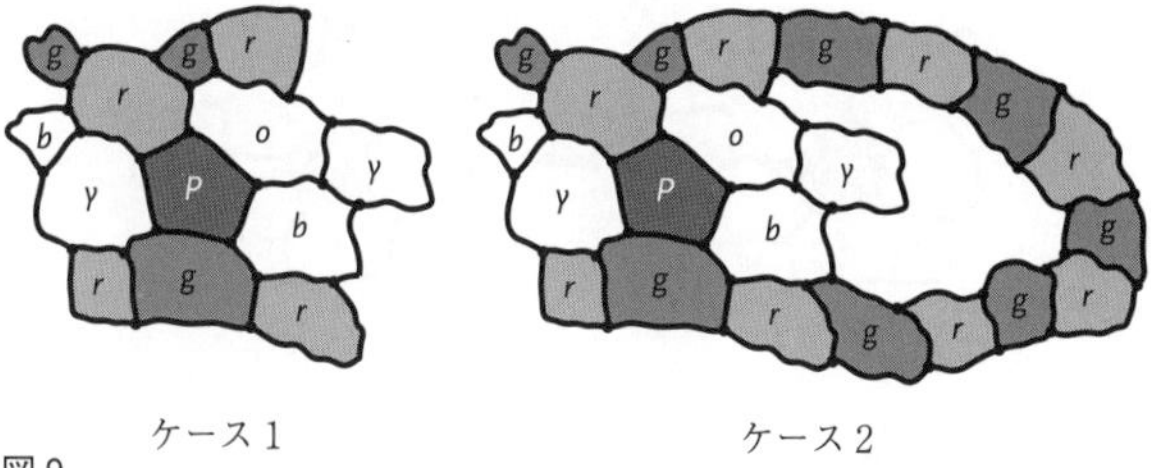

図9

利用する（第5章参照）。すなわち、五辺国を取り囲む国々の色の中から接していない二色（たとえば赤と緑）を選び、以後は、この二色で塗られた国だけを見ていくのだ（ここから先の証明は、四辺国を含む地図についての四色定理の証明とほとんど同じである）。

最初に、五辺国Ｐに接する赤と緑の国々に注目する。二国はそれぞれ、地図中の赤か緑の国々だけからなる部分の出発点になっている。ここで、二つの赤－緑部分は離れているだろうか、それともつながっているだろうか？

二つのケースが考えられる（図９）。

ケース1のとき

ここでは、Ｐの上の赤い国からはじまる赤－緑部分は、Ｐの下の緑の国からはじまる赤－緑部分とはつながっていない。ゆえに、図10のように、Ｐの上方にある赤－緑部分の色を入れ替えても、下方にある赤－緑部分の塗り分けに影響を及ぼ

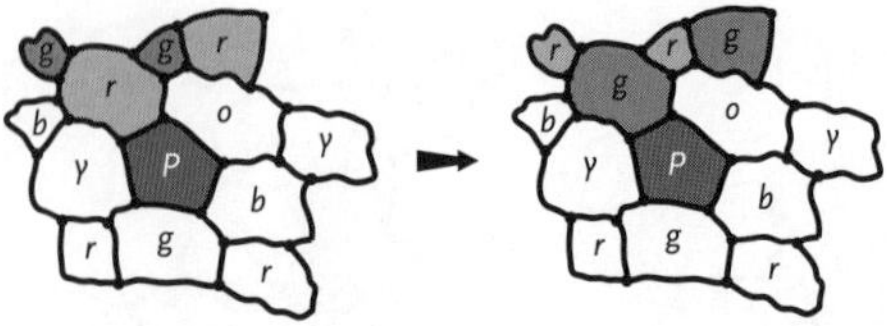

図10　ケース1

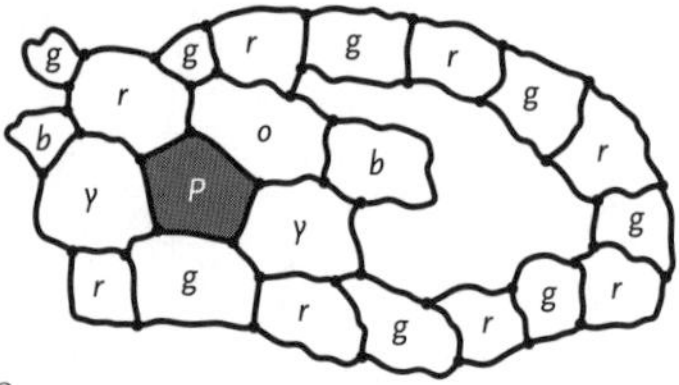

図11　ケース2

すことはない。このとき、五辺国Pは、緑、青、黄、橙の四色だけに囲まれることになるので、Pは赤で塗ることができる。これにより、地図の塗り分けは完成する。

ケース2のとき

ここでは、Pの上方にある赤－緑部分は、Pの下方にある赤－緑部分とつながっていて、色を入れ替えても何の利益もない。そこで、地図中の青と黄色の国々と、五辺国Pの左右にある青－黄部分に注目すると、Pの右側にある青－黄部分は、Pの左側にある青－黄部分とはつながっていないことに気づく。図9のように、赤と緑の国々の鎖が邪魔をしているからである。ゆえに、Pの右側にある青と黄色の国々の色を入れ替えても、Pの左側にある青と黄色の国々の塗り分けに影響を及ぼすことはない。このとき、五辺国Pは、黄、赤、緑、橙の四色だけで囲まれることになるので、Pは青で塗ることができる（図11）。こうして、第二のケースの塗り分けも完成した。

このように、どちらの場合にも最小反例を五色で塗り分けられることになり、これは仮定に反している。ゆえに、最小反例が五辺国を含まないことが示されて、五色定理の証明が完成した。

帝国を塗り分ける

パーシー・ヘイウッドは、地図の塗り分けに関するアイディアを、本来の四色問題を超えたところにまで拡張しようとした。彼は、『季刊数学ジャーナル』の論文の序文にも、自分の主な目的は、ケンプの証明の間違いに注目を集めることでも、五色定理を証明することでもないと書いている。彼の目的は、「四色問題を一般化したいくつかの注目すべき問題で、奇妙なことに四色問題よりはるかに容易に厳密に証明できるもの」と四色問題を比較することにあった。その一つが、複数の「帝国」を含む地図を塗り分ける「帝国問題」だった。この問題では、「母国」といくつかの「植民地」からなる帝国の国々は、すべて同じ色で塗らなければならない。

第1章では、左に示すような地図を例にあげた。ヘイウッドによるこの地図は、一つの国が二つに分割されていて、塗り分けるには五色以上が必要である。

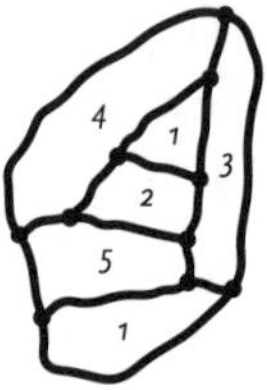

図12

彼はここで、「各国が二つ以下の部分から構成されている場合」、すなわち、一つの母国と一つ以下の植民地からなる帝国が含まれている地図は、何色あれば塗り分けられるだろうかと問いかけた。彼が例示した単純な地図には五色が使われていたが、これよりずっと多くの色を必要とする地図を描くことも可能である。彼は、オイラーの公式にもとづく論証により、必要な色の数が一二を超えないことを証明した。ところで、一二色すべてを必要とするような地図など、本当にあるのだろうか？

ヘイウッドは、「いくぶん経験的な方法で、大いに苦心した末に得られた」図13の

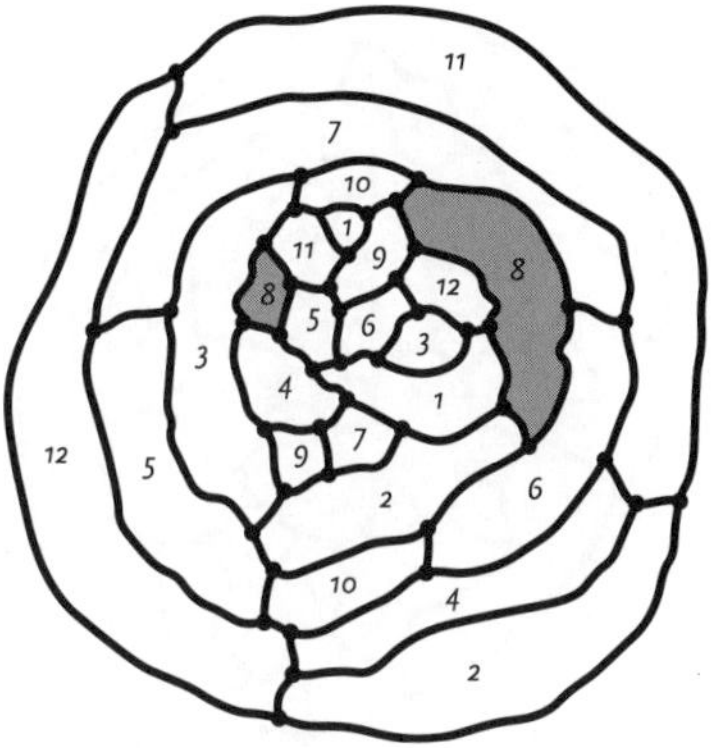

図13

ような例をあげた。この地図は一二個の国々のペアからできていて、各ペアが他のすべてのペアの国々と一本の境界線を共有しているという特徴を持つ。8という数字を付されたペアを例にとれば、一方の国は、1、2、6、7、9、10、12という数字、他方の国は、残りの3、4、5、11という数字を付された国々と境界線を共有している。このように一二組の「相互に隣り合う国々のペア」からなる地図を塗り分けるには、一二色が必要である。

ヘイウッドはさらに、オイラーの公式にもとづく論証により、帝国が三つの部分から構成されている場合は一八色まで、より一般的に、r個（r＞1）の部分から構成されてい

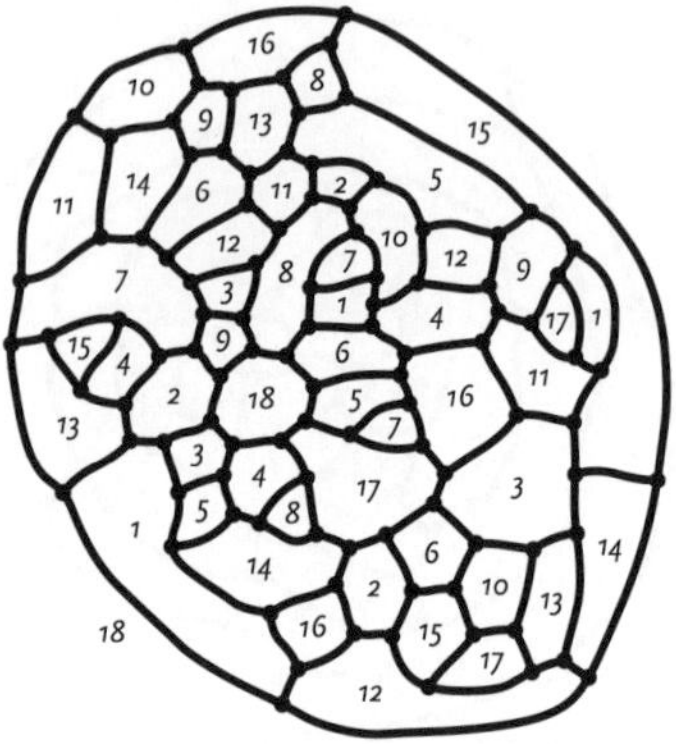

図14

る場合には6r色まで必要になることを証明した。ただし、上述のr＝2の場合以外には、上限の例を見つけることはできなかった。

帝国問題の解決に何らかの進歩が見られるまでには、それから九〇年以上の歳月が必要だった。ハーバート・テイラーによってr＝3の場合が解かれたのは一九八一年のことで、彼は、図14のような一八個の国々からなる地図を作成した。一般的なrの値については、その三年後に、ブラッド・ジャクソンとゲルハルト・リンゲルによって解かれた。

ドーナツの上の地図

ヘイウッドは、球面以外の表面上に描かれた地図の塗り分けについても検討している。

一八九〇年の論文では、各国が他のすべての国々と隣り合うように描かれた、トーラス（ドーナツ）上の地図の例が紹介されている。これに似たトーラス地図を左に示す。メビウスの五人の王子の問題に関して第2章で見たものと同じ地図である。

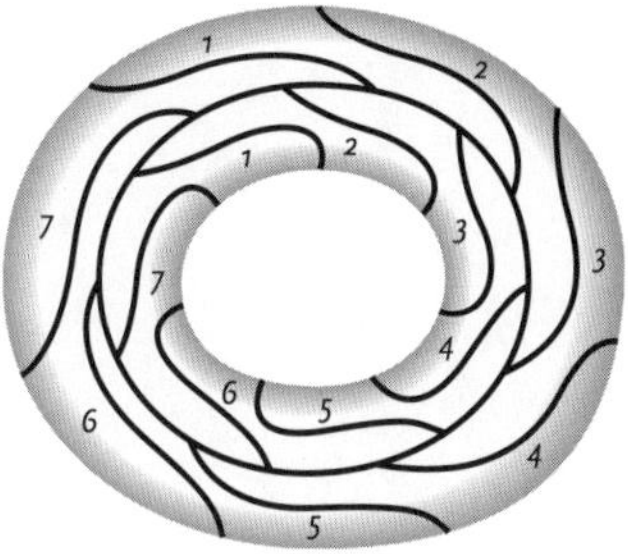

図15

この地図には、互いに隣り合う七つの国が描かれているので、塗り分けには七色必要である。ところで、トーラス上の地図はすべて七色で塗り分けられるのだろうか？

この疑問に答えるためには、トーラス上に描かれた地図に関するオイラーの公式が必要である。第3章で見てきたとおり、平面や球面上に描かれた地図に関するオイラーの公式は、以下のようなかたちをとる。

（国の数）－（境界線の数）＋（交点の数）＝2

記号を使って表現するなら、

F－E＋V＝2

である。

トーラスの表面上に描かれた地図についてのオイラーの公式もこれに似ている。違いは、右辺が0になることだ。

トーラス上の地図に関するオイラーの公式

（国の数）－（境界線の数）＋（交点の数）＝0

記号を使って表現するなら、

F−E+V=0

この結果は、一個の穴が貫通している多面体に関するリュ―リエの公式と基本的に同じである（第3章参照）。例えば、上記のトーラス上の地図には七個の国と二一本の境界線と一四個の交点があるので、F＝7、E＝21、V＝14で、オイラーの公式は、F−E＋V＝7−21＋14＝0になる。

平面や球面上のどんな地図にも、五個以下の隣国しか持たない国が少なくとも一つあるように、トーラス上の地図については以下のように言える。

トーラス上の地図に関する
「隣国は六つだけ」定理
トーラス上のどんな地図にも、
六個以下の隣国しか持たない国が
少なくとも一つある。

第3章の証明に倣《なら》って、この定理を以下のように証明しよう。

F個の国、E本の境界線、V個の交点からなるトーラス上の地図を考えよう。前と同様に、各交点には少なくとも三本の境界線が会していると仮定してよいので、不等式 $V \leqq \frac{2}{3}E$ が得られる。

六個以下の隣国しか持たない国が地図中に少なくとも一つあることを証明するために、その逆、すなわち、そのような国は一つもなく、各国は少なくとも七つの隣国に囲まれていると仮定しよう。F個の国のそれぞれが少なくとも七つの国に囲まれているのだから、すべての国を囲んでいる境界線を数え上げると、少なくとも7F本になるように思われるかもしれない。けれどもここで、各境界線の両側には国が一個ずつあるので、境界線は二回ずつ数えられていることになり、2で割る必要がある。ゆえに、Eは少なくとも $\frac{7}{2}F$、記号を使って表現するなら $E \geqq \frac{7}{2}F$、あるいは $F \leqq \frac{2}{7}E$ とすることができる。

不等式 $F \leqq \frac{2}{7}E$ と $V \leqq \frac{2}{3}E$ とをトーラス上の地図に関するオイラーの公式に代入すると、

$$F-E+V \leqq \frac{2}{7}E-E+\frac{2}{3}E=-\frac{1}{21}E$$

になる。

オイラーの公式によれば$F-E+V$は0なので、われわれは$0 \geqq -\frac{1}{21}E$という結果を証明したことになるが、これは明らかに間違っている。われわれの間違いは、それぞれの国が少なくとも七つの隣国に囲まれていると仮定したことに由来しているのだから、この仮定が間違っていることになる。よって、地図中には六個以下の隣国しか持たない国が少なくとも一つあることが証明された。

この「隣国は六つだけ」定理を利用して、トーラス上のどんな地図でも七色で塗り分けられることを証明しよう。まずは、最小反例の地図があると仮定する。この地図を七色で塗り分けることはできないが、これより少ない数の国からなる地図ならば七色で塗り分けられる。前述の結果により、この地図には六個以下の隣国しか持たないC国があるはずだ。C国から境界線を一本はずして隣国のどれかと融合させると、国の数が一つ減る。仮定により、この新しい地図は、赤、青、緑、黄、橙、白、紫の七色で塗り分けられるはずである（図16）。

塗り分けができたら、はずした境界線をもとに戻してC国を復元する。われわれが

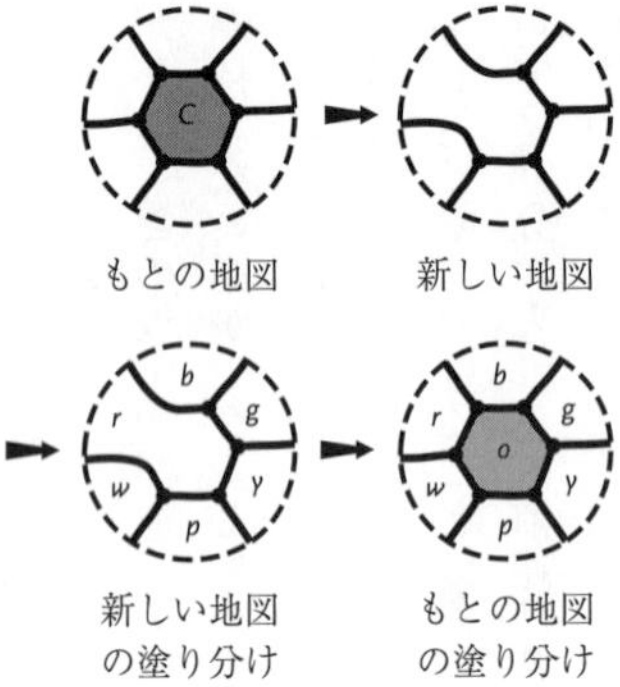

図16

利用できる色は七色で、C国の隣国を塗るためには六色あれば足りるので、余った色でC国を塗ることができる。つまり、われわれは最小反例を七色で塗り分けられることになり、これは仮定に反している。ゆえに、トーラス上のどんな地図でも七色で塗り分けられることが示された。

右の論証は、以下のように要約することができる。

トーラス上に描かれた地図はどれも七色で塗り分けられ、塗り分けるために七色を必要とするようなトーラス上の地図が存在する。

論文中でこれらの結果を証明したヘイウッドは、一個より多くの穴があいたドーナツ（プレッツェル）上の地図にまで議論を拡張した。例えば、次ページの図17のような、二個の穴があいているトーラス上の地図を塗り分けるためには何色必要だろうか？

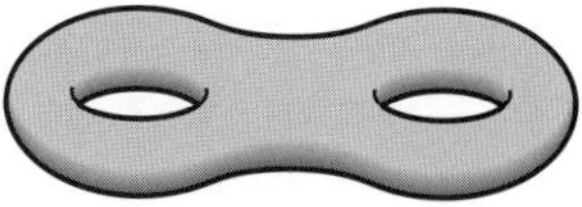

図17

同様の論証により、この場合の「マジック・ナンバー」が８であることが証明できる。

二個の穴があいているトーラス上の地図はどれも八色で塗り分けられ、塗り分けるために八色を必要とするようなトーラス上の地図が存在する。

これをさらに拡張して、

三個の穴があいているトーラス上の地図はどれも九色で塗り分けられ、塗り分けるために九色を必要とするようなトーラス上の地図が存在する。

……

一〇個の穴があいているトーラス上の地図はどれも一四色で塗り分けられ、塗り分けるために一四色を必要とするようなトーラス上の地図が存在する。

と続けることができる。

ヘイウッドは、任意の個数の穴があいたトーラス上の地図について、リューリエが改変したオイラーの公式を利用した。

h個の穴があいたトーラス上の地図に関するオイラーの公式

（国の数）－（境界線の数）＋（交点の数）＝２－２ｈ

記号を使って表現するなら、

Ｆ－Ｅ＋Ｖ＝２－２ｈ

ここから、一見、複雑そうな結果が得られる。

ｈ個の穴があいているトーラス上の地図はどれも $H(h)$ 色で塗り分けられる。ここで $H(h)$ は、$\left[\frac{1}{2}\left(7+\sqrt{1+48h}\right)\right]$ という数字である。

角括弧［　］は、中の数字が整数にならない場合は小数点以下を切り捨てることを意味している。例えば、

$$[7]=7$$

であるし、

$[9\cdot 99]=9$

である。よって、h＝1のトーラスでは、色の数は、

$H(1)=[\frac{1}{2}(7+\sqrt{49})]=[7]=7$

h＝2の（二個の穴があいている）トーラスでは、色の数は、

$H(2)=[\frac{1}{2}(7+\sqrt{97})]=[8.42\cdots\cdots]=8$

さらに、h＝10の（一〇個の穴があいている）トーラスでは、色の数は、

$H(10)=[\frac{1}{2}(7+\sqrt{481})]=[14.46\cdots\cdots]=14$

である。これらの値は上述の数字に合っている。

H(h)という数字は、h個の穴があいたトーラスの「ヘイウッド数」と呼ばれることがある。小さいhの値についてのH(h)の値を左の表に示す。

穴の数、h	1	2	3	4	5	6	7	8	9	10
色の数、H(h)	7	8	9	10	11	12	12	13	13	14

残念ながら、ヘイウッドもときには間違いを犯すことがあった。既に見てきたとおり、彼は、トーラス上の地図を塗り分けるためには七色あれば十分であることを示して公式を正しく証明し、七色を必要とするトーラス上の地図を例としてあげている。ところが、より大きなhの値については、h個の穴があいているトーラス上の地図がすべて $\left[\frac{1}{2}(7+\sqrt{1+48h})\right]$ 色で塗り分けられることを示してから、これだけの数の色を必要とする地図が存在すると主張したが、その証明はせずに、

高度に連結した表面については、一般に十分な数の接触があり、上記の数の区画のそれぞれが接触できるだけの余地があることが観察されるだろう。

とだけ述べていたのだ。

ヘイウッドの見落としは、大きなしくじりだった。ドイツのギーセン大学のロタール・ヘフターが最初にそのことに気づいたのは、ヘイウッドが論文を発表した翌年の一八九一年のことだった。ヘフターは、$h=2$、3、4、5、6の場合と、その他のいくつかの数値について、$H(h)=\left[\frac{1}{2}(7+\sqrt{1+48h})\right]$色を必要とする地図が存在することを示したが、その結果を一般的に証明することはできなかった。第9章で見るように、後に「ヘイウッドの予想」と呼ばれるようになったこの予想が最終的に証明されるまでには、七七年もの歳月が必要だったのだ。

ヘイウッドの予想

正の数hのそれぞれについて、
h個の穴があいているトーラスの表面には、
塗り分けに$H(h)=\left[\frac{1}{2}(7+\sqrt{1+48h})\right]$色を
必要とするような地図が存在する。

ヘイウッドもヘフターも、この予想の証明を見ることなく世を去った。けれども、ヘイウッドが九四歳、ヘフターが九九歳というすばらしい長寿に恵まれたことを思うと、ドーナツに色を塗る作業には、寿命を伸ばす効果があるのかもしれない。

かけらを拾う

ヘイウッドの論文は、ほとんど注目されなかったようである。エデュアール・リュカの死後の一八九四年に出版された『数学遊戯』の最終巻には、ケンプの論文の増補版が収録されているが、その間違いに対する言及はない。また、同じ年に数学の問題を広めるためにパリで創刊されたばかりの『数学者通信』で四色問題を提起したP・マンシオンは、それ以前の研究について何も知らなかったようである。マンシオンの問題提起に対しては、H・ドゥラノワとA・S・ラムゼーが、ケンプとテイトの論文を引用して答えている。次いで、ドゥ・ラ・ヴァレ・プーサンが、ケンプの間違いを指摘する単純な反例を示すと、これを理解できなかったドゥラノワは、ふたたびケンプが正しいと主張した。

やがて、『数学者通信』誌上の論争は、「すべての三枝の多面体はハミルトン閉路

（すべての頂点を一回ずつ通る閉路）を持っている」というテイトの主張をめぐる論争へと移行した。デンマークの数学者ユリウス・ペテルセンは、一八九八年から九九年にかけて寄稿した二本の短い解説の中でテイトの研究と四色定理との関係について論じ、「ケンプ氏は、問題の表面をざっとなぞったにすぎない。彼は、ちょうど問題が難しくなるところで間違いを犯した」と指摘した。そして最後に、「たしかなところは分からないが、賭《か》けをするなら、わたしは四色定理が間違っている方に張るだろう」という驚くべき見解を表明して論文を締めくくっている。

今日、ペテルセンの名は、主として「ペテルセン・グラフ」によって知られている。ペテルセン・グラフは、次ページの図18のように、普通の形と、一八九八年にペテルセン本人が『数学者通信』で発表した形と、その一二年前にケンプが提案した形によって知られている。ペテルセン・グラフにはハミルトン閉路がないことも、それが多面体に由来するものではないことも証明されている。

結局、ヘイウッドの業績は、『数学者通信』誌上の論争では一度も言及されなかった。それでも彼は、以後、六〇年にわたって四色問題に取り組み続けた。なかでも彼が一八九八年に執筆した論文は、三枝地図の境界線を三色で塗り分けることと、その

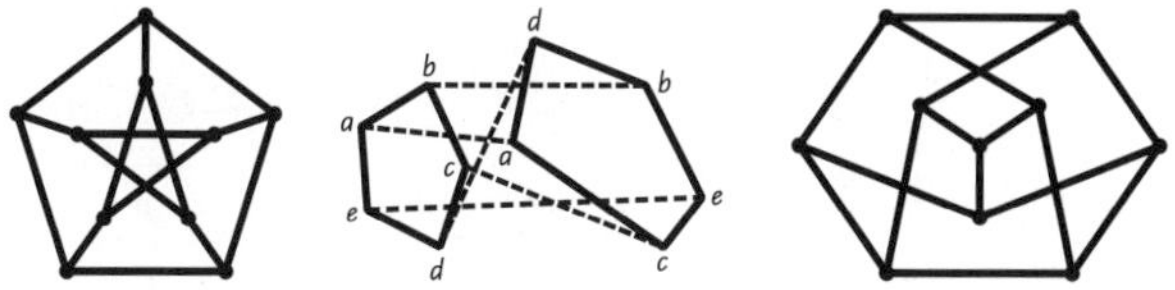

普通の形　　ペテルセンによる形　　ケンプによる形

図18

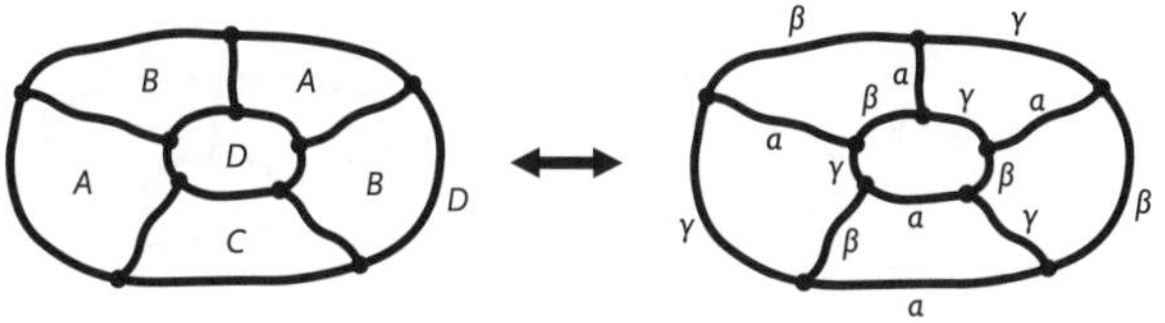

図19

国々を四色で塗り分けることとを関連づけたテイトの研究（第6章参照）をさらに発展させる、きわめて有益なものだった。

　ヘイウッドが注目したのは交点だった。彼は、交点のまわりにα、β、γの色が時計回りに現れる場合には1、反時計回りに現れる場合には-1という値を割り当てることにした。例えば、図19のいちばん上の点のまわりにはα、β、γの色が時計回りに現れるので、1という値が割り当てられる。同じ要領ですべての交点に1と-1を割り当てると、図20のようになる。

　彼は、地図中の各国のまわりの数の和が常に3で割り切れなければならないことを示した。右図で、中央の国のまわりの数の和は3、環《わ》の中の各国のまわりでは0、外側の国のまわりでは-3である。彼は次に、この議論を逆にして、

　三枝地図の交点に1か-1の数字を割り当て、各国のまわりの数の和が3で割り切れるようにするとき、その境界線は三色で塗り分けられ、国々は四色で塗り分けられる。

ということを示した。

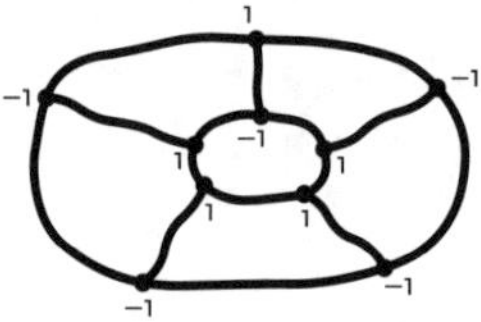

図20

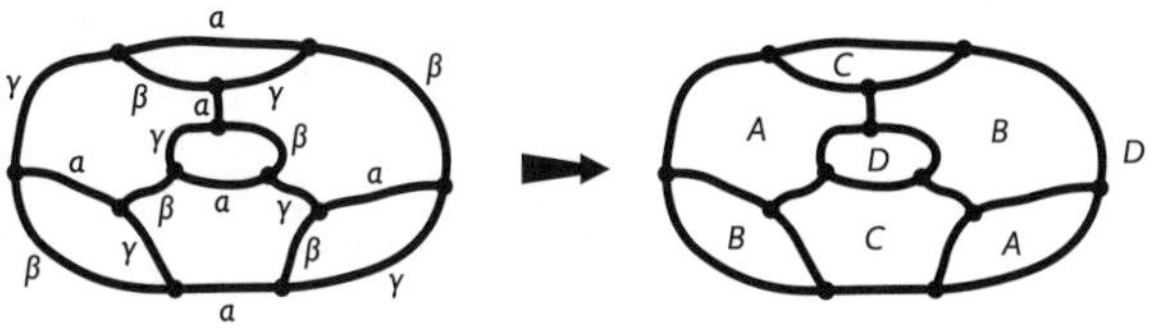

図21

つまり、四色問題を解くことは、常に上述の方法で交点に1と-1の数字を割り当てられると証明することに相当しているのだ。このアプローチがすっかり気に入ってしまったヘイウッドは、その後、同様の論文を五本も執筆したが、あれほど切望していた答えを得ることはついにできなかった。

ヘイウッドの発見からは、単純な帰結が導かれる。このことに最初に気づいたのはヘイウッド自身であったようで、一八九八年の論文には、「各国の隣国の個数が3で割り切れるなら、地図は四色で塗り分けられる」という記述が見られる。その理由を理解するには、各交点に1という数字を割り当ててみればよい。このとき、隣国に関する条件により、各国のまわりの数の和は3で割り切れなければならず、α、β、γの色は各点のまわりに時計回りに現れなければならない。あとは、第6章でご紹介した方法どおりに国々を塗り分ければよい（図21）。

この章の締めくくりとして、七〇歳代の半ばにさしかかったヘイウッドが一九三六年に導出したもう一つの帰結をご紹介しよう。彼はここで、四色問題が正しい確率、より正確には、n個の国々からなるランダムな地図が四色で塗り分けられる確率の見積もりに挑戦した。いささか荒削りな彼の論証によると、四色問題が間違っている確率は $e^{-4n/3}$（eのマイナス3分の4n乗）を超えることはないという。ここで、eは「自然対数の底《てい》」で2.71828……であり、nの値もなかなか大きい。一九三六年の時点で、n＝27のあらゆる地図について四色定理が正しいことが知られていたので（第8章参照）、この見積もりによれば、四色定理が間違っている確率は一〇〇〇兆分の一よりも低く、四色定理が間違っているとしても、最小反例を見《み》出《いだ》すのはきわめて難しいことが分かる。

第8章　大西洋を渡って

一九世紀末は、四色問題の運命の分岐点とも言える時期だった。ケンプの解が間違っていたことは証明されたものの、その代わりとなる解はまだなかった。人々は、何らかの新しいアイディアの出現を待ち望んでいた。

一部の人々の間には、「四色問題がなかなか解けないのは、本当に優れた数学者がこれに取り組んでいないからにすぎない」という見方もあった。実際、二〇世紀の初頭には、ドイツ人の著名な整数論学者ヘルマン・ミンコフスキーに関して、以下のような逸話が伝えられている。

ゲッティンゲン大学で位相幾何学の講義をしていた彼は、あるとき、四色問題に触れてこう言ったという。

「この定理はまだ証明されていないが、その理由は、挑戦したのが三流数学者ばかりであるからだ」ミンコフスキーは、まれに見る尊大な様子で、学生たちに宣言した。「わたしなら証明できると思う」

彼はその場で証明に取りかかった。けれども、講義の時間が終わっても、証明は終わらなかった。挑戦は次回の講義に持ち越されたが、結果は同じだった。この調子で数週間が経過した。ある雨の朝、ミンコフスキーが講堂に入ると、次の瞬間、雷鳴がとどろいた。講壇に登った彼は、深刻な表情を浮かべて学生たちの方に向き直った。

彼は、「天は、わたしの尊大さに腹を立てられたようだ」と言い、「わたしの四色定理の証明も間違っていた」と宣言した。そして、数週間前に中断したところから位相幾何学の講義を再開したのである。

二〇世紀に入って、四色問題を取り巻く状況は少しずつ変わりはじめた。それまでイギリス人ばかりが活躍していたこの壮大な物語に、ジョージ・バーコフ、オズワルド・ヴェブレン、フィリップ・フランクリン、ハスラー・ホイットニーらのアメリカ人数学者が登場して、新しい重要な一章がはじまったのである。彼らの研究を通じて、「不可避集合」と「可約配置」という二つのアイディアが決め手となることが明らかになってきた。これらはどちらも、ケンプの論文に内在していたアイディアである。

二つの基本概念

われわれは第3章で、どんな地図にも五個以下の隣国しか持たない国が少なくとも一つあるという「隣国は五つだけ」定理を証明した。したがって、あらゆる三枝地図には、次図に示すような形の国が少なくとも一個はなければならない。

図1

つまり、三枝地図を描くときには、われわれは常に、この中のどれかを少なくとも一つは利用しなければならないのだ。このように、地図を描く上で避けることのできない形の集合を「不可避集合」と呼ぶ。すべての三枝地図も、この中の少なくとも一つを、どこかに含んでいなければならない。後で見ていくように、不可避集合には、次のようなものもある。

二辺国

三辺国

四辺国

隣り合う五辺国

五辺国／六辺国

図2

ゆえに、三枝地図が二辺国も三辺国も四辺国も含んでいないなら、それは一個の五辺国を含んでいなければならないだけでなく、隣り合う二個の五辺国か、五辺国／六辺国のペアのどちらかを含んでいなければならない。ところで、われわれはなぜ、このような不可避集合を考えなければならないのだろうか？

四色定理を証明しようとするこれまでの試みの中で、われわれは、最小反例（四色では塗り分けられない三枝地図のうち、最少の国からなるもの）が存在すると仮定した上で、これが存在しえないことを証明するというアプローチを採用してきた。第4章では、最小反例が二辺国や三辺国を含まないことを証明した。最小反例が二辺国や三辺国を含んでいるなら、これらを除いた残りの地図は四色で塗り分けられ、復元後の地図も常に四色で塗り分けられるからである。第５章では、最小反例が四辺国を含まないというケンプの証明を紹介した。最小反例が四辺国を含んでいるなら、地図中の二色を部分的に入れ替えるケンプ鎖の論証を利用して、四辺国を塗るための色を余らせられるからである。ケンプはさらに最小反例が五辺国を含まないことも証明しようとしたが、ヘイウッドによってその証明の間違いが指摘された（第７章参照）。

こうして、最小反例に含まれ得る国の中で境界線の本数が最少の国は、五辺国であることになる。さらに、数え上げの公式に関する第３章の議論の中で示したように、この地図には少なくとも一二個の五辺国が含まれていなければならない。つまり、最小反例は少なくとも一二個の国を含んでいなければならないのだ。けれども、三枝地図がちょうど一二個の国を含んでいるなら、すべての国が五辺国であるはずで、その地図は一二面体の地図ということになる。一二面体の地図は、次の図３に示すとおり四色で塗り分けることができるので、最小反例にはなり得ない。こうして、一二個までの国からなる地図はすべて四色で塗り分けられ、最小反例は少なくとも一三個の国を含んでいることが示された。

「可約配置」とは、最小反例には含まれないような国々の配置のことで、二辺国、三辺国、四辺国はすべて可約配置である。ある地図が可約配置を含んでいるとき、これを除いた残りの地図が四色で塗り分けられるなら、必要に応じて塗り直しをすることで、四色の塗り分けを地図全体に拡張することができる。五辺国も可約であることをケンプが証明できていたなら、四色問題は解けていたことになるのだ。

本書の残りは、「可約配置の不可避集合」を見つけるための挑戦を軸にして話を進めることになる。このような集合を見つけることで、四色定理が証明される。この集合は不可避であるから、どんな地図もこれらの配置を少なくとも一つは含んでいなければならないが、配置はどれも可約であり、最小反例には含まれないからである。つ

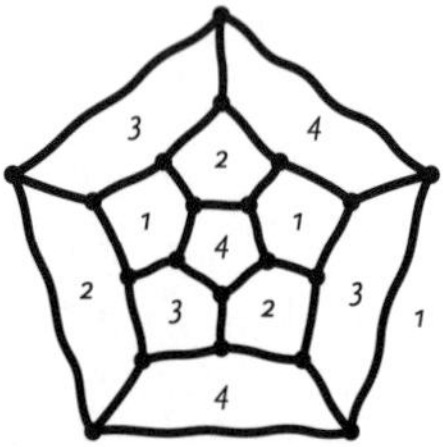

図3

まり、最小反例が存在できないことになるのだ。それでは、不可避集合や可約配置はどのようにして見つければよいのだろうか？

不可避集合を見つける

既に見てきたように、ケンプは五辺国の扱いに失敗した。もっと扱いやすい別の配置に五辺国を置き換えることはできないのだろうか？　最初にこれに挑戦したのが、ドイツ人の数学者パウル・ヴェルニッケだった。彼は、ゲッティンゲン大学で博士号を取得した後、大西洋を渡ってケンタッキー大学の教授になった。大学では軍事訓練にも携わって、ケンタッキー州国民軍の大佐《カーネル》に任官したが、ケンタッキーのもう一人の「カーネル」のようにフライドチキンが好きだったかどうかは知られていない。

一八九七年の八月に、ヴェルニッケは、カナダのトロント大学で開催されたアメリカ数学会の第四回の夏の会合で、「地図の塗り分け問題の解について」という論文を発表した。この論文の概要が収録されている数学会の『紀要』を見ると、彼が、三枝地図の境界線を三色で塗り分けることと、国々を四色で塗り分けることとの関係に着目するテイトの研究（第6章参照）を発展させようとしていたことが分かる。ヴェルニッケは、地図に新しい国々を追加することにより、取り扱いができるものにしようとしていたようである。

著者は、正しく塗り分けられ、その境界線に印をつけられた地図が与えられている場合に、任意の三辺国、四辺国、五辺国を導入できると同時に、正しく印をつけられることを証明する。これにより、主たる定理は帰納法によって証明される。

けれども、帰納法によって四色定理を証明しようとする試みは、一七年前のテイトの証明と同じく失敗に終わったようである。

ヴェルニッケの次の試みは、はるかに生産的だった。一九〇三年五月にゲッティンゲンで執筆した長大な論文の中で、彼は、二辺国も三辺国も四辺国も含まない三枝地図が、隣り合う二個の五辺国か、五辺国／六辺国のペアのどちらかを含んでいなければならないことを証明したのである。こうして、既に見てきたように、図4に示す国々の配置が不可避集合になる。

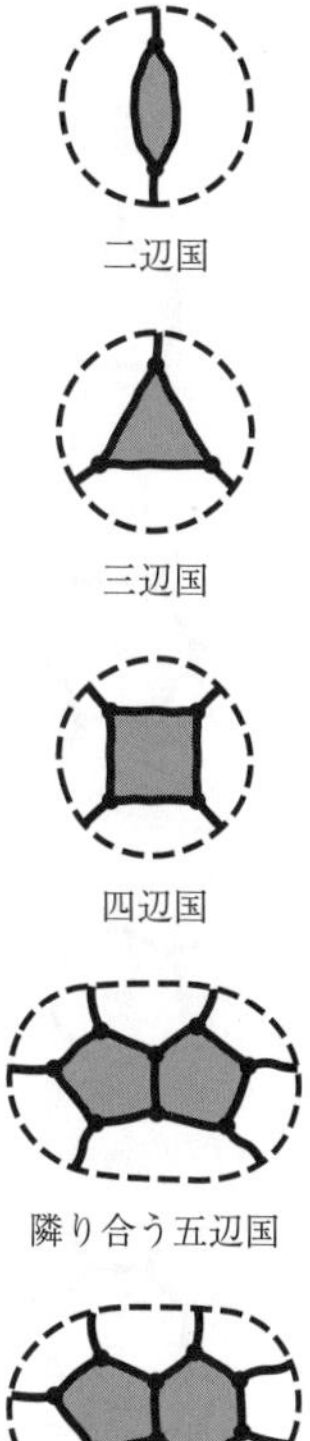

図4

ヴェルニッケの結果の正しさを説明するには、ハインリヒ・ヘーシュが考案し、一九六九年に発表した「放電法」と呼ばれる現代的なアプローチを用いればよい（ヘーシュの研究は、第9章の中心テーマになる）。なお、この方法に「放電法」という名をつけたのはヴォルフガング・ハーケンで、第10章では、彼の貢献がどのようにして四色問題の解決につながったのかを説明する。

右の配置（二辺国、三辺国、四辺国、隣り合う五辺国、五辺国／六辺国）の集合が不可避集合になっていることを証明しながら、放電法について説明しよう。そのためには、こうした配置を一つも含まない三枝地図が存在すると仮定した上で、その矛盾を探すという方法をとる。仮定により、五辺国は、二辺国や三辺国や四辺国と隣り合っていないし（これらは存在しないため）、別の五辺国や六辺国とも隣り合っていない。つまり、どの五辺国も、少なくとも七本の境界線を持つ国としか接することができないのだ。
次に、各国に数字を割り当てて、これを電荷と見なす。その方法は、「k本の境界線を持つ国に6－kの電荷を割り当てる」というもので、具体的には、

五辺国（k＝5）に1の電荷を、
六辺国（k＝6）に0の電荷を、
七辺国（k＝7）に-1の電荷を、
八辺国（k＝8）に-2の電荷を、
……

と割り当てていく。

図5

このとき、地図中に五辺国がC_5個、六辺国がC_6個、七辺国がC_7個……含まれている

とき、地図中の電荷の総和は、

$$(1\times C_5)+(0\times C_6)+(-1\times C_7)+(-2\times C_8)+(-3\times C_9)+\cdots\cdots$$
$$=C_5-C_7-2C_8-3C_9-\cdots\cdots \qquad (1)$$

となる。

ここで、第3章の数え上げの公式を思い出そう。三枝地図に二辺国がC_2個、三辺国がC_3個、四辺国がC_4個……含まれているとき、

$$4C_2+3C_3+2C_4+C_5-C_7-2C_8-3C_9-\cdots\cdots=12$$

である。

われわれの地図には二辺国、三辺国、四辺国がないので、$C_2=C_3=C_4=0$であり、数え上げの公式は、

$$C_5-C_7-2C_8-3C_9-\cdots\cdots=12 \qquad (2)$$

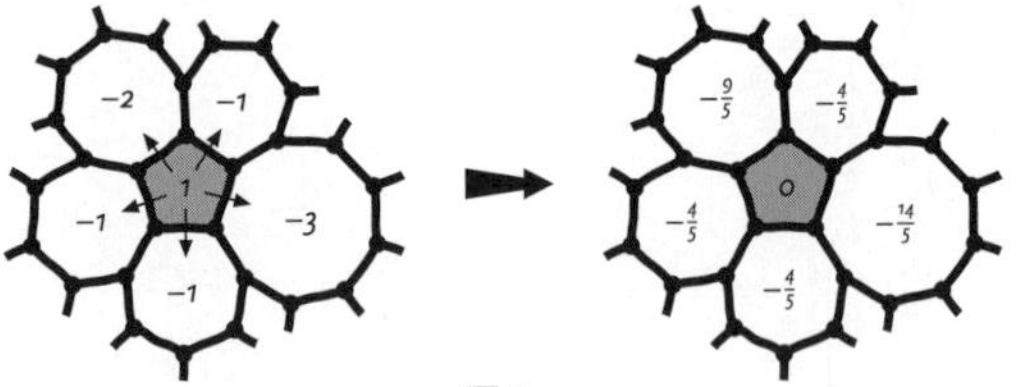

図6

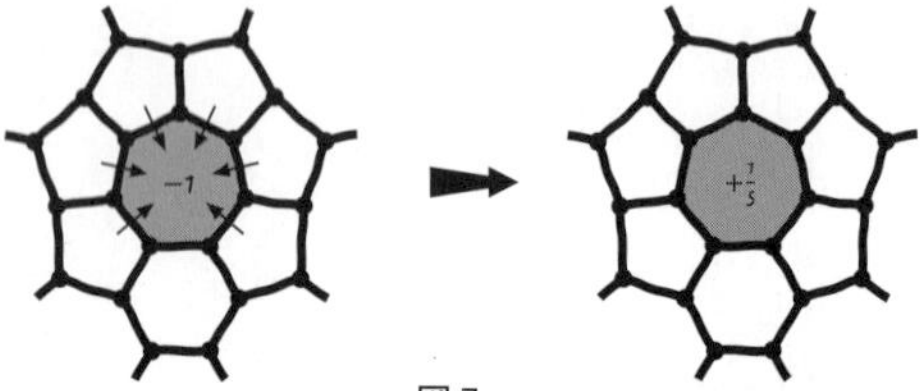

図7

と単純化することができる。

方程式（1）と（2）とを比較すると、地図中の電荷の総和が12で正の数であることが分かる。

　さらに、総電荷が増えたり減ったりすることのないように、地図中で電荷を移動させる。物理的な電荷の保存によく似たこの操作は、地図の「放電」と呼ばれている。一つの放電方法として、五辺国が持っている一単位の電荷を、負の電荷を持つ五個の隣国（七本以上の境界線を持っている）に五分の一ずつ移動させるというものがある。その一例を図6に示す。

　放電の結果、地図中の電荷の総和は12の

ままだが、五辺国の電荷は０になり、六辺国の電荷は０のままである。

七辺国はどうなるか？　もともと-1の電荷を持っていた七辺国が、隣国の五辺国から五分の一ずつ電荷を得て正の電荷を持つようになるためには、図７のように、少なくとも六個の五辺国から合計五分の六の電荷を分けてもらう必要がある。けれどもこのとき、隣国の五辺国のうち少なくとも二つは隣り合うことになり、これは許されない。したがって、放電が終わっても、七辺国の電荷は負のままである。

八辺国はどうなるか？　もともと-2の電荷を持っていた八辺国が、隣国の五辺国から五分の一ずつ電荷を得て正の電荷を持つようになるためには、少なくとも一一個の五辺国が必要だが、これは明らかに不可能である。したがって、放電が終わっても、八辺国の電荷は負のままである。九辺国、一〇辺国……についても同様である。

結局、放電が終わったとき、地図中の各国は０または負の電荷を持っていることになり、地図中の電荷の総和が12であるという事実に反している。この矛盾から、すべての三枝地図は、上述の国々の配置（二辺国、三辺国、四辺国、隣り合う五辺国、五辺国／六辺国）のうち少なくとも一つを含んでいなければならず、この五つの配置が不可避集合になっていることが示される。

不可避集合の概念は、後に、他の二人の数学者によって発展させられた。その一人はフィリップ・フランクリンである。彼は、プリンストン大学で地図の塗り分け問題に関する博士論文を執筆し、その後、マサチューセッツ工科大学（ＭＩＴ）に移って数学者として名をなした。なお、サイバネティクス（通信過程と自動制御システムの比較研究）の創始者ノーバート・ウィーナーとは義理の兄弟の関係にある。

フランクリンの論文の一部は、一九二〇年に米国科学アカデミーで発表された。その中には、数え上げの公式から導かれた、「すべての三枝の地図は、少なくとも一個の二辺国、三辺国、四辺国、あるいは、

二個の五辺国と隣り合う五辺国
一個の五辺国および一個の六辺国と隣り合う五辺国
二個の六辺国と隣り合う五辺国

の中のどれかを含んでいなければならない」という帰結も含まれていた。これにより、図８のような九個の配置を含む不可避集合が得られる。

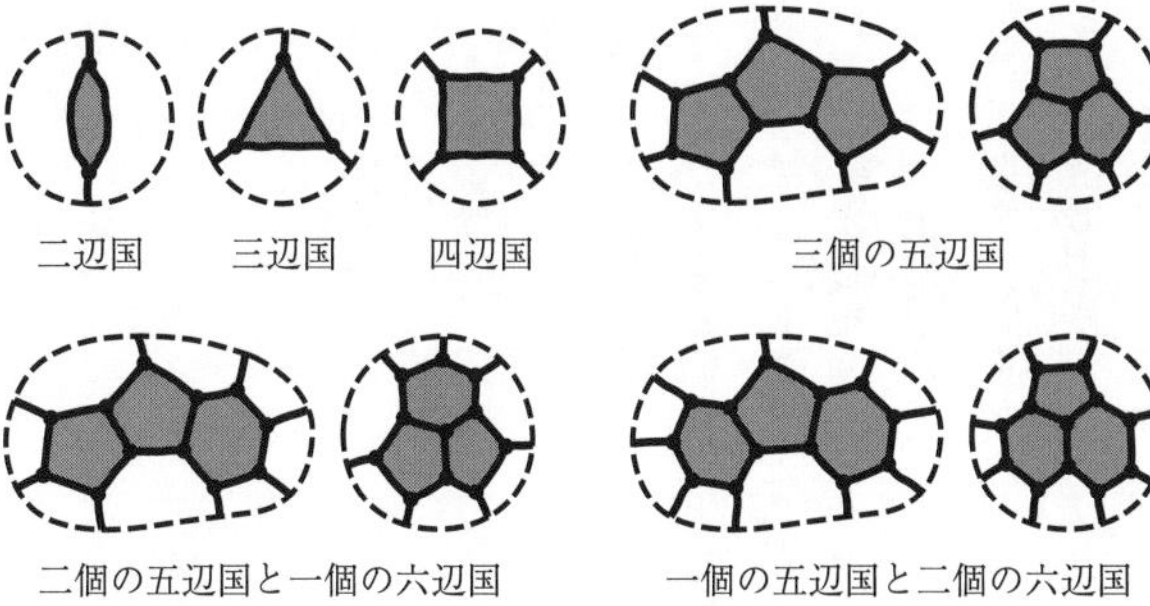

図8

不可避集合を提出したもう一人は、解析学におけるルベーグ積分の創始者として名高いフランス人の数学者アンリ・ルベーグである。彼は、死の前年の一九四〇年に、オイラーの公式から導かれるいくつかの単純な帰結に関する論文を執筆して、数え上げの公式にもとづく数種類の新しい不可避集合を作成した。

放電法に手を加えることにより、多くの配置の集合が不可避であることを証明できるが、放電手続きの詳細は状況によって変わり得る。さきほどの例では、五辺国が持っている一単位の電荷の五分の一を負の電荷を持つ隣国に移動させたが、場合によっては、一単位の四分の一や三分の一を移動させたり、五辺国の電荷をすべての隣国に均等に移したりする方が良いこともある。

二〇世紀の間に、数千個の配置を含む不可避集合が構築された。こうした巨大な集合を扱うためには、発生するあらゆるケースを扱えるようになるまで放電法を改変し続けなければならないことが明らかになった。第10章では、この改変がどのようにして行われたかを見ていくことになる。

可約配置を見つける

ここまで、二辺国、三辺国、四辺国が、どれも可約配置の例であることを見てきた。すなわち、地図中にこれらの配置が含まれている場合には、残りの部分を四色で塗り分けられれば、必要に応じて塗り直すことにより、その塗り分けを地図全体に拡張することができるのだ。とはいえ、これまで提案されてきた可約配置は、きわめて限定的だった。この状況を劇的に変えたのが、一九一三年にジョージ・デヴィッド・バーコフが発表した論文だった。

二〇世紀初頭のアメリカを代表する学者の一人であるバーコフは、数学の多くの分野に重要な貢献をした。シカゴ大学とハーヴァード大学で学んだ彼は、ウィスコンシン大学とプリンストン大学に勤務した後、一九一二年にハーヴァード大学に戻り、以後はそこにとどまった。

図9　ジョージ・デヴィッド・バーコフ（1884−1944）

プリンストン時代に、バーコフは著名な幾何学者オズワルド・ヴェブレンのセミナーに出席していた。ヴェブレンは四色問題に強い関心を持っていて、一九一二年四月二七日のセミナーでは、この問題に関してアメリカ数学会に寄稿した論文を読み上げている。その内容は、パーシー・ヘイウッドの一八九八年の論文を拡張して、それぞれの直線がちょうど四個ずつの点を含むような、特殊な幾何学的背景に置くというものだった。ヴェブレンは後に、フィリップ・フランクリンの四色問題に関する博士論文も指導している。

このとき以後、バーコフは四色問題の解決をみずからの野望の一つに定め（後年には、この問題にかけた時間の多さを悔やむことになるのだが）、一九一三年には『アメリカ数学ジャーナル』に画期的な論文を発表した。これは、三〇年以上昔にケンプが有名な解を発表したのと同じ雑誌である。「地図の可約性について」というタイトルを付されたこの論文は、バーコフがまだプリンストンにいた頃に執筆されたもので、ケンプ鎖の論証を体系的に扱い、この方向の以後の発展のすべてを決定づけるものになった。

バーコフは、最小反例の中に環《わ》をなす国々が含まれている場合について考えた。例として、三個の国からなる環を含む地図を考えよう。この他に、環の内側に少なくとも一個の国があり、外側にも少なくとも一個の国がある（左図参照。環をなす国々には色をつけてある）。

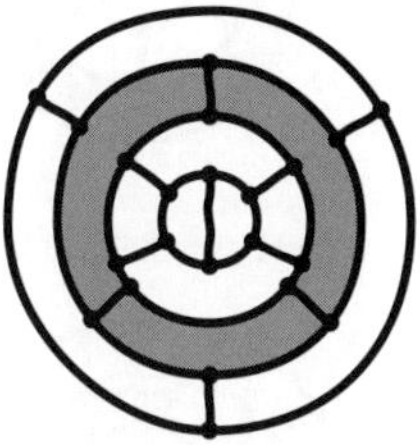

図10

地図全体は最小反例なので、環とその内側も、環とその外側も、それぞれ四色で塗り分けられる。あとは、環の上の三色を合わせてやれば（必要ならば色の名前を変える）、地図全体が塗り分けられたことになる。

ゆえに、三個の国からなる環は可約であり、最小反例には含まれないことが分かる。

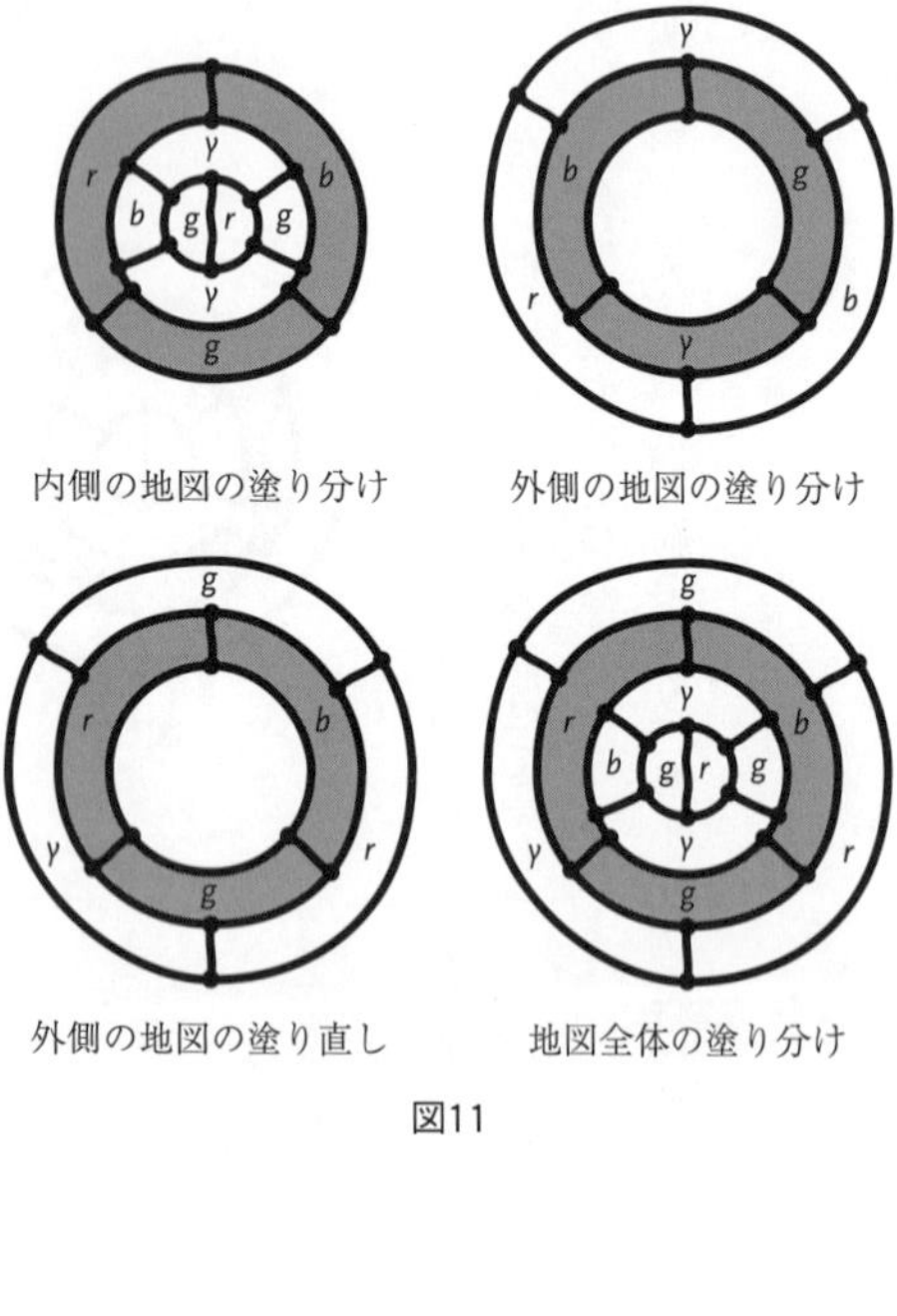

内側の地図の塗り分け　外側の地図の塗り分け
外側の地図の塗り直し　地図全体の塗り分け

図11

この方法が、ケンプのアイディアを一般化したものであることに注意されたい。ケンプの方法では、一個だけ国を減らしてから残りの地図を四色で塗り分けていたのに対して、バーコフの方法では、複数の国（この場合は、環の内側の国か外側の国）をいちどに減らしてから残りの地図を四色で塗り分け、環の上の別々の塗り分けをうまく合わせて、地図全体を塗り分けているのだ。

四個の国からなる環についての問題は、もう少し複雑である。なぜなら、このような環は、二色、三色、四色で塗り分けられても、塗り分けをうまく合わせるのは難しいからである。じかに合わせることができない、二色と三色による環の塗り分けの例を次に示す。

地図

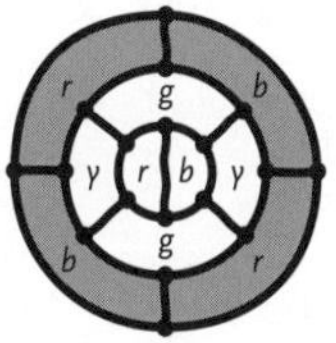

内側の地図の塗り分け

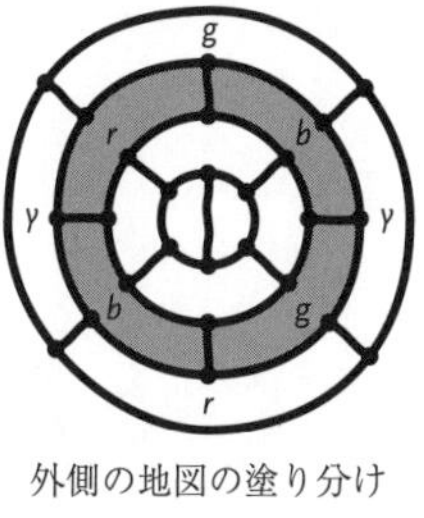

外側の地図の塗り分け

図12

けれどもバーコフは、適当な二色のケンプ鎖の中で色を入れ替えることにより、この問題を常に解決できることを証明した。こうして、四個の国からなる環が可約で、最小反例には含まれないことも分かった。

バーコフは次に、五個の国からなる環にまでこの論証を拡張し、ただ一つの例外を除くすべてのケースで成功した。その例外が、五個の国からなる環の中に五辺国が一個だけ入っているケースであり、これはまさに、ケンプが躓《つまず》いたケースだった。バーコフはさらに、六個の国からなる環の一部にまで論証を拡張したが、これらはいっそう問題が多いことが明らかになった。慎重に分析すればするほど四色問題の現状に確信が持てなくなった彼は、論文の中で、以下に列挙する可能性のどれもが正しい可能性があるように思われると結論づけることになった。

1. 四色では塗り分けられない地図が存在する。その中で最も単純な地図は、内側と外側に四個以上ずつの領域を有する、六個の領域からなる環を含むことを主要な特徴としているものと思われる。還元操作の結果は常に、与えられた地図が塗り分けられるようになるか、塗り分けることのできない一個以上の地図が得られるかのどちらかになる。
2. すべての地図は四色で塗り分けられる。可約な環の集合が発見でき、どんな地図にもその中の一つが含まれている。
3. すべての地図は四色で塗り分けられるが、それは、任意の個数の環に囲まれた領域の集合に適用できる、より包括的な性格の還元操作を通じてのみ可能になる。

六個の国からなる環についてのバーコフの研究は、それから三〇年以上もたってから、オクラホマ大学のアーサー・バーンハートによって完成された。この論文は、重要だがきわめて技術的なものだった。バーコフとバーンハートについては、こんな逸話がある。ある数学の会合で新婚のバーンハート夫人と顔を合わせたバーコフ夫人が、こう質問したというのである。

ねえ、わたしの主人は、新婚旅行の間にわたしに地図を描かせて、それに色を塗っていたけれど、あなたのご主人もそうだった？

この問いかけに対してバーンハート夫人がどう答えたかは不明だが、四色問題への関心は、彼らの血筋にはっきりと伝えられたようである。バーンハートの息子のフランクも、この問題に関する著作によって知られているからだ。

次のセクションでは、六個の国からなる環に囲まれた、ある特定の配置の可約性についてバーコフが行った論証のあらましを説明する。この配置は「バーコフのダイヤモンド」と呼ばれる重要なもので、かつては、「グラフ理論の分野では、犯罪小説におけるコーイヌール・ダイヤモンド〔訳注：英国王室の王冠の一つを飾るインド産の一〇六カラットのダイヤモンド〕と同じくらい有名」とまで言われていた。バーコフのダイヤモンド以降、大西洋の両岸の数学者たちは堰《せき》をきったようにこのアイディアを発展させ、多数の可約配置が提案されることになる。

同じ頃、四色問題を学位論文のテーマにすることが流行し、数人の学生が、地図の塗り分けに関する論文によって博士号を取得している。前述のフィリップ・フランクリンは、こうした学生の一人だった。彼は、プリンストンでの博士論文「地図の塗り分け問題について」において、以下の配置がそれぞれ可約であり、最小反例には含まれないことを示した。

三個の五辺国と一個の六辺国とに接している一個の五辺国
二個の五辺国と三個の六辺国とに囲まれた一個の五辺国
四個の五辺国と二個の六辺国とに囲まれた一個の六辺国
および、n－1個の五辺国と接している任意のn辺国ここで数え上げの公式を適用した彼は、二五個までの国からなる地図はすべて四色で塗り分けられ、ゆえに、最小反例は少なくとも二六個の国を含んでいなければならないことを導いた。

もう一人の若き研究者は、ブリュッセル大学で「地図の彩色」という博士論文を執筆したアルフレッド・エレーラである。彼はフランクリンの帰結を拡張して、最小反例が少なくとも一三個の五辺国を含んでいなければならず、また、五辺国と六辺国だけを含んでいるはずがないことを証明した。

この研究を引き継いだ後世の数学者たちは、さらなる可約配置を見つけ出し、数え上げの公式を利用して、より多くの国々を含む地図について四色定理を証明していった。一九二六年には、ウェストヴァージニア大学のクラレンス・レイノルズが、二七個までの国からなるすべての地図において四色定理が正しいことを証明した。二七という数字は、一九三八年にはフランクリンによって三一に、その二年後にはカイロにあるエジプト大学のC・E・ウィンによって三五に増えたが、以後、四半世紀にわたってそのままだった。つまり、ド・モルガンが最初に手紙を書いた一八五二年から一〇〇年が経過した時点では、三五個までの国からなるすべての地図が四色で塗り分けられることが証明されていたことになる。それでもまだ、解決にはほど遠かった。
可約配置に関する一般論の締めくくりとして、上記のアイディアの一部が、もっと早い時期に、思いがけない人物の頭に浮かんでいたという事実をご紹介したい。それは、フランス人の作家にして詩人であるポール・ヴァレリーである。彼もまた四色問題に魅了されていて、一九〇二年の日記の中で、後にバーコフ、フランクリン、ウィンが取り組むことになる国々の配置に関する考察をしていたことが明らかになったのである。そのページ数は一二ページにもわたっていたという。

ダイヤモンドに色を塗る

このセクションでは、四個の五辺国からなるいわゆる「バーコフのダイヤモンド」が可約であり、最小反例には含まれないことを証明することを通じて、バーコフの論証方法を説明する。

まずは、バーコフのダイヤモンドを含む最小反例が存在すると仮定する。ダイヤモンドの部分を取り除けば、地図中の国の数が減るので、残りの部分は四色で塗り分け

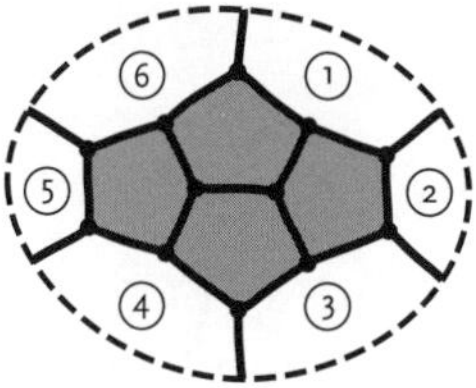

図13　バーコフのダイヤモンド

られることになる。この塗り分けを、ダイヤモンドの中の五辺国にまで拡張してみよう。

ダイヤモンドを取り囲む環をなす国々に、図13のように1、2、3、4、5、6という数字を割り当てていくと、これらを赤(r)、緑(g)、青(b)、黄(y)の四色で塗り分ける方法は、本質的には次のように三一通りある（星印の意味は以下で説明する）。

rgrgrg　rgrgrb*　rgrgbg　rgrgby*
rgrbrg*　rgrbrb　rgrbry　rgrbgb*
rgrbgy*　rgrbyg*　rgrbyb*　rgbrgb
rgbrgy　rgbrbg*　rgbrby　rgbryg
rgbryb　rgbgrg*　rgbgrb*　rgbgry*
rgbgbg*　rgbgby　rgbgyg　rgbgyb
rgbyrg　rgbyrb　rgbyry*　rgbygb
rgbygy*　rgbyby*　rgbyby*

ここで、ｒｇｙｇｂｒのような塗り分けが除外されているのは、同じ色（この場合は赤＝ｒ）で塗られた国が二つ続いてしまうからである。また、ｒｇｒｇｒｙのような塗り分けが除外されているのは、ｒｇｒｇｒｂという塗り分けと本質的に同じであるからだ（最後の黄色＝ｙを青＝ｂに塗り替えればよい）。

ｒｇｒｇｒｂという塗り分けについて考えよう。この塗り分けは、図14のように直接ダイヤモンドに拡張できるので、「良い塗り分け」と呼ばれている。右に列挙した塗り分けのうち、星印がついているものはすべて「良い塗り分け」である。皆さんも、ご自分でいくつか試してごらんになるとよいだろう。

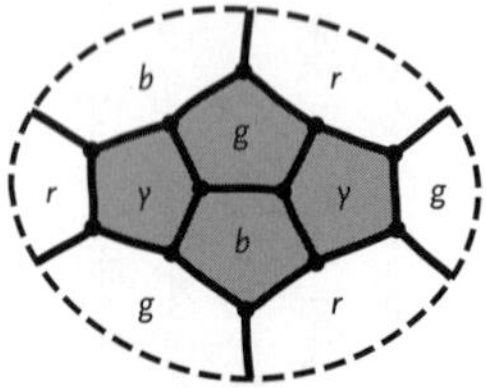

図14

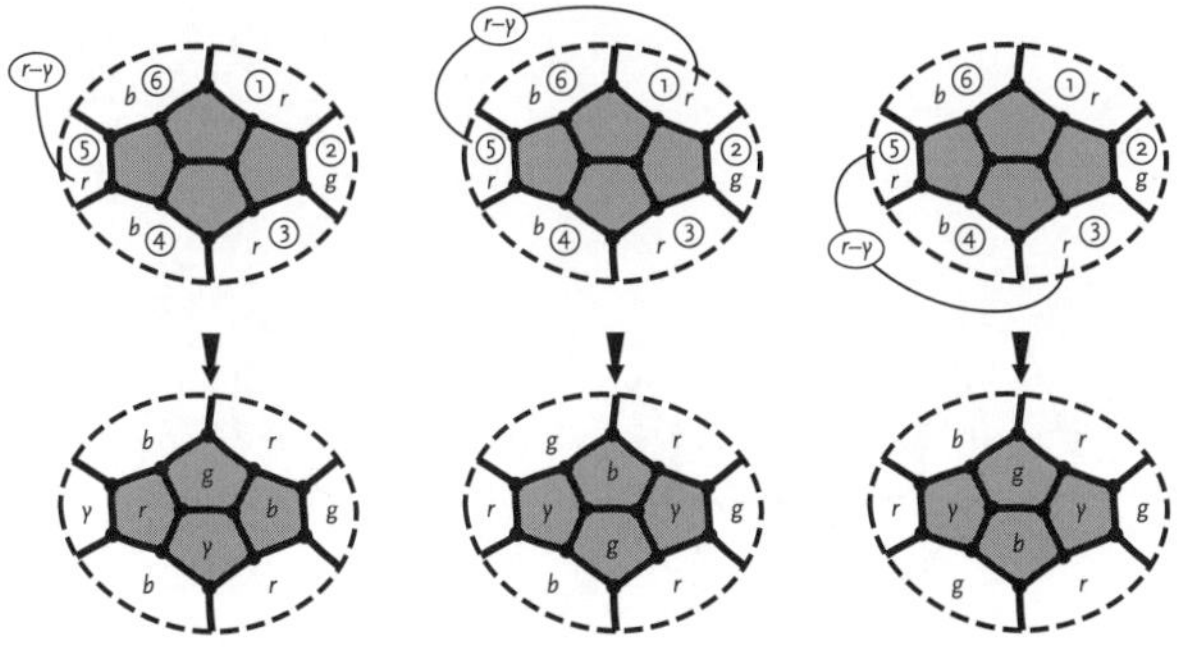

図15

　ｒｇｒｂｒｂは「良い塗り分け」ではないが、ケンプ鎖による赤と黄、または緑と青の入れ替えを利用することで、ｒｇｒｇｒｂ、ｒｇｒｂｒｇ、またはｒｇｒｂｙｂという「良い塗り分け」の一つに変換できる。例えば、３と５の国を結ぶ赤－黄鎖がある場合には、４の国を含む青－緑鎖の色を入れ替えて、４の国を緑色にできる。同様に、１と５の国を結ぶ赤－黄鎖がある場合には、６の国を含む青－緑鎖の色を入れ替えて、６の国を緑色にできる。さらに、３と５の国や１と５の国を結ぶ赤－黄鎖がない場合には、５の国を含む赤－黄鎖の色を入れ替えて、５の国を黄色にできる（この三つの状況を図15に示す）。こうして、ｒｇｒｂｒｂを「良い塗り分け」に変換できた。

　ｒｇｒｂｒｙも「良い塗り分け」ではないが、

ケンプ鎖による赤と緑、または青と黄の入れ替えを利用することで、ｒｇｒｂｇｙ（「良い塗り分け」）か、ｒｇｒｂｒｂ（既に見てきたように、「良い塗り分け」に変換できる）に変換できる。なぜなら、4と6の国を結ぶ青－黄鎖がある場合には、5の国を含む赤－緑鎖の色を入れ替えて、5の国を緑色にできるし、4と6の国を結ぶ青－黄鎖がない場合には、6の国を含む青－黄鎖の色を入れ替えて、6の国を青にできるからである（この二つの状況を図16に示す）。こうして、ｒｇｒｂｒｙも「良い塗り分け」に変換できた。

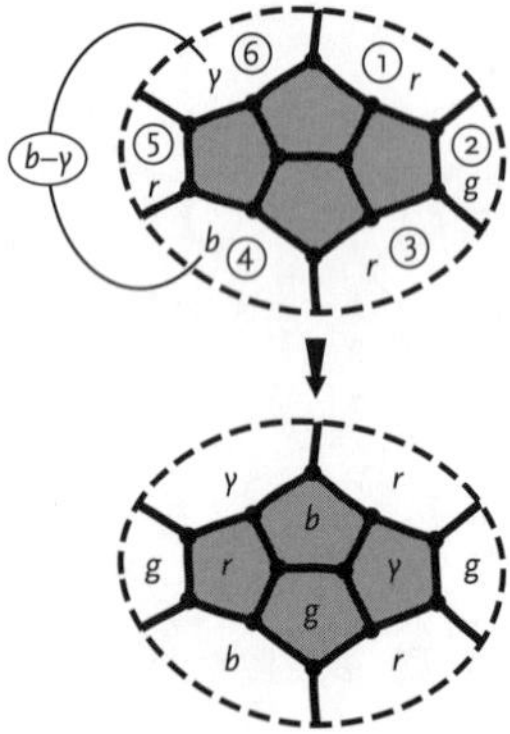

図16

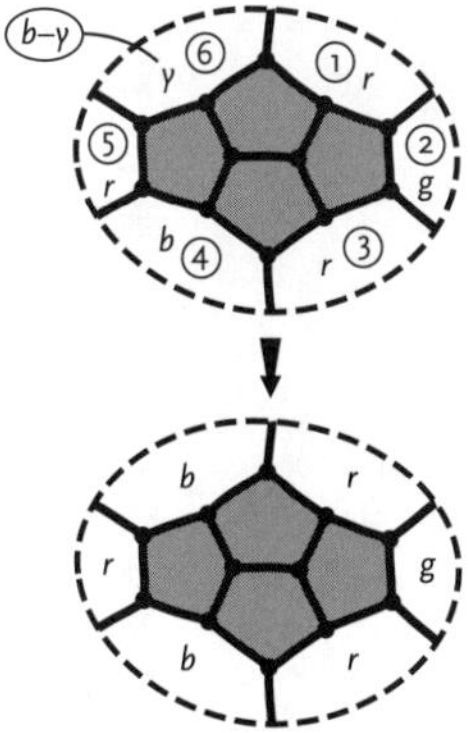

同様にして、環の塗り分け方として考えられる三一通りの方法のすべてが、「良い塗り分け」であるか、ケンプ鎖を利用した適当な色の入れ替えにより「良い塗り分け」に変換できるかのどちらかであることが確認できる。ゆえに、環を塗り分ける三一通りの方法のすべてがダイヤモンドに拡張でき、バーコフのダイヤモンドが可約であることが証明された。

実はこのとき、三一通りの塗り分け方法のすべてを考える必要はない。地図中の境界線を五本だけ取り去ると（図17参照）、より少ない国からなる新しい地図ができ、これは四色で塗り分けられる。

この変更は、1と3の国が別の色になり、4と6の国が同じ色になるような塗り分けをすべて消してしまうことに相当する。その結果、三一通りあった塗り分けは、rgrgrb、rgrgby、rgrbrg、rgrbgy、rgrbyg、rgrbryだけを残して、すべて消えてしまう。この中の最初の五つが「良い塗り分け」であり、最後のものも「良い塗り分け」に変換できることは、既に見てきたとおりである。よって、新しい地図が四色で塗り分けられ、この配置が可約であることが示された。

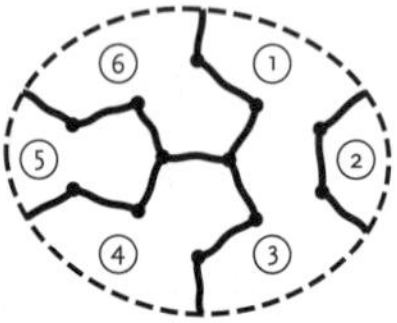

図17

ハインリヒ・ヘーシュは、環をなす国々の塗り分けのすべてが「良い塗り分け」であるか、ケンプ鎖を利用した一連の色の入れ替えにより「良い塗り分け」に変換できるような国々の配置を「D可約」と呼ぶことを提案した。これによれば、ケンプが示したとおり、二辺国、三辺国、四辺国はどれもD可約な配置であり、バーコフが示したとおり、「バーコフのダイヤモンド」もD可約な配置である。ヘーシュはまた、上記のように、考慮すべき環の塗り分けの個数を減らすような変更を受けてはじめて可約性が証明されるような配置を「C可約」と呼ぶことも提案した。D可約配置とC可約配置の概念は、第9章と第10章でもう一度登場することになる。

何通りの方法があるか？

バーコフはかつて、「偉大な数学者のほぼ全員が、四色問題に取り組んだ経験を持っている」と言ったことがある。彼が晩年にD・C・ルイスと共同で執筆し、その死後に発表された、九七ページにわたる論文の中では、それまでの四色問題研究が「質的アプローチ」と「量的アプローチ」の二つに分類されている。

質的アプローチの目標は、ある種の地図がすべて四色で塗り分けられることを示すことにある。ここでは、ケンプ鎖が重要な役割を担《にな》っていて、バーコフ、フランクリン、エレーラ、レイノルズ、ウィンらが導出した可約配置は、このアプローチの成功例と言える。量的アプローチでは、色の数に制約はなく、任意の数の色を用いて地図を塗り分ける方法が何通りあるかを調べることになる。われわれの目標は、色が四種類あるときに、その地図を塗り分ける方法の数が正の数になることを示すことにある。量的アプローチを提唱したのはバーコフである。彼は、プリンストン時代にこのアプローチを思いつき、可約配置と「バーコフのダイヤモンド」に関する論文を発表する前年の一九一二年に、『数学年報』に重要な論文を発表した。

論文の内容を理解するために、次の単純な地図からはじめよう。

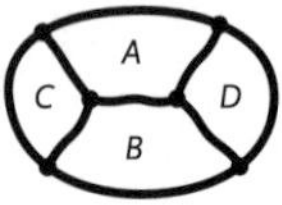

図18

バーコフは色の数をλ（ラムダ）という文字で表した。ここでλは、3以上の任意の整数である。地図中のA国はλ色の中の任意のもので塗ることができ、A国の隣りにあるB国は、残っているλ－1色の中の任意のもので塗ることができる。さらに、ともにA国とB国の隣りにあり、互いに隣り合ってはいないC国とD国はそれぞれ、残っているλ－2色の中の任意のもので塗ることができる。ゆえに、この地図中のすべての国を塗り分ける方法は、全部で

$$\lambda \times (\lambda - 1) \times (\lambda - 2)^2$$

通りあることになる。例えば、色が四種類あるときには（λ＝4）、この地図を塗り分ける方法は4×3×2^2＝48通りあり、色が一〇種類あるときには（λ＝10）、地図を塗り分ける方法は10×9×8^2＝5760通りあることになる。

バーコフは、λ色で地図を塗り分ける方法の数を表すためにP(λ)という記号を利用した。上の地図なら、

$$P(\lambda) = \lambda \times (\lambda - 1) \times (\lambda - 2)^2$$

と表すことができ、これを展開すると、

$$P(\lambda) = \lambda^4 - 5\lambda^3 + 8\lambda^2 - 4\lambda$$

となる。確認のためにこの式にλ＝4を代入すると、

$$P(4)=4^4-(5\times 4^3)+(8\times 4^2)-(4\times 4)$$
$$=256-(5\times 64)+(8\times 16)-16=48$$

となり、前記と同じ値になる。

λの累乗《るいじょう》を含む複数の項によってP(λ)を表現した式は「λの多項式」と呼ばれ、累乗の前の1、-5、8、-4などの数字は、その「係数」と呼ばれている。バーコフは、任意の地図をλ色で塗り分ける方法の数が常にλの多項式として表せることを証明して、これを地図の「染色多項式」と呼び、地図の性質から係数の表現を導出した。ここで、P(4)が正の数であるならば、その地図は四色で塗り分けられることに注意されたい。

バーコフが証明したもう一つの帰結は、ハーヴァード大学で彼が指導していた博士課程の学生ハスラー・ホイットニーの研究をヒントにしたものだった。前出の染色多項式の1、-5、8、-4という係数を見ると、その符号が交互に正負になっていることが分かる。これは偶然ではなく、符号は常にこのように並んでいるのだ。

任意の地図について、染色多項式の係数の符号は交互に正負になっている。

ホイットニーは、一九三〇年一〇月二五日にアメリカ数学会で発表した論文の中でこの帰結を証明して、地図の性質に関する帰結と結びつけた。

バーコフは常々、四色問題は、染色多項式P(λ)の性質を調べることによって解決できると期待していた。これに関して彼は四本の論文を執筆したが、その中には、さきほど言及した、ルイスとの共著によるきわめて技術的な論文も含まれている。彼が得た帰結の中には、

$$P(\lambda) \geqq \lambda \times (\lambda - 1) \times (\lambda - 2) \times (\lambda - 3)^{n-3}$$

という不等式も含まれていた。この式は、n個の国からなる任意の地図に当てはまり、λは、4を除く任意の正の整数である。彼がもしλ＝4の場合についてもこれを証明できていたならば、

$$P(4) \geqq 4 \times 3 \times 2 \times 1^{(n-3)} = 24$$

となる。このとき、P(λ)は正の数なので、すべての地図が（少なくとも24通りの方法で）四色で塗り分けられることが証明でき、四色問題が解けたことになる。

バーコフが死去してからも、染色多項式についての研究は進められている。今日まで、多くの地図について染色多項式が計算され、その性質が詳細に研究されている。この章の締めくくりとして、一九六〇年代後半にビル・トゥットらが導いた奇妙な帰結をご紹介したい。

大きい地図を塗り分けるためには、ほぼ確実に四色が必要である。このことは、一、二、三色ではこの地図を塗り分けることができず、P(1),P(2),P(3)がすべて0であるのに対して、P(4)が0より大きい値であることを意味している。それでは、P(x)=0になるような数字xが、1、2、3以外にあるのだろうか？　このような数字があれば、それを調べることにより、染色多項式の一般的な性質が明らかになるかもしれない。

トゥットの帰結は、黄金比$\frac{1}{2}(1+\sqrt{5})=1.618034\cdots\cdots$に関係がある。ギリシャ文字τ（タウ）で表現されることもあるこの数字は、数学のあらゆる分野に登場する。それは、正五角形の対角線と辺の長さの比であり、この比の辺を持つ「黄金長方形」は、薄すぎも厚すぎもしない、最も感じのよい図形と言われてきた（図19）。

黄金比τは、興味深い性質を持つ数字である。すなわち、逆数をとっても、二乗しても、小数部分の数字の並びはまったく同じで、

$$\tau=1.618034\cdots\cdots,\ \frac{1}{\tau}=0.618034\cdots\cdots,\ \tau^2=2.618034\cdots\cdots$$

となるのである。このことは、二次方程式$X^2=X+1$から簡単に導出できる。この方程式の解は、τおよび$-\frac{1}{\tau}$であるからだ。

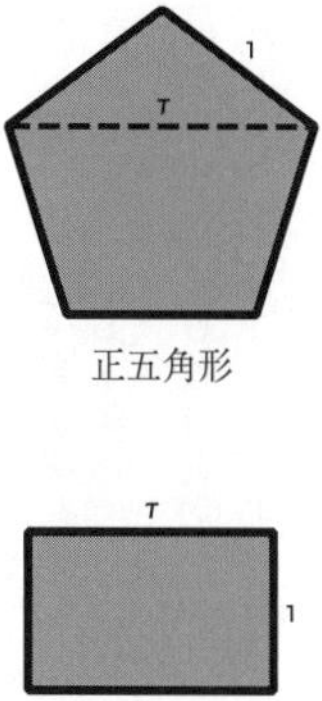

正五角形

黄金長方形

図19

一九六九年には、ジェラルド・バーマンとビル・トゥットが、大きい三枚の地図では、$x=\tau^2$のとき、染色多項式P(x)の値が極端に0に近づくことに気がついた。多

くの場合、小数点以下数桁《けた》まで０が続いていたのである。トゥットは翌年、n個の国からなる三枝の地図では、$x=\tau^2$のとき、$P(x)$の値が決してτ^{5-n}を超えないことを証明して、この発見に理論的な基礎を与えた。例えば、二〇個の国からなる三枝の地図では、$P(\tau^2)$の値が$\tau^{5-20}=\tau^{-15}$を超えることはないが、これは約０・０００７である。また、三〇個の国からなる三枝の地図では、$P(\tau^2)$の値が$\tau^{5-30}=\tau^{-25}$を超えることはないが、これは約０・０００６である。ただ、この帰結が四色問題とどのような関係にあるのかは、三〇年たった今日もなお明らかになっていない。

第9章　新しい夜明け

二〇世紀の半ばまでに、四色問題の解決に向けて、多くの進歩があった。地図中の配置の不可避集合に関する論文は、ヴェルニッケ（一九〇四）、フランクリン（一九二二）、ルベーグ（一九四〇）による三本しか発表されなかったが、バーコフの研究以降、数十の可約配置が発見された。また、第8章で見てきたとおり、フランクリンやウィンらによって、四色定理が間違っている場合には、最小反例は三五個以上の国を含む複雑なものになることも示されていた。

他方で、四色問題と密接に関係したグラフ理論の分野では、多くの論文が発表されていた。グラフ理論とは、ケンプやテイトが言及し、後にハスラー・ホイットニーらが発展させた「連結」についての研究である。グラフ理論の重要性は、その応用、特に、一九五〇年代に大きく進展した各種のネットワーク問題を通じて明らかになった。グラフ理論に関する教科書を読んでこの問題に興味を持ち参入してきた数学者も多かった。当時の重要な教科書としては、一九三六年に出版されてこの分野の著作として最初に有名になったデネス・ケーニヒの『有限および無限グラフの理論』や、それに続いて出版された、フランスのクロード・ベルジュ、アメリカのオイステイン・オア、ロバート・バサッカーとトーマス・サーティ、フランク・ハラリーらのグラフ理論の教科書などがあった。

一九六〇年代は、地図の塗り分けに関してもエキサイティングな時代になった。一九六七年には、オイステイン・オアの権威ある『四色問題』が出版された。これは、地図の塗り分け問題だけを扱う主だった本の中で最初のものとして、大きな影響を及ぼした。翌年には、オアとその学生のジョエル・ステンプルが、それまでのフランクリンやウィンの方法を拡張して、四〇個までの国からなる地図がすべて四色で塗り分けられることを証明した。彼らはその際、多数の特殊なケースについて考慮しなければならなかったため、すべての詳細を出版するわけにはいかず、イェール大学の数学科図書館に寄贈しなければならなかった（ついに一般的な証明が提出されたときにも、完全なかたちでは出版できない点を批判された）。

ドーナツと交通巡査

この時代の大きな成果は、一九六八年に、ドイツ人ゲルハルト・リンゲルとカリフォルニアのテッド・ヤングスにより「ヘイウッドの予想」が証明されたことである。第７章で見てきたとおり、パーシー・ヘイウッドは、ｈ個の穴があいているトーラス上に描かれた地図はどれも $H(h) = \left[\frac{1}{2}(7+\sqrt{1+48h})\right]$ 色で塗り分けられることを証明したが、ｈが２以上の場合に、ｈ個の穴があいているトーラスの上にこれだけの色を必要とする地図が存在することは証明できなかった。ゲルハルト・リンゲルは、この点について皮肉たっぷりに説明している。

一八九〇年に、Ｐ・Ｊ・ヘイウッドは一つの公式を発表して、「地図の塗り分け定理」と名づけた。けれども彼はこの公式を証明することを忘れていたので、数学者の世界では「ヘイウッドの予想」と呼ばれるようになった。そして、一九六八年に公式が証明されると、ふたたび「地図の塗り分け定理」と呼ばれるようになったのだ。

図1　1968年のテッド・ヤングス（左）とゲルハルト・リンゲル

証明は、まったくの力仕事だった。メビウスの五人の王子の問題が、五つの城を交差しない五本の道で結ぶ問題と等価であったことを思い出していただきたい（第2章）。同様に、ヘイウッドの予想が、一定の数の穴があいているトーラス上のn個の点を交差しない数本の線で結ぶ問題と等価であることが、ヘフターによって一八九一年に示されていた。n個の点を交差しない線で結ぶために必要なトーラス上の穴の数を表す数式には$\frac{1}{12}$という分数が入っており、12という分母がきわめて重要であることが明らかになった。実際、ヘイウッドの予想は、nを12で割ったときの剰余ごとに、一二個の完全に独立した場合に分けて証明されたのである。

一九六七年の夏までに、三個を残してすべての場合の証明が終わっていた。テッド・ヤングスは、一九六七年から六八年にかけてカリフォルニアにリンゲルを呼び寄せ、証明の仕上げに取りかかった。そして、数ヶ月にわたる奮闘の後に、証明はついに完成した。おめでとう！

地図の塗り分け問題の解決は、予想だにしなかった利益を産んだ。この証明の発表から間もないある日、カリフォルニアで高速道路をドライブしていたリンゲルは、ちょっとした交通違反をして交通巡査に車を止められてしまった。ところが、違反者の名前が「リンゲル」だと知った警官は、「『ヘイウッドの予想』を解いた方ですか？」と彼に尋ねた。驚いたリンゲルがそうだと言うと、警告を受けただけで解放してもらえたのである。実は、「ヘイウッドの予想」の証明が発表されたときに、たまたま、その警官の息子がテッド・ヤングスの微分積分学のクラスをとっていたのだという。「ヘイウッドの予想」についてのお話を終える前に、ヘイウッドの式にh＝0を代入すると、

$$H(0)=\left[\frac{1}{2}(7+\sqrt{1})\right]=[4]=4$$

となり、「穴のあいていないトーラス」、すなわち球の表面に描かれた地図を塗り分けるために必要な正しい色の数を導き出せることだけ指摘しておきたい。ただ残念ながら、ヘイウッドの予想の証明から四色定理を導くことはできない。これは、hが正の数の場合にしか適用できないからである。

ハインリヒ・ヘーシュ

一九六〇年代には、四色問題に関する研究の多くは、いまだ断片的なものにとどまっていた。不可避集合と可約配置を見つけようとする試みは、ほとんどが独立に行われていて、可約配置の不可避集合という聖杯を組織的に探索する研究は、まだ実を結んでいなかった。こうした研究の必要性を呼びかけたのがハインリヒ・ヘーシュであり、彼の貢献が、一九七〇年代のケネス・アッペルとヴォルフガング・ハーケンによる問題解決への道を開くことになる。

ヘーシュは、数学者として華々しいスタートをきった。ミュンヘン大学で数学と音楽を学んだ彼は、三次元幾何学における対称性の問題に関する論文によりチューリヒ大学から数学の博士号を取得した後、ダーフィト・ヒルベルト、リヒャルト・クーラント、ヘルマン・ワイルらの著名な数学者を擁するゲッティンゲン大学に移った。彼はそこでワイルの助手として結晶幾何学の研究に従事しながら、かの有名な「ヒルベルトの問題」の一つの解決に貢献して名をあげた。

ダーフィト・ヒルベルトは、ほぼ間違いなく当時の最高の数学者であった。その彼が、一九〇〇年にパリで開催された第二回国際数学者会議の講演において、「二〇世紀の間にその解決を見てみたい数学の問題」として列挙した二三問が「ヒルベルトの問題」である。その中の数問は今日までに解決されたが、未解決の問題もいくつか残っている。四色問題は数学の主流の外にあるため二三問の中には含まれていなかったが、特殊なタイルで平面を覆《おお》う方法を作図する「タイル張り問題」は、ヒルベルトの第一八問の一部になっていた。ヘーシュはこれに挑戦し、問題で定められた規則にしたがって平面を覆うのに利用できるタイル張りの方法をいくつか作図して、一九三二年に見事に解決したのである。彼のタイル張りパターンの一つは、後に、ゲッティンゲン大学図書館の天井の一部に組み込まれた（図2）。

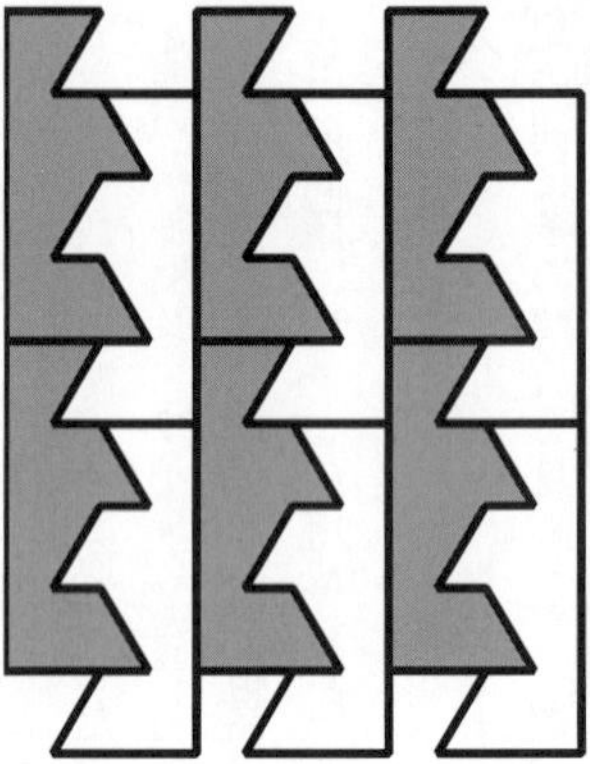

図2　ヘーシュのタイル張り

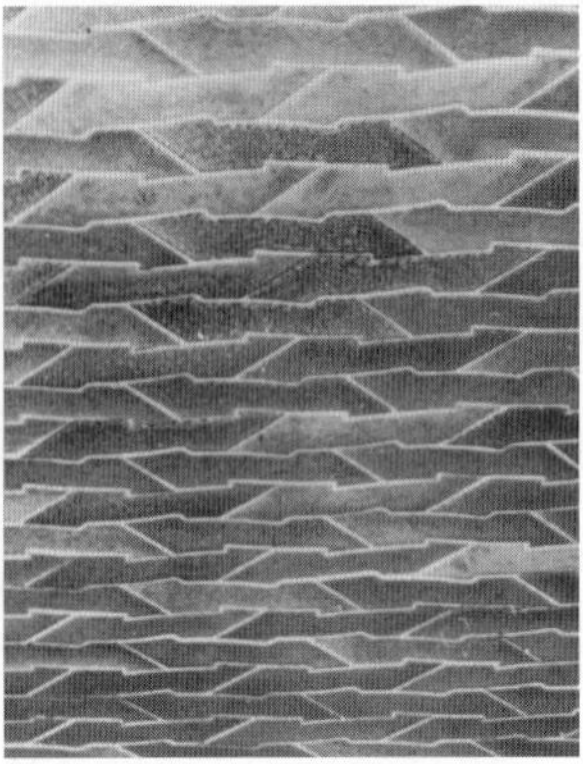

ゲッティンゲン大学図書館の天井

多くのドイツ人学者や知識人と同じく、ヘーシュにとって、一九三〇年代の半ばは辛《つら》い時期になった。彼はナチスの支持者ではなく、特に、反抗的な大学教授を強制収容所送りにするナチスのやり方を批判していたために、大学での職を失ってしまったのである。彼はその後、いくつもの学校を転々としながら数学や音楽を教えたり、タイル張りのパターンに関わる工業分野の問題に取り組んだりしながら数学研究を続け、二〇年後にようやくハノーファー工科大学で教職につくことができた。

四色問題へのヘーシュの興味は、一九三五年頃にはじまった。この頃、彼の友人のエルンスト・ヴィットが四色問題を解いたと言うので、答えを確認してもらうために、二人してリヒャルト・クーラントのもとを訪れたのである。クーラントはちょうど汽車でベルリンに出かけるところだったのだが、二人は汽車の切符を買ってベルリンまでついて行った。結局、クーラントはヴィットの答えに納得してくれず、意気消沈した二人は折り返しゲッティンゲンに戻ることにした。その帰りの道中に、ヘーシュはヴィットの証明の間違いを見つけたのである。

　四色問題の研究を進めるうちに、ヘーシュは徐々に、可約配置の不可避集合を探すアプローチの正しさを確信するようになった。ただ、この集合が非常に大きく、ひょっとすると一万個近い配置を含んでいるかもしれないと予想して心配していた。

図3　ハインリヒ・ヘーシュ(1906－95)

　不可避集合を求めるために彼が考案したのが、第8章で説明した放電法である。彼にはまた、配置の可約性を予想する不思議な才能があって、配置を見るだけで、それが可約であるかどうかを少なくとも八〇パーセントの精度で言い当てることができた。後に、ヴォルフガング・ハーケンがこう証言している。

わたしを最も魅了したのは、配置を見たヘーシュが、「いや、これはダメだ。可約であるはずがない」、あるいは、「こっちだ。これはきっと可約だ」と言ったときでした。わたしが彼に、「どうして分かるのですか？ どうやって見分けられたのですか？」と聞くと、「うーん、コンピュータで計算するには二時間かかるな……」と答えたのです。

ヴォルフガング・ハーケン

一九四〇年代の終わり頃、ヘーシュは、ハンブルク大学と故郷であるシュレスヴィヒ＝ホルシュタイン州のキール大学とで行った講義の中で、自分の発見をはじめて公表した。彼はここで、可約配置の不可避集合が存在していて、個々の配置はたいして大きくなさそうだが、その数は非常に多いようだという見込みを明らかにした。

ヴォルフガング・ハーケン青年は、一九四八年にヘーシュがキール大学で行った講義を聞いていた。彼は、最年少でこの大学に入学して、数学と哲学と物理学を学んで

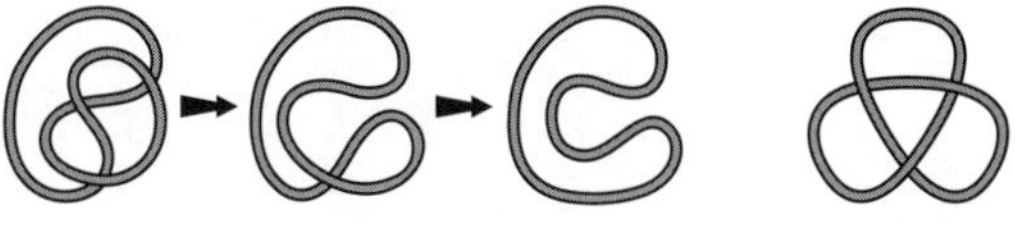

絡まっているひもをほどく
結び目のある絡まり

図４

いた。彼の後日の回想によると、当時はヘーシュの言っていることがほとんど理解できなかったが、一万あまりの場合を調べる必要があるかもしれず、そのうちの五〇〇は既に調べ終わっていると言っていたことが印象に残ったという。調べるペースは平均して一日一個だったが、ヘーシュは残りの九五〇〇個についても楽観視しているように見えたという。

ハーケンがキール大学で受けた講義の中で最も刺激的だったのは、四色問題に取り組んだことのあるただ一人の数学教授カール・ハインリヒ・ヴァイズによる位相幾何学の講義だった。ヴァイズはここで、長い間未解決のままになっている問題を三つ紹介した。第一の問題は、三次元で絡《から》まっているひもに結び目があるかどうかを判定する「結び目問題」である。たとえば、図４の左の絡まりはほどくことができるが、右の結び目をほどくことはできない。

第二の問題は、四次元空間における球の分類に関する「ポアンカレの予想」で、これは今日もなお解決されていない〔訳注：二〇〇三年六月に、「ロシアのステクロフ数学研究所のグリゴリー・ペレルマン博士がこれを証明した」というニュースが流れた。二〇〇六年の夏ごろまでに複数の数学者グループによる検証が行われた結果、証明に誤りのないことが明らかになり、この業績によって二〇〇六年のフィールズ賞が贈られたが、博士は受賞を辞退して姿を消した。ポアンカレ予想はクレイ数学協会が発表した七つの「ミレニアム問題」の一つで、問題解決者には一〇〇万ドルの懸賞金が支払われることになっていたが、博士はこれも受け取らなかった〕。第三の問題が四色問題だった。

ハーケンは、巨人ゴリアテに立ち向かうダヴィデのように、「他の誰もがあきらめていた、ごく初歩的な方法」で三つの問題のすべてに挑んだ。第一のゴリアテは倒すことができた。勢い込んで打ちかかって行った第二のゴリアテは、九九パーセントまでやっつけることができたが、完全に息の根を止めるまでには至らず、やがて復活してしまった。第三のゴリアテとの戦いは数年にわたって続いたが、第10章で説明するように、途中から投石器で打ち出すものをリンゴ（apple）ならぬアッペル（Appel）に持ち替えることになる。

ハーケンは、ヴァイズ教授の指導のもとで執筆した博士論文において三次元位相幾何学に取り組み、結び目問題を部分的に解くことに成功した。その後、この問題を完全に解いて、一九五四年にアムステルダムで開催された国際数学者会議で偉業の達成を宣言すると、証明の詳細を論文にするように求められた。けれども、当時のハーケンにとって、論文の執筆は容易ではなかった。キール大学でもその他の大学でも職を得られなかった彼は、電気工学メーカーとして知られるシーメンス社の物理学者としてミュンヘンで働いていたからである。彼が時間をやりくりしながら二〇〇ページにおよぶ複雑で詳細な論文を書き上げたのは四年後で、それが『アクタ・マテマティカ』に掲載されたのはさらに三年後の一九六一年のことだった。

イリノイ大学アーバナ゠シャンペーン校の論理学者ビル・ブーンは、ハーケンの結び目問題研究に感心して、彼を客員教授として大学に招いた。ブーンがこの問題に関心を持ったのは、クルト・ゲーデルの不完全性定理がきっかけだった。一九三一年に発表されたこの定理によると、どんなに複雑な数学体系にも、必ず、その体系の中では解決できない問題が存在するという。長年にわたってあらゆる挑戦を跳ね返してきた結び目問題と四色問題は、一九五〇年代には、「解決不可能な問題」であり、その命題の真偽を知ることはできないと考えられるようになっていた。そんな中で、ハーケンは第一の問題を解決し、アッペルらとともに第二の問題も解決することになるのである。

イリノイ大学に到着すると、ハーケンはただちに結び目問題の研究についての連続講義を行った。骨の折れるアプローチで問題に取り組む彼の姿に、ある同僚はこう言った。

普通の数学者は、森の奥深くまで入り込んでしまったことに気がつくと、それより先に進んではいけないと考えるものである。けれどもハーケンは、そこからペンナイフを取り出して、一本ずつ木を切り倒しはじめるのだ。

ハーケンはその後、プリンストン高等研究所で数年をすごしてからイリノイ大学に戻ってきて終身在職権を獲得し、「ポアンカレの予想」の研究を続けた。彼は問題を二〇〇の具体的な場合に還元し、労を惜しまず体系的に証明を進めた結果、一九八の場合まで証明することができた。ところが、最後の二つがどうしても証明できず、一三年後に、ついに「人食い問題」を解くことをあきらめて、四色問題に転向した。

コンピュータの世界へ

一九六七年に、ハーケンはヘーシュに連絡をとった。二〇〇の場合のうちのたった

図5 ヘーシュの可約配置をファイルした箱

二個を証明できずにポアンカレ問題の解決を断念した彼は、一万もの配置に取り組んでいたヘーシュにも同じことが起きていて、既にその解決を断念していたのではないかと危惧《きぐ》したのである。けれども答えは「否」だった。ヘーシュはまだ同じ問題に取り組んでいて、この頃には放電法も考案し、数千もの可約配置を発見していたのである。

ヘーシュの目標は、可約配置の作成方法を考案して、バーコフが一九一三年の論文で示したアイディアを「体系化」することにあった。彼はまず、「D可約」と名づけた可約配置について調べた。第8章で説明したとおり、D可約は最も単純な可約配置で、直接またはケンプ鎖を利用した色の入れ替えによって、環をなす国々の塗り分けを中心の国に拡張できるような配置である。これに対して、考慮すべき環の塗り分けの個数を減らすような変更を受けてはじめて可約性が証明されるような配置は「C可約」と呼ばれている。ヘーシュは、ある配置がD可約でない場合に、どのように変更すればC可約性を調べられるかを予想するのが得意だった。つまり彼は、われわれがバーコフのダイヤモンドについて行ったのと同じように、考慮すべき配置の個数を小さくすることで問題を削減していったのである。

ハーケンはヘーシュにイリノイ大学での講義を依頼し、膨大な数の配置の検討にはコンピュータが役に立つのではないかと提案した。実は、ヘーシュ自身も同じことを考えていて、一九六〇年代の半ばには、ハノーファー大学の数学科で学位を取得し、中等学校の教師をしていたカール・デュレという助っ人を得ていた。デュレが考案したD可約性テスト法は、長い時間を必要とすることもあったが、ともかくコンピュータで実行できる程度に定式化されていた。一九六五年の一一月には、バーコフのダイヤモンドがD可約であることがこの方法で確認され、やがて、より複雑な配置のD可約性をいくつも確認することに成功した。ちなみに、デュレがこのとき利用したコンピュータはハノーファー大学のCDC1604Aで、プログラミング言語はALGOL60だった。

配置の複雑さは、環《わ》の大きさ、すなわち、配置を取り囲む国々の個数によって評価できる。バーコフのダイヤモンド（図６）を例にとると、これを取り囲む六個の国からなる環には、三一種類の本質的に異なる塗り分け方がある（第８章参照）。

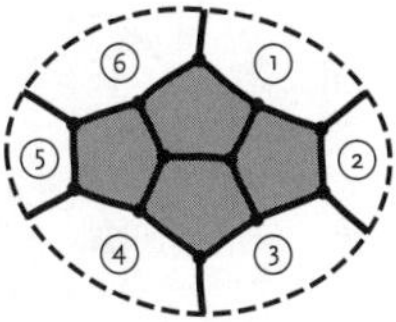

図６　バーコフのダイヤモンド

厄介なのは、環の大きさが増すにつれ、塗り分け方の種類が急激に増大することだ。

環の大きさ	塗り分け方の種類
6	31
7	91
8	274
9	820
10	2461
11	7381
12	22144
13	66430
14	199291

たとえば、八個の国からなる図7のような配置では、これを取り囲む環の大きさは一四であり、一九万九二九一種類におよぶ本質的に異なる塗り分け方を考えなければならない。略式の計算から、四色問題を解くためには、環の大きさが一八の配置まで検証しなければならないと言われていた。このとき、配置を取り囲む環の塗り分け方は一六〇〇万種類を超えてしまう。

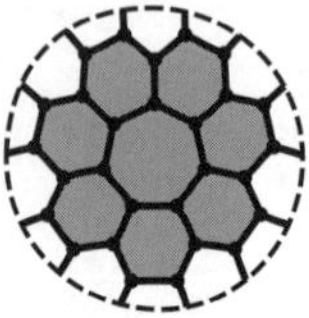
図7

ヘーシュとデュレは、環の大きさが増すにつれて、一つの配置を分析するのに要する時間が急増するという問題に直面していた。彼らのコンピュータでは、環の大きさが一二の配置なら六時間あまりで分析できたが、一三の配置になると一六時間から六一時間もかかることがあり、一四以上の配置になるといつ終わるのか見当もつかなかった。実際、彼らの見積もりによると、コンピュータを使って一万の場合を確認するためには三〇〇〇時間から五万時間におよぶ計算が必要で、これだけ長い時間コンピュータを使用する許可を得るなど、ハノーファー大学はおろか、どこに行っても不可能な相談だった。

作業を単純化するために、デュレはさまざまな便法を考案した。その一つは、配置を取り囲む環の塗り分けをより効率的に保存する方法である。各国の色を二ビットずつで指定する場合（00、01、10、11）、環の大きさが一四の配置の塗り分けを一つ保存するには二八ビットが必要である。この配置の塗り分け方は約二〇〇万通りあるので、すべてを保存するには五〇〇〇万ビット以上が必要ということになる。デュレはここですばらしい方法を考案して、一つの塗り分けを一ビットで保存できるようにした。これにより、一つの配置にかかる計算時間の総計を二八分の一に減らすことが可能になり、大いに役に立った。環の大きさが一四の配置の多くは大きすぎてまだ扱うことはできなかったが、これより小さい配置の多くが、はじめてチェックできるようになったのである。

数学者たちは既に、この方針にそって四色問題を解こうとするなら一筋縄では行かないことを予見していた。一九六〇年代には、ウィスコンシン大学のエドワード・F・ムーアが、既知の可約配置を含まない大規模で複雑な地図を作成するこつを身につけていた。こうした地図の中になら、五色ないと塗り分けられないものが見つかる

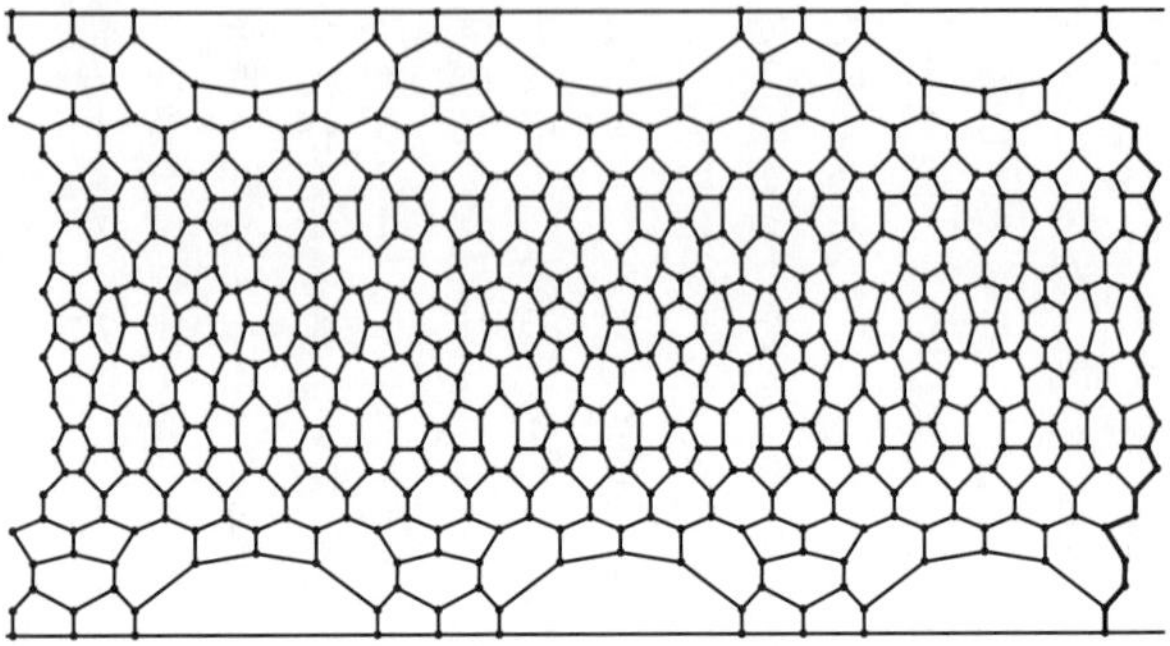

図8

可能性がある。図8に示すのは、彼が考案した地図のうち、環の大きさが一一以下の可約配置を含まない地図の一部である。この地図の右端と左端とをつなぎ、上下の国をどちらも九辺国にするのである。この地図の存在は、可約配置の不可避集合が、環の大きさが一二以上の可約配置を少なくとも一個は含んでいなければならないことを示している。

当時は、環の大きさが一八の配置まで考えなければならないように思われていたが、次章で説明するように、アッペルとハーケンは、環の大きさが一四以下の配置を考えるだけで答えを出すことができた。環の大きさが一五以上もある配置を考える必要があったとしたら、彼らがあの時期に答えを出すことはほとんど不可能だったはずである。

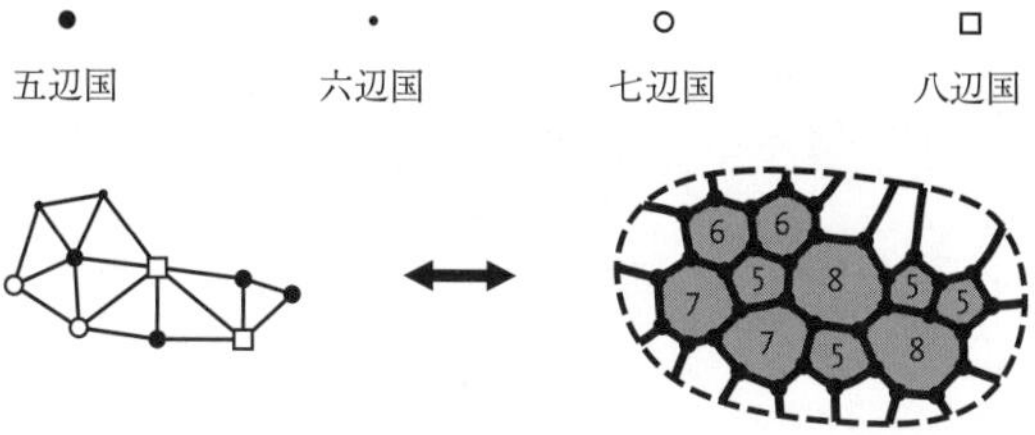

図9

この頃までに、四色問題の研究者のほぼ全員が、ケンプが考案した「双対形式」を利用するようになっていた。すなわち、地図のかたちで四色問題を考える代わりに、地図に対応するグラフ（連結）の点に色を割り当てる問題を考えるようになっていたのである（ヘーシュやその後継者たちとは違い、われわれはここで急に形式を変えたりはせず、地図のかたちでお話を続ける）。ヘーシュはさらに、各点を区別しやすくするために適当な記号で表す方法を考案し、この便利な表記法はすぐに広く用いられるようになった。図9に、ヘーシュが考案した記号の中から四種類と、ヘーシュによる表記法の一例、および、それに対応する国々の配置を示す。

ヘーシュはさまざまな機会に自分の研究について講義をしたが、一九六九年にドイツ語で書いたペーパーバックの中で放電法をはじめとする多くの貢献について説明するまで、印刷物のかたちでの発表は控えていた。オイステイン・オアが一九六七年に出版した四色問題についての著作にはヘーシュの研究に関する言及がないが、彼はおそらく知らなかったものと思われる。他方でヘーシュは、オアの本に自分が知らなかった可約配置をいくつか見つけて喜んでいたという。

馬蹄《ばてい》の塗り分け

間もなく、ハノーファーのコンピュータには、四色問題を解くために必要な作業を遂行するだけの能力がないことが明らかになった。ハーケンは、ヘーシュとデュレを助けるために、イリノイ大学のＩＬＬＩＡＣ－Ⅳというパラレルスーパーコンピュータの使用を申請したが、コンピュータは未完成で、使える状態にはなっていなかった。そんなとき、同大学のコンピュータ科学科長のジョン・パスタが、ヘーシュとデュレを友人のヨシオ・シマモト［訳注：日系二世］に引き合わせてくれた。シマモトは、ロングアイランドのアプトンにある原子力委員会ブルックヘブン研究所のコンピュータ・センター長で、この研究所には、クレイコントロールデータ６６００という、当時最高のコンピュータがあった。

幸い、シマモトはかねてから四色問題に深い関心を寄せていた上、センター長とし

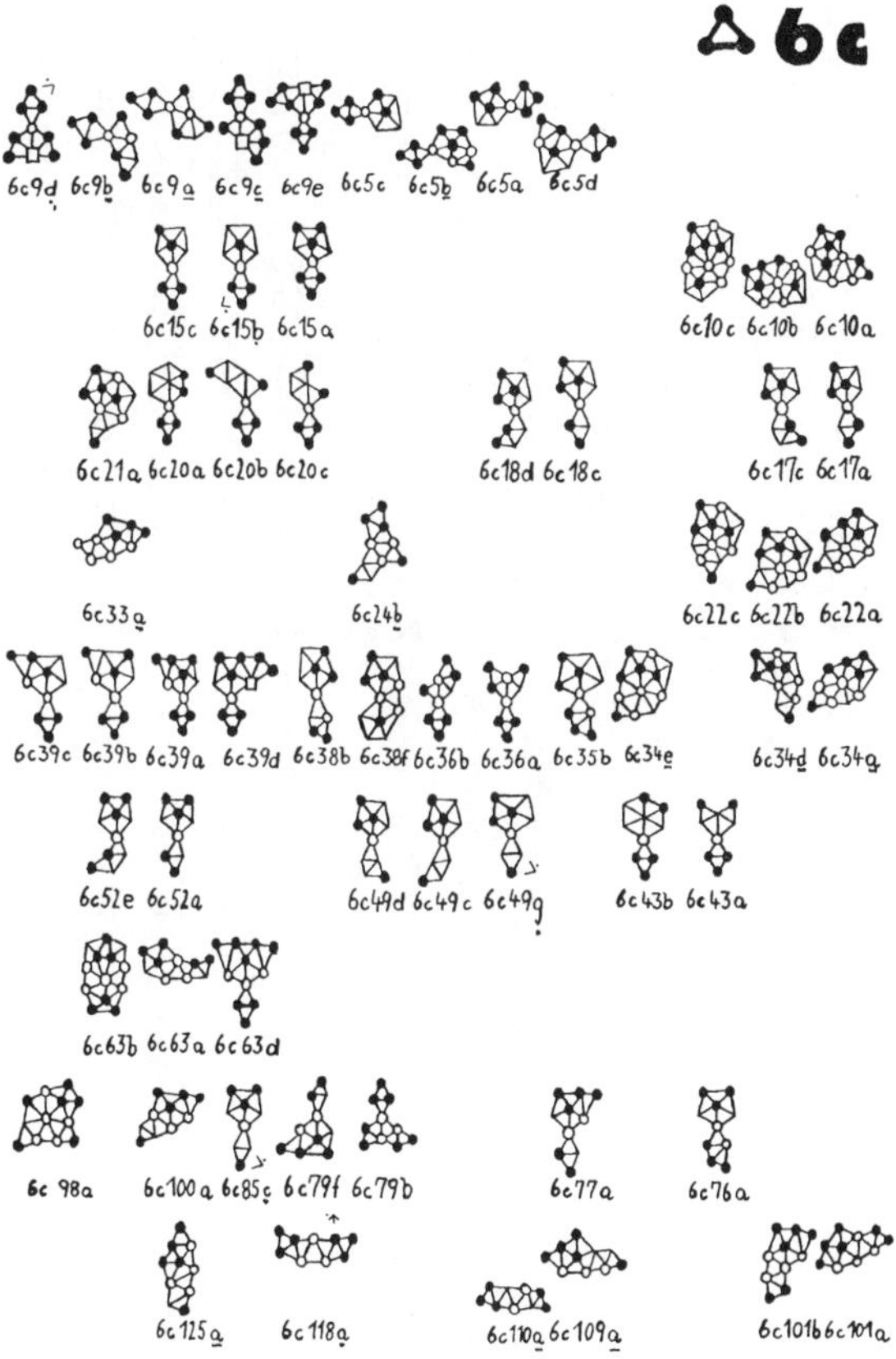

図10　ヘーシュによる可約配置の図の１ページ

て、コンピュータの使用時間の一〇パーセントまで自分の目的のために使用することを許されていた。ヘーシュのアプローチを強く支持していた彼は、ヘーシュとデュレをブルックヘブンに招き、クレイ・コンピュータを使って可約性のチェックを続けられるように取りはからった。結局、ヘーシュは二回にわたって長期の滞在をし（そのうちの一回は一年にもおよんだ）、デュレに至ってはほぼ二年間そこにとどまり、可約性についての博士論文も書き上げることになる。

ブルックヘブンでは、デュレは最初にALGOLのプログラムをFORTRANに書き換えなければならなかったが、この作業が終わってからの進捗《しんちょく》は著しかった。環の大きさが一三の配置では六万六四三〇種類もの塗り分けをチェックしなければならなかったが、クレイ・コンピュータにとっては、手に負えない作業ではなかった。環の大きさが一四の配置もはじめてチェックできるようになり、やがて、環の大きさが一四以下の一〇〇〇種類以上の配置についてD可約性が確認された。

作業がはじまって間もない頃、デュレは、プログラムに小さなバグがあることに気づいた。このことは、リストの最初の方にある少数の配置についての結果が、必ずしも信頼できないことを意味していた。各配置の再チェックには数時間ずつかかるため、彼はその作業を後回しにしてバグを直した。そして、最初の方の配置に気をつけるよう警告を残しておいたのだが、この警告は放置されてしまった。

シマモト自身も、四色問題の研究を進めていた。彼のアプローチは、ハーケンとデュレのそれと関係はあったが、だいぶ違うものだった。彼は、ある性質を持つ配置が見つかり、その配置がD可約であるならば、四色問題も解けることを証明したのだ。四色問題の証明がたった一つの配置にかかっているというのだから、なんとも意外なことである。あとは、この配置を見つけて、D可約であることを示せばよかった。

一九七一年九月三〇日に、シマモトはついに探していた配置を見つけ出した。一八八〇年代のロンドン主教のように（第6章参照）、退屈な会議に出席していた彼は、例によって地図の塗り分けをはじめた。そして、環の大きさが一四の、図11のような配置を作成したのである。この配置は、「シマモトの馬蹄」として知られるようになった（馬蹄には似ても似つかない形だが）。シマモトの証明によれば、この馬蹄がD可約なら、四色問題は解決されたことになる。

図11　シマモトの馬蹄

会議の後、シマモトはヘーシュとハーケンに出くわした。二人はたまたまブルックヘブンを訪れていて、カフェテリアに昼食をとりに行こうとしていたのである。彼は早速、馬蹄型配置のD可約性についてヘーシュに尋ね、ヘーシュはそれが自分のD可約配置のリストにあると答えた。シマモトは、興奮しながらも慎重さを忘れることなく、馬蹄型配置のD可約性を再チェックしてくれるように頼み込んだ。作業のためにドイツにいたデュレが呼び寄せられたが、以前のプリントアウトが手元になかったため、彼はすべてを一からやり直さなければならなかった。

人々は、手のつけようがないほど興奮した！　シマモトが四色問題を解いたという噂《うわさ》は、たちまち全世界に広まった。ハーケンは、馬蹄型配置が見つかった翌日にプリンストン高等研究所を訪れ、それからイリノイ大学に戻ることになっていた。そこで

図12　ブルックヘブン研究所でのハインリヒ・ヘーシュ、ヨシオ・シマモト、カール・デュレ（左から）

彼はシマモトに、この結果について人々に報告してもよいかと尋ねた。ハーケンによれば、シマモトは「イエス」と答えたそうだが、シマモトは後にそれを否定し、ハーケンの発表のせいで大迷惑を被《こうむ》ったと苦情を言っている。

わたしは今、多くの人々から質問責めにあっていて、きちんとした原稿を準備できないうちに、プリンストンやアーバナであなたに話をさせてしまった自分の判断に首をかしげています。

その後の展開は、期待どおりには

行かなかった。最初にコンピュータを走らせたときには、計算時間が前より一時間以上長くなったために、途中で打ち切られてしまった。二回目に走らせたときには、もっと長い時間がかかった。最後となる三回目の挑戦では、超高速クレイ・コンピュータを週末いっぱい走らせることが許可されたが、二六時間におよぶ拷問《ごうもん》のような待ち時間の末に出てきた結果は、「馬蹄型配置はD可約ではない」というものだった。馬蹄型配置がデュレがバグを放置した配置の一つであったかどうかは分からなかったが、誰もが大いに落胆したことは確かだった。

ハーケンはシマモトの論証を検証して、それが完全に正しいことを確認した。傑出したグラフ理論研究者として知られるハスラー・ホイットニーとビル・トゥットも、シマモトのアプローチを詳細に分析して長い論文を執筆した。以下のような言葉ではじまる彼らの論文は、人々に大きな影響を与えた。

一九七一年の一〇月、組み合わせ論の世界は、コンピュータの助けによって悪名高き四色問題がついに解かれたという噂でもちきりだった……。

彼らはそれからシマモトの方法を要約した。

シマモトは、四色予想が間違っているなら、既にコンピュータによってD可約であることが確認されたH（Hは馬蹄 horseshoe の頭文字）という配置を含む、四色では塗り分けられない地図Mが存在するはずであることを証明した。彼は次に、HがD可約であるならばMは四色で塗り分けられることを証明した。二つの帰結は矛盾しており、四色予想が正しいことを示唆《しさ》している……今や、証明の重責を担《にな》うのは、数ページの緻密《ちみつ》な論証ではなく、コンピュータなのだ！

ホイットニーとトゥットは、シマモトの証明が正しいならば、Mの一部に注目することでもっと簡単に証明できるはずだが、「この簡単な証明は簡単すぎて、その存在を信じることができない」と感じていた。シマモトの論証に本質的な誤りを見つけられなかった彼らは、コンピュータの結果が間違っているのだろうと結論づけ、馬蹄型配置がD可約でないのみならず、シマモトの方法で生成した配置がどれもD可約ではないことを証明した。

四色問題は、ここでまたもや行き詰まったように思われた。

第10章　成功!……

馬蹄のエピソードにもかかわらず、四色問題の解決を楽観視する理由はあった。ヘーシュのアプローチが実を結びはじめていたからである。実際、これから五年もたたないうちに、アッペルとハーケンの手が、可約配置の不可避集合という待望の成果を摑《つか》むことになる。

第8章で見てきたハインリヒ・ヘーシュの放電法では、k本の辺を持つ国々に6－kずつの電荷が割り当てられ、五辺国は1、六辺国は0、七辺国、八辺国……は負の電荷を受け取るようになっていた。これに対して、一九七〇年にヘーシュがハーケンに結果を知らせた新しい放電法では、五辺国の正の電荷は、負の電荷を持つすべての隣国に均等に分配されていた。この結果を環《わ》の大きさが一八までの一般的な地図に適用すると、正の電荷を持つ国がまだ残っている「悪い」配置が八九〇〇種類生成する。

図１　自分たちの解について考察するケネス・アッペル（左）とヴォルフガング・ハーケン

四色問題を八九〇〇種類の配置の考察に還元するこのアプローチは「四色問題の有限化」と呼ばれるもので、ヘーシュはこれらを一個ずつ調べていこうと提案した。

けれども、ヴォルフガング・ハーケンは、これだけ多数の配置を調べあげることには悲観的だった。配置の中にはかなり大きなものもあったからである。この頃までに、環の大きさが一一の配置は簡単にチェックできるようになっていた。配置を取り囲む一一個の国々の塗り分け方は七三八一通りしかないからである。けれども、環の大きさが一つ増えるたびに、コンピュータでのチェックにかかる時間はほぼ四倍になり、それに応じた記憶容量が必要になる。アッペルとハーケンは、後に、環の大きさが一四の難しい馬蹄型配置のチェックに何時間もかかったことを回想して、次のように言っている。

環の大きさが一四の配置をチェックするための平均所要時間がわずか二五分になったとしても、環をなす国々の個数が一四から一八に増えれば、それは四倍から四の四乗倍に膨れ上がる。つまり、一八個の環からなる平均的な配置をチェックするためには、一〇〇時間以上の時間と、既存のコンピュータには不可能な大きさの記憶容量とが必要になるのである。環の大きさが一八の配置が一〇〇〇種類あるならば、すべてをチェックするには、高速コンピュータで一〇万時間以上、すなわち、約一一年間かかることになる。

ヘーシュ－ハーケンの協力？

ハーケンは以前から、より優れた放電法を考案できれば、問題は大幅に単純化されるはずだと感じていた。彼はまず、六辺国や七辺国のない地図だけを考えることで、ずっと単純な方法を発見できた。すっかり勇気づけられた彼は、続いて一般的な地図に取りかかり、結果の一部をヘーシュに送付した。ヘーシュはこれに強い印象を受け、ハーケンに共同研究を持ちかけた。

一九七一年にヘーシュがハーケンに送付した可約配置に関する未発表の結果の中に、配置の可約性の妨げになっているらしい、三つの「還元障害」が含まれていた。還元障害を含む配置が可約でないことは証明されていないが、還元障害を含む可約配置は見つかっていないので、これを考察から除外することは理にかなっているように思われた。後に、ホイットニーとトゥットが、シマモトの研究に関する論文の中で還元障害についての一般的な考察を行い、ハーヴァード大学の大学院生ウォルター・ストロ

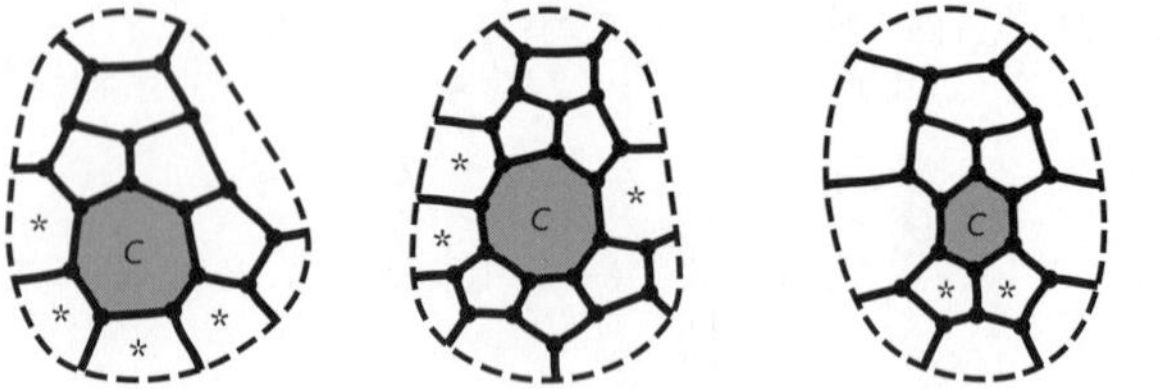

四本足の国　区切られた三本足の国　ぶら下がりの五ー五ペア
図2

ムキストは、還元障害の中ではヘーシュがあげた三つが最も重要であることを証明した。ストロムキストは、やがて、五一個までの国からなるすべての地図で四色定理が正しいことを証明して、地図の塗り分け界の有名人になった。

ヘーシュによる三つの還元障害は上の図のとおりである。


図2左のCは「四本足の国」で、配置を取り囲む環の中でひと続きになっている四つの国（星印）に接している。図2中のCは「区切られた三本足の国」で、配置を取り囲む環の中のひと続きではない三つの国に接している。図2右は「ぶら下がりの五ー五ペア」で、隣り合う五辺国のペアが、配置を取り囲む環の中で一つの国Cに接している。

けれどもハーケンは、これとは別のアプローチから四色問題に挑戦しようとしていた。他の人々が、何百もの可約配置を集めてからそれらをまとめて不可避集合を作ろうとしていたのに対して、ハーケンは、不可避集合をじかに狙《ねら》い撃ちすることを基本戦略にしていたのだ（彼は後に、アッペルとともにこの戦略を発展させることになる）。還元できそうな配置（例えばこれらは還元障害を含んでいてはならない）のみからなる不可避集合を作るようにすれば、やがては意味がなくなってしまう配置をチェックするという無駄な時間をなくすことができる。後になって可約ではないと証明されるような配置は、それから個別的に扱っていけばよい。ハーケンは後にこう言っている。

何かを改良したいなら、既によくできている箇所に手を加えるべきではない。いちばんの弱点こそが、改良すべき点なのだ。われわれが成功し、他の人々が成功しなかった理由は、こんな簡単なところにあったのだ。

彼はまた、最終的に不可避集合に含まれそうにない配置の可約性をチェックするために、高価なコンピュータの使用時間を浪費するのは良くないことだとも感じていた。こうしてハーケンは、当面は不可避集合に集中して、可約性の詳細なチェックは後まわしにするという独自の道を、たった一人で歩みはじめた。ヘーシュも当初はこのアイディアに理解を示していたが、すぐに、「可約でありそうな」配置という考え方を拒否するようになったからである。二人の協力関係は、馬蹄のエピソードと、(無理からぬこととはいえ)シマモトからこれ以上の協力を拒否されたことによってもダメージを受けたものと思われる。

ドイツに戻ったヘーシュは、強力なコンピュータを使用するための資金調達という大問題に直面した。学内での地位が低く、政治的な力をほとんど持たない彼が研究資金を申請しても、しかるべき配慮は得られなかった。冷淡な審査員は、明らかに、四色問題についてもヘーシュのアプローチについてもほとんど理解していなかった。この点につき、シマモトは次のように抗議している。

この審査員の意見はあまりにも馬鹿《ばか》げていて、耳を貸す余地もない。彼がこの問題について何も知らないことは明らかだし、論評に現れている偏見からも、四色問題に関する申請を審査する資格が自分にないことを彼は自覚するべきだったと思われる。私には、この審査員の論評は無視すべきだと財団が考えなかったことの方が意外である。

ケネス・アッペル

コンピューティングに関する知識がほとんどなく、ブルックヘブンのコンピュータも使えなくなっていたハーケンも、何年かこの問題から離れることを考えていた。問題の解決に膨大な量の計算が必要になることは明らかなのだから、もっと強力なコンピュータが使えるようになるまで待ってみようと思ったのである。ハーケンは何人かのコンピュータの「専門家」に声をかけてみたが、返ってくるのは、彼のアイディアをプログラムにすることは不可能だという返事ばかりだった。彼はあるとき、イリノイ大学の講義で馬蹄のエピソードを紹介しながら、声を荒らげてこう言った。

コンピュータの専門家には、この方法で進むことは不可能だと言われています。けれどもわたしはあきらめません。この問題は、コンピュータなしで解決できる限度を超えていると信じているからです。

この講義を聴いていたのが、ケネス・アッペルだった。彼は、ニューヨークのクイーンズ・カレッジを卒業した後、代数学の問題に数理論理を応用することに関する論文によりミシガン大学で博士号を取得し、プリンストンの国防調査局に二年間勤務した後、イリノイ大学アーバナ＝シャンペーン校にやって来ていた。彼は、ミシガン大学時代にプログラミングを学び、夏休みには航空機メーカーのダグラス社でコンピューティングの腕を磨いていたので、コンピュータのプログラミングにも精通していた。アッペルのコンピューティングの腕前は、その後の四色問題の解決に欠かせないものになった。

講義の後、アッペルはハーケンに、「『専門家』の意見はナンセンスで、それは多分、どんな結果が出るのか分からない問題のために膨大な時間を費やすつもりはないという気持ちの現れにすぎないと思います。私は、コンピュータにできないことがあるとは思っていません。問題は時間だけです。とにかく挑戦してみませんか？」と言って、放電手続きのプログラミングへの協力を申し出た。ちょうどその頃、ハーケンが指導していた学生のトーマス・オズグッドが、五辺国、六辺国、八辺国のみからなる地図の四色問題の解に関する博士論文を提出したばかりだった。偶然にも、アッペルはオズグッドの論文審査委員の一人だったので、その協力は関係者全員の利益になるように思われた。

コンピューティングに関わる部分の面倒をみようというアッペルの申し出を、ハーケンは喜んで受け入れた。彼らは、配置の可約性のチェックには時間をかけずに、不可避集合探しに集中することに決めた。彼らは「地理学的に良い配置」に注目した。これは、ヘーシュの還元障害の中の「四本足の国」も「区切られた三本足の国」も含まない配置のことである。このような配置は、コンピュータでも手作業でも簡単に検出することができる。配置の可約性は、不可避集合が完成してから正式にチェックすればよい。

不可避集合に含めるのにふさわしい配置を同定するために彼らが利用したもう一つの便利な経験則に、「m－n則」がある。これは、障害のない配置の環の大きさをn、配置を取り囲む環の内側にある国々の数をmとすると、その配置が可約である可能性はnとmの相対的な大きさによって決まってくるという経験則である。特に、mが$\frac{3}{2}$n－6より大きい場合、その配置はほぼ確実に可約である。例えば、可約であるバーコフのダイヤモンドでは、環の大きさは6、内側にある国の個数は4で、4は$(\frac{3}{2}\times6)-6=3$より大きい。他方、可約ではないシマモトの馬蹄では、環の大きさは14、内側にある国の個数は10で、10は$(\frac{3}{2}\times14)-6=15$より小さい。

仕事にかかる

一九七二年の終わりに仕事にかかったとき、アッペルとハーケンは、自分たちが何をめざしているのか、はっきりとは分からずにいた。アッペルは後年、次のように回想している。「仕事にかかったとき、われわれはいくつかのアイディアを持っていました。けれども常に、使えないデータや重複データの泥沼にはまらないよう、もっと洗練された方法を開発しなければならないと思い知らされてばかりいました」そうは言っても、最初に予備的にコンピュータを走らせたときから、有益な情報がいくつも得られていた。第一に、放電手続きの後に正の電荷が残るような国々の多くが、その近くに、適当な大きさ（環の大きさが一六以下）の「地理学的に良い配置」をともなっていることが分かった。第二に、コンピュータ出力の量が膨大で、多くの配置が何度も繰り返して発生してしまうことも分かった。最終的に得られるリストを手に負える範囲にとどめるためには、こうした重複を減らす必要があった。第三に、コンピュータを走らせる時間が数時間程度ですみ、必要なだけ実験を行えることも分かった。これは幸運なことだった。

彼らはプログラムに簡単に手を入れ、一ヶ月後に行われた二回目の試行では著しい進歩を見せた。プリントアウトの厚みは大幅に減り、最終的には一インチ〔訳注：約二・五センチメートル〕以下になった。とはいえ、大きな問題が克服されるたびに小さな問題が現れてきたのも事実だった。

アッペルとハーケンは、以後、ほぼ二週間ごとに放電法のアルゴリズムやコンピュータ・プログラムを変更していった。プログラムが成長するにつれて出力の量は減り、一つの問題が解決すると次の問題が出てきて、コンピュータとの対話は続いた。そして、六ヶ月にわたる試行と放電手続きの改良の結果、彼らはついに「合理的な時間内に『地理学的に良い配置』の有限の不可避集合を生成するようなプログラムを組むことは可能である」という確信に至った。

この段階で彼らは方針を変更し、自分たちのやり方でこのような不可避集合が得られることを理論的に証明しようとした。そのためには、現実にはあり得そうにないものまで、すべての可能性を考慮しなければならない。この作業は彼らの予想よりはるかに厄介で、一年以上かかってしまった。その成果が、一九七四年の秋に発表された長大な論文である。ここでは、「地理学的に良い配置」の不可避集合の存在が、こうした集合を構築する方法とともに証明されている。不可避集合の存在は、そのすぐ後にウォルター・ストロムキストがハーヴァード大学に提出した博士論文の中でも、より簡潔かつエレガントな方法で証明されている。

次の作業は、全過程の複雑さを見積もることだった。彼らは、隣り合う五辺国のペアを含まない地図に限定して試行をした。これは、一般的な場合よりはるかに単純で、環《わ》の大きさが一六以下の「地理学的に良い可約配置」は、わずか四七種類しか生成しなかった（図3）。この結果をもとに、彼らは、一般的な場合の複雑さはこの五〇倍程度だろうと見積もり、先に進むことにした。やがて、この見積もりは楽天的すぎたことが明らかになった。

一九七五年の初頭には、第三の障害配置として、ヘーシュの「ぶら下がりの五－五ペア」も導入された。それにともない、手続きをさらに変更する必要が出てきたが、それはうまく行き、不可避集合の大きさも二倍になっただけですんだ。彼らはまた、環の大きさが比較的小さい配置の集合を探すようにコンピュータをプログラムした。

この段階で、コンピュータはみずから考えはじめた。アッペルとハーケンは、後にこう回想している。

それは、われわれが教えたあらゆる技巧にもとづく、複雑なアプローチを編み出した。その多くは、われわれが試みたであろうアプローチより、はるかに巧妙なも

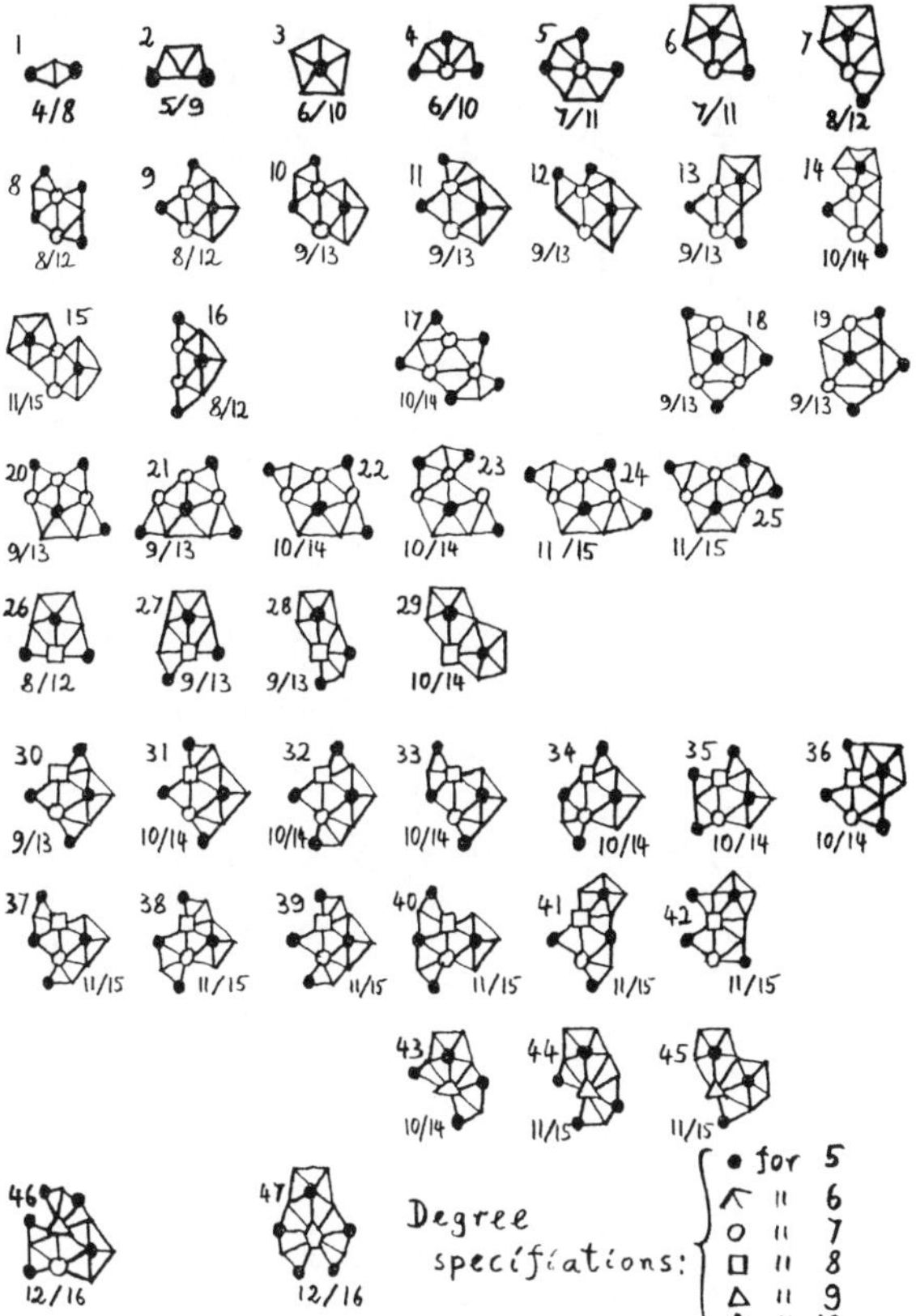

図3　アッペルとハーケンの「地理学的に良い可約配置」

のだった。それは、作業の進め方について、われわれが想像だにしなかったことを教えてくれるようになった。それは、作業の機械的な側面だけでなく、「知的」な側面においても、部分的に創造者を超えていたのである。

障害配置を含まない（つまり、可約でありそうな）配置の不可避集合を見つけられそうになったら、いよいよ、可約性の詳細なチェックという大仕事に取りかからなければならない。可約配置のリストには偽物《にせもの》もまぎれ込んでいると思われたが、そんなに多くはないだろう。環の大きさが一六になる配置や、それ以外の問題を引き起こしそうな配置についても、何らかの対策を講じる必要があった。

一九七四年の中頃には、アッペルもハーケンも、可約性をチェックするためのプログラミングを手伝ってくれる人物が必要だと考えるようになっていた。アッペルはイリノイ大学のコンピュータ科学科に出向き、プログラミングの分野で論文を執筆しようとしている大学院生を探した。そこで見つかったのが、ジョン・コッホだった。博士論文のために一年前からあるテーマに取り組んでいたコッホは、つい最近、この問題を解決したという論文を雑誌で読んで、別のテーマを探しているところだったのだ。アッペルとハーケンは、四色問題への挑戦の結果に左右されることなく論文が完成す

図4　博士号証明書を手に持つジョン・コッホと妻

るように、コッホの博士論文を計画してやった。
　コッホは、環の大きさが一一の配置のC可約性をチェックすることになった。第8章でバーコフのダイヤモンドについて見てきたように、C可約配置とは、何らかの変更を加えることで可約性についてもっと簡単に論じられるようになる配置のことだが、この変更をどのように行うかは必ずしも明らかではない。なかでもアッペルとハーケンが興味を持っていたのは、比較的容易に行える二種類の変更だった。コッホは、環の大きさが一一の配置の九〇パーセントが、この二種類の方法で変更できることを明らかにした。残りの一〇パーセントを考慮しても得るところはほとんどなく、プログラミングも難しくなるだろうという点で合意した彼らは、単純な変更だけを考えることにした。コッホは、環の大きさが一一のこうした配置のC可約性をチェックするためにエレガントで効率の良い方法を考案し、後にアッペルが、環の大きさが一二、一三、一四の配置にまでこれを拡張した。

一九七五年の終わりになると、放電法に関する彼らの研究は壁に突き当たってしまった。このままでは、放電法の構造を変え、プログラムに大幅な変更を加えざるをえなくなりそうだった。彼らを悩ませていたのは、五辺国の正の電荷をすぐ隣りの国々に分け与えようとすると、決まって、電荷がゼロの六辺国の障壁に阻《はば》まれてしまうという問題だった。ヴォルフガング・ハーケンにとっての休暇とは、普段とは違う場所で、一日に23時間数学に没頭することだった。例年のようにフロリダのキーウエスト島で家族で休暇を過ごしているときも、彼は浜辺を歩きながら、五辺国の正の電荷がこれらの六辺国の障壁を「飛び越える」ことは許されないのだろうかと考えていた。これが許されれば手続きはより効率的になるはずだが、自分たちは、「プログラムを一から書き直すべきか、場当たり的に対応すべきか？」というジレンマに陥ることになる。前者はおそろしい作業になりそうだったので、彼らは後者を選択し、最後の放電手続きは手作業で行うことにした。これはおそらく大仕事になるが、必要なときに小さい変更をほどこせるので柔軟性が高くなる。実際、これによって多くの改良が可能になり、すべての配置の環の大きさを一四以下に制限することができたのである。

最後の猛攻

一九七六年の前半は、可約配置の不可避集合を得るための放電手続きの最終調整に費やされた。アッペルとハーケンは、放電手続きのさらなる変更を必要とするような問題のある配置を探し出しては、その場で可約性をチェックした（それは通常、きわめて迅速に行うことができた）。このように、コンピュータによる可約性のチェックは、手作業による放電手続きの構築と歩調を合わせて進められた。やがて、四八七項目の規則を用いる最終的な放電手続きが完成した。この手続きは、正の電荷を持つ国々の約一万の近隣を手作業で調べあげ、二〇〇〇あまりの配置の可約性をコンピュータでチェックすることを要請するものだった。

どこを見ても、可約配置しかないように思われた。ちょうど、森の中の木々のように。それでもアッペルは、確信することはできなかった。

(森の中では)どの方向に銃を撃っても、銃弾はいつかは木に当たる……どの方向にも木があるからだ。けれどもあなたはこの森のことがまだ完全には分かっていないので、どの方向にも木があることを正式に証明することができない。あなたは常に心配している。ある特定の方向には木のない狭い空間があって、その方向に銃を撃つと、銃弾は森から飛び出してしまうのではないだろうか? ……それがわたしのイメージだ……わたしは、森の中で銃を撃っている。

問題のある配置の可約性のチェックには時間がかかることがあり、可約でなかったシマモトの馬蹄《ばてい》の記憶もあったことから(このときのチェックには二六時間かかった)、彼らは、一つの配置をチェックする時間を形式的に制限して、IBM370-158コンピュータでは九〇分、IBM370-168コンピュータでは三〇分でチェックを打ち切ることにした。そして、制限時間内に可約性を証明できなかった配置は捨てて、別の配置に置き換えた(こうした配置は、普通は容易に見つかった)。比較により、ある難しい配置のコンピュータ出力を詳細にチェックするには、一週間に四九時間ずつ作業をしても、まる五年はかかると予想されていた。

最後の数ヶ月はコンピュータを酷使しなければならなかったが、この点に関して、アッペル、ハーケン、コッホはきわめて幸運だった。どんな結果が出るか分からないような状況で一二〇〇時間もコンピュータを使用させてくれる研究所など、普通なら考えられない。けれども、イリノイ大学のコンピュータ・センターは終始彼らに協力的で、空き時間にコンピュータを使用できる少数のグループの中に四色問題チームを入れてくれたのだ。同大学のシカゴ・キャンパスのコンピュータの利用も許され、夜のうちにシカゴにプログラムを送ると、翌朝には結果を受け取ることができた。

一九七六年の三月には、大学の執行部が強力な新型コンピュータを導入した。ハーケンの回想によると、このことに対して地元の政治家から「執行部が科学者より大きなコンピュータを必要とするとはどういうことか？」という声があがったため、執行部は、使用時間の半分、または、彼らが必要としない時間にはいつでも、科学者にコンピュータを使用させることを約束せざるをえなくなったのだという。このコンピュータをまともに走らせることのできる科学者は、当初はアッペル一人しかいなかったので、彼はこれをほとんど独占することができた。さらに、復活祭の休暇中には、五〇時間の使用を確保することもできた。誰もが幸せだった。執行部はシステムを二四時間バランス良く利用していると胸を張って言うことができたし、アッペルは必要なだけコンピュータを利用することができたからである。

やがて、新しいコンピュータが本当に強力であることが分かった。すべてが予想をはるかに上回るペースで進み、可約性のチェックは、アッペルとハーケン自身の予想より二年も早く終えることができた。その間に、ハーケンの娘のドロテーアの手も借りて、不可避集合を構成する二〇〇〇あまりの配置を詳細に調べる作業もはじまった。それは、おそろしく骨が折れ、ストレスがたまる数ヶ月だった。

三人のうちの一人が一つのセクションを書き、二人目がこれを読んで間違いがないかどうかをチェックし、間違いがあったら本人に指摘して書き直させ、三人目がそれを読んだ。書くことよりも読むことの方がたいへんだった。ペースが速い上に、心身を消耗させたからである。これだけの量の作業をたった三人でこなさなければならないとは、なんともおそろしいことだった。

六月の終わりに、すべての作業が終わった。それはあまりに突然で、何が起きたのか、彼ら自身もほとんど気づかなかったほどだった。ハーケン父娘は不可避集合の構築を終え、二日もしないうちに、アッペルは最後の配置の可約性を確認した。彼は、自分たちの偉業を数学科の黒板の上に発表した。

図5

Modulo careful checking,
it appears that
four colors suffice

厳密なチェックはまだだが、
どうやら
四色あれば足りるらしい。

この「四色あれば足りる（four colors suffice）」という言葉は、後に、数学科が料金別納郵便物に押す証明印の標語にもなった（図5）。

時間との戦い

残るは詳細なチェックだけだったが、これは急いで済ませる必要があった。可約性の検証がこんなに早く終わるとは予想していなかったアッペルは、五週間後からはじまる長期休暇にモンペリエを訪れ、地図の塗り分け問題に情熱を燃やすフランス文学教授ジャン・メイエールと共同研究をすることになっていたからである。出発は、七月の終わりに予定されていた。「あと五週間だ」彼は言った。「五週間後に結果を発表するか、五ヶ月待つかのどちらかだ」

事態は本当に切迫していた。彼らは知らなかったが、地図の塗り分け問題に挑戦していた他の研究者たちも、答えに近づきつつあったからである。可約性を検証する方法の中では、オンタリオ州ウォータールー大学のフランク・アレーアが考案したものが最も優れていた。ハーケンの言葉によると、ジャン・メイエールから伝授されたこの方法は、「ヘーシュの方法よりもなお、われわれの方法よりもはるかに優れていた」。アッペルとハーケンは、アレーアの方法の優秀さをよく知っていて、ある厄介な配置が本当に可約であるかどうか、手紙で確認を求めたことさえあった(ただし、彼らがアレーアの助けを借りたのは、このとき一度だけだった)。一九七六年の時点では、可約性の検証においてはアレーアが数ヶ月分リードしていて、二、三ヶ月以内に答えが出ると思われていたほどだったのである。

ローデシア大学(現在のジンバブエ大学)には、テッド・スウォートがいた。スウォートはもともとは化学者で、アフリカではじめて放射性炭素を用いた年代測定を行ったことで知られている。彼は独自に四色問題を研究し、すばらしい進捗《しんちょく》具合を見せていたが、『組み合わせ論ジャーナル』誌に論文を投稿すると、編集長のビル・トゥットから（彼もまたウォータールー大学にいた）、アレーアが非常に近い方針で研究を進めていることを知らされた。そこで、アレーアとスウォートは結果を持ち寄り、アッペルとハーケンの結果が発表される直前に共同で論文を提出した。この論文は、配置の可約性を決定するアルゴリズムに関するもので、環の大きさが一〇以下の可約配置の完全なリストが含まれていた。ライバルは他にもいた。ハーヴァードの博士過程の学生ウォルター・ストロムキストは、四色問題に取り組むための新しい強力な方法を考案していて、一年以内に答えを出そうとしていたし、フランク・バーンハートも、可約性の検証に関して重要な貢献をしていた（第8章参照）。

彼らは互いに、ライバルがどの程度答えに近づいているのかを厳密には知らなかった。それでも、アッペルとハーケンは、五ヶ月待つのは危険すぎると判断した。自分たちがほとんどゴールに到達していることが、噂《うわさ》として外部に漏れる可能性があったからである。彼らは、こんなふうに状況を分析していた。可約性の検証に関しては、優れた方法を持つアレーアの方が優位に立っているにちがいない。けれども、総合的に優位に立っているのは、九割の時間を不可避集合に、一割の時間を可約配置に費やすという、人とは逆の戦略をとる自分たちであるはずだ。
そうは言っても、もたつきは許されなかった。彼らは、自分たちの五人の子供を助っ人として動員して（ハーケンの子供のドロテーアとアルミン、アッペルの子供のローレルとピーターとアンドリュー）、ただちに仕事に取りかかった。彼らには強い確信があった。チェックによって多数の誤字・脱字が見つかるだろう。ときには、良くない配置さえ見つかって、別のものに置き換える必要が出てくるかもしれない。それでも、致命的な間違いはないはずだ。

ローレル・アッペルは、七〇〇ページにわたる詳細な論文をチェックし、一ページに一ヶ所程度の割合で間違いを見つけた。その大半は誤字・脱字だったので自分で直し、残りの五〇ヶ所だけを父親に任せた。アッペルは、七月四日の独立記念日の週末を利用して、この五〇ヶ所をコンピュータで計算しなおした。その結果、五〇個のうちの一二個だけがうまく行かなかったので、これを二〇個の新しい配置と置き換え、それを二個にまで還元して作業を進めた。ハーケンは後にこう言っている。

一人がまる一ヶ月にわたって作業をして、八〇〇ヶ所の間違いを見つけた。それ

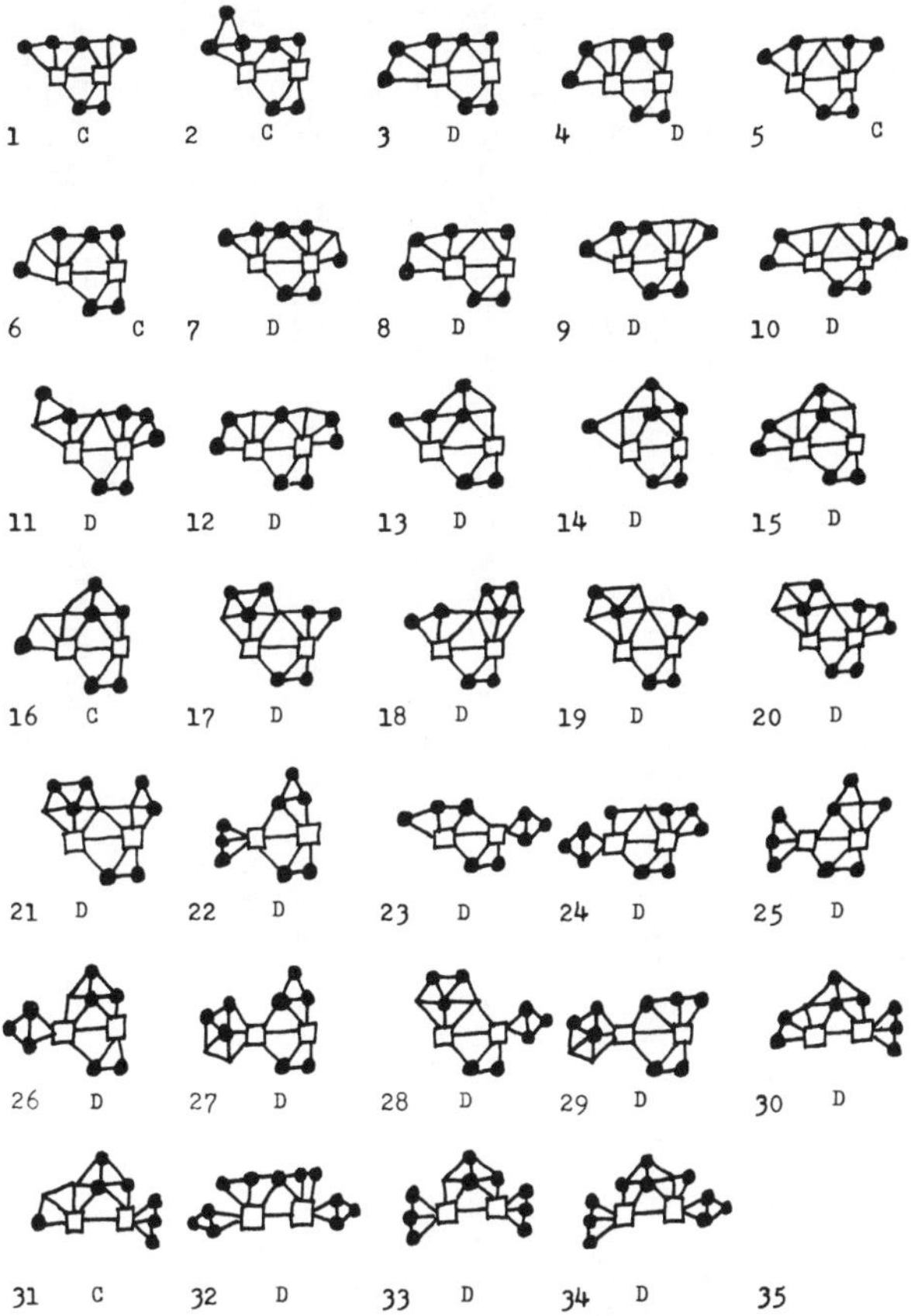

図6　アッペルとハーケンの可約配置の一部

らをすべて訂正するには、五日しかかからなかった。それは非常に安定であるように見えた……信じられないほどの安定さだった……

アッペルとハーケンは、この段階で、自分たちが安全であることを知った。これから先、可約でない配置がいくつか見つかったとしても、システム全体には十分すぎるほどの自己修正機能があるので、そうした配置は容易かつ迅速に置き換えられる。たとえ間違った配置があったとしても、たった一個の配置がシステム全体を崩壊させることはあり得ない。それだけではない。リストの改変により数百の可約配置の不可避集合が生成したのだから、四色定理の証明は、一つどころか、数百種類も得られたことになるのである！

強い確信を持った彼らは、ついに発表を決めた。アッペルがフランスに出発する数日前の一九七六年七月二二日に、彼らは同僚に正式に報告し、同じ分野の研究者の全員に完全な予稿を送付した。彼らが他の数学者やマスコミからコメントを求められたときに、「そんな話は聞いたこともない」などと、ぶっきらぼうな返事をしてほしくなかったからである。

予稿を送付された人物の中には、ビル・トゥットもいた。彼は二年前に、『アメリカン・サイエンティスト』誌に寄せた論説の中で、彼らのようなアプローチがうまく行くとはとうてい考えられず、こうしたアプローチをとる人々は正真正銘の楽天主義者であると書いていた。その彼が、成功の知らせを聞いた途端に雄弁になり、彼らの業績をノルウェーの伝説上の海の怪物退治に喩《たと》えて賛美した。

ヴォルフガング・ハーケンが
クラーケンを叩《たた》きのめした
ワン！　ツー！　スリー！　フォー！
彼は言った、「怪物はもういない」。

マスコミのインタビューを受けたときも、トゥットはこう答えた。「彼らがやったと言うならば、疑いなくやってのけたのでしょう」

アッペルとハーケンは、トゥットほどの数学者がこんなに早く支持を表明してくれたことを大いに喜んだ。トゥットからのお墨付きを得ることで、彼らの解の信憑性《しんぴょうせい》は大いに増した。逆に、彼がもし冷淡な態度をとっていたら、深刻な疑念が噴出していたにちがいなかった。

余波

七月のはじめに数学科の黒板に掲示が出たことを知ったアンドリュー・オルトーニは、アッペルとハーケンに対して、このニュースを公表する許可を求めた。オルトーニは、ロンドンの『タイムズ』紙と契約していたフリーの地方通信員で、イリノイ大学で仕事をしていたのである。二人は彼に、チェックが完全に済むまで公表を待ってもらう代わりに、準備ができたらただちに知らせることを約束した。そしてついに、一九七六年七月二三日号の『タイムズ』紙に、以下のようなレポートが掲載された。

たった今、二人のアメリカ人数学者が、一〇〇年以上にわたって彼らの仲間を悩ませ続けてきた命題を解決したと発表した……本日発表された彼らの証明は、一〇〇ページの概要と一〇〇ページの詳説、さらに、七〇〇ページにおよぶ予備的な研究成果から構成されている。二人はそれぞれ、週に四〇時間ずつを研究に費やし、コンピュータの使用時間は一〇〇〇時間に達した。証明には一万点の図が含まれ、コンピュータの出力紙を床に積み上げた高さは四フィート［訳注：約一・二メートル」にもなった。

続いて、日本の『朝日新聞』からスイスの『新チューリヒ新聞』まで、世界中の新聞が彼らの物語を伝え、大いに盛り上がった。『タイム』や『サイエンティフィック・アメリカン』では特集が組まれ、『ニュー・サイエンティスト』はいくつかの配置を表紙に掲げた。そんな中で、『ニューヨーク・タイムズ』だけが、「これまでの証明がすべて間違っていたから」という理由により、四色定理の証明について何も報告しないつもりであるように見えた。そこで九月に、米国数学会のリプトン・バーズ会長が、はたらきかけを行った。アッペルによると、バーズはこんなふうに切り出した。

「どうです。あなた方はまだ、この話題を取り上げていませんよ。こんなに広く受け入れられているのに」すると彼らはこう答えた。「そうですね。けれども、ニュースとして発表するにはもう遅すぎるのです。あなたが何か書いてくださいますか？」そこでバーズが『ニューヨーク・タイムズ』の論説を書いて、われわれの仕事を認め、祝福してくれたのだ。

米国数学会は、一九七六年九月の『紀要』でも、アッペルとハーケンによる二ページの研究報告を掲載して、証明の要点を説明させた。

アッペルとハーケンは、『イリノイ数学ジャーナル』に完全な解を発表することにした。地方の数学専門誌を発表の場に選んだのは、その方が掲載される確率が高いと判断したからではない。証明が正しいかぎり、どんな雑誌でも掲載されることは間違いなかったからである。それにもかかわらず『イリノイ・ジャーナル』を選んだ理由の一つは恩返しにあった。数年前、彼らはこの雑誌に長大な論文を発表させてもらっていたので、この有名な問題の解を掲載する栄誉を授けることで借りを返したかったのだ。もう一つの理由は、自分たちの証明を審査するのに適した人物を審査員として推薦できる立場を確保することにあった。実は、こちらの理由の方が重要だった。今回のような論文は、徹底的な査読を受けることが、誰にとっても――彼らにとっても『ジャーナル』にとっても――利益にかなっていたからである。

われわれは、『イリノイ・ジャーナル』に対してこう言った。「いいですか。この論文に間違いがあるとしたら、われわれは他の誰よりも強く、そのことを知りたい

第3種郵便物認可

変わる証明の概念

電算機利用は不可欠に

紙と鉛筆と人間の理性だけでスマートに解くのではなく、電子計算機を動員して、膨大な計算をした結果はじめて得られた証明が果たして、本当の証明といえるかどうかという議論だ。一松信京大数理解析研究所教授は、電子計算機の功罪を次のようにいう。

ます、難しそうな問題を電算機にやらせて、証明できたとする。証明できたとわかっていれば、数学者は、電子計算機なしでいずれはスマートな証明法が見つかる、とファイトを燃やせる。「こうして、最初は人間の理性ではとてもダメだと思われていた有限群をスマートに再証明した実例もかなりある」という。

しかし、数学的証明とは、誤りがまったくないものでなければならない。計算機は機械だから、どこかが故障して誤った計算をしているかも知れない。一つの計算機で、その命題を肯定する証明が完了しても、別の計算機は、それを否定する証明を出すかもしれない。このとき、どちらの機械が誤っているのか、第三の電算機が判定者として乗り出してきて、どちらか一方に軍配を上げたとしても、二対一になったに過ぎない。多数決で数学の定理が証明できるとは、伝統的な数学者は考えていない。四月にピッツバーグのカーネギーメロン大学で開かれたコンピューター数学のシンポジウムでも、この点が大議論になった。

にもかかわらず、数学の定理を電子計算機で証明するという新しい方法は、将来の数学にとって必要不可欠な方法となる、とみる数学者はふえている。数学者自身「証明」の定義と概念を変えざるを得ない事態に来ているのだ。なぜならスマートな証明ができるような問題は、ほとんどすべて証明ずみとなり、あとは電算機に頼るしかないような複雑な問題しか残っていないと予想されるからだ。

しかし、現在、数学者は電子計算機を十分には使えない状況だ。数学者以外の科学者の使用率が圧倒的に高いうえに、巨額の費用と時間がかかる。電算機の使用を最初から敬遠せざるを得ない数学者も多い。イリノイ大学の二教授の成功は、たまたま新設の電算機を千二百時間もぶっ続けに使える幸運に恵まれたからだ、という見方もある。

「定理の発見者、証明者、証明年月日のほかに、数学の論文にはもう一つのデータが不可欠となった。その定理を証明するのにいくらかかったかを明記する必要があるわけです」と佐藤大八郎カナダ・レジャイナ大学教授は、ため息をついている。（西村　幹夫記者）

「四色問題」解決の意義

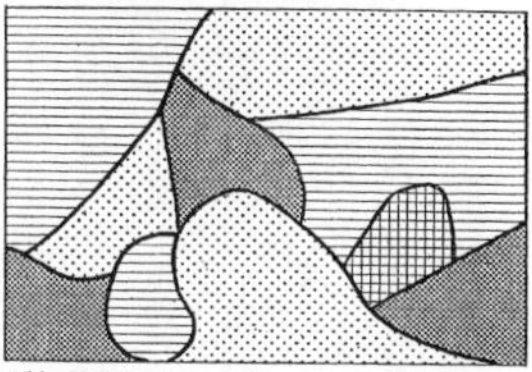

どんな地図でも４色で塗り分けられる

四色問題の証明は、数学の専門家だけではなく、一般の数学ファンにとっても関心の深い問題だった。「平面または球面上のすべての地図は四色で塗り分けられる。これを証明せよ」という問題は、それほど難しい数式を使わなくても取り組みやすそうに見えるし、素人受けするテーマだ。百三十年前、数学者にこの問題を持ち込んで証明をたのんだのは、地図印刷業者が経験的に知っていたことを小耳にはさんだ大学生だった、といわれている。最初は、数学者たちには簡単に解けそうに思えた。が、やってみると難しかった。

このように、ある定理の真偽が、肯定も否定もされずに何百年も未解決でいることは数学上の大問題であるだけでなく「数学者の精神衛生上の大問題」となる。なぜなら、一般の数学ファンがこれでもかこれでもかと〝証明成功〟の論文を数学者たちに持ち込んで点検を迫り、悩ますからだ。

「たとえば、角の三等分の問題。これは定規とコンパスではできない。できないことを数学者が証明ずみだから、どんな珍証明を持ち込まれても、ただちにクズカゴへ捨ててしまう。しかし、四色問題は、そうはいかなかった。大多数の数学者は、四色問題を証明したという数学ファンの論文を、自責の念を持ちつつ、クズカゴへ捨てていたのです」と矢野健太郎東工大名誉教授はいう。数学者の悩みの種は、まだかなり残されている。「中の島の両側にかかった七つの橋を、すべて一度ずつかならず渡る方法はあるか」という有名な「ケーニヒスベルグの七つの橋の問題」など、数学ファンの興味をそそるものだ。

イリノイ大学の二人の数学教授が証明した方法は、数学界に新しい論争を呼び起こしている。

図7　アッペルとハーケンの解について報告する朝日新聞（1976年8月31日付）

と願っています。ですから、あなた方は、ささいなことだからと言ってそれを却下したりしてはなりません」

彼らと『ジャーナル』の編集者とは、世界で最高の研究者を審査員に選ぶことで同意に達した。すなわち、可約性に関する部分はフランク・アレーア、放電法に関する部分はジャン・メイエールに依頼することにしたのである。

アッペルはフランスに旅立ち、モンペリエでの長期休暇の大半をジャン・メイエールとの証明の確認に費やした。二人は一歩一歩証明をたどり、メイエールから疑問や提案が出るたびに、アッペルがこれに対処した。一九七六年の一二月に帰国したアッペルは、ただちに、ハーケンとともに証明の細部の改良に取り掛かった。彼らは審査員と話し合い、論文とそれに関係したマイクロフィッシュ［訳注：整理・検索に便利なように、印刷物などのマイクロ複写を多数のコマにして格子《こうし》状に並べて撮影したシート状のマイクロフィルム］を準備して発表に備えた。

審査員に選ばれたフランク・アレーアは、アッペルとハーケンが四色問題を解いたという知らせを聞いたときにはひどく落胆した。無理もないことだった。彼自身、答えにかなり近づいていた上、自分とテッド・スウォートの体系的なアプローチに比べて、アッペルとハーケンのやり方は行き当たりばったりだと考えていたからである。それでも彼は公益のために自分の気持ちを押さえ込み、可約性に関する部分を念入りかつ建設的に査読した。

アレーアはまず、彼らの配置と自分の配置とを比較して、どちらのリストにも現れるものを多数見つけた。次に、D可約ではないC可約配置をチェックした。こうした配置のそれぞれにつき、配置を取り囲む環《わ》の「良い」塗り分け、すなわち、直接あるいはケンプ鎖を用いた色の入れ替えにより内側の配置に拡張できるような塗り分けの個数を計算することができる。環の大きさが一四のC可約配置には、一九万九二九一種類の可能な塗り分けがあり、そのうちの約五万が良い塗り分けである。アレーアはこの配置から四〇〇種類を取り出して、アッペルとハーケンが得た個数と自分が得た個数とを比較した。すべての場合に、両者は完全に一致していた。

ハインリヒ・ヘーシュもまた、アッペルとハーケンに先を越されたことに衝撃を受けていた。これもまた当然のことだった。彼らの方法はヘーシュの方法を土台にしていた上、四色問題を解くことは彼の四〇年来の夢であったのだから。それでもヘーシュは、後に非常に協力的になり、自分が作成した二六六九個の可約配置のリストに、良い配置の個数を裏づけるデータを添えてハーケンに送付した。発表を直前に控えた一九七七年の九月には少数の不一致が見つかってアッペルとハーケンを動揺させたが、ヘーシュは自分の配置を計算しなおして、すべての場合において彼らが正しいことを確認した。

こうした作業の末に発表された論文は、一九七六年の七月に送付された急ごしらえの予稿に比べると大幅に改良されていた。予稿には同じ配置の「繰り返し」がいくつもあり、ある配置が別の配置の中に含まれていることも多かった。後者の場合、大きい方の配置は不要である。こうした余計な配置を除去することで、予稿の段階で一九三六個あった可約配置は、発表された論文では一四八二個、最終的には一四〇五個にまで減らされた。けれども彼らは、コンピュータでの計算時間を激増させてまで「可能なかぎり小さい」個数をめざすことには意味がないと考えていた。アッペルは言っている。

一二個の配置を一個の配置で置き換えられたとしても、前者を調べるのに五分しかかからなかったのが後者を調べるのに二時間もかかるようになってしまうなら、その置き換えには意味がない。

アッペルとハーケンの解は、『イリノイ数学ジャーナル』一九七七年一二月号に掲載された。論文は二部からなっていた。第一部の『放電法』は二人が執筆したもので、証明の全般的な戦略と、不可避集合を作成するための放電法について説明していた。第二部の『可約性』はジョン・コッホも一緒に執筆したもので、コンピュータでの計算方法を説明し、可約配置の不可避集合を完全なかたちで列挙していた。二つの論文には補遺としてマイクロフィッシュが付されていて、四五〇ページにおよぶ図と詳細な説明がおさめられていた。

アッペルとハーケンは、ついに目的を達成した。四色定理は証明されたのだ。

第11章　……けれどもそれは証明なのか？

アッペルとハーケンによる四色定理の証明は、大いなる熱狂をもって迎えられた。最も有名な数学問題の一つが、提起されてから一二四年後にして、ついに解決されたのだ。とはいえ、懐疑的な声もあった。

こんなことは何度もあった。シマモトの馬蹄《ばてい》を思い出せ。

無遠慮な拒絶の声もあった。

わたしに言わせれば、あんな解は数学ではない。

何よりも目立っていたのは、深い失望の声だった。

この定理があんなひどい方法で証明されることを神がお許しになるはずがない！
遅すぎる……神は既に、そのことを許されたのだ。

冷たい反応

ヴォルフガング・ハーケンは、一九七六年の八月に米国数学会と米国数学協会が合同で開催したトロント大学での夏の会合において、四色問題の解決に関する講義を行った。そのときの様子を、ドナルド・アルバーズは以下のように報告している。

優美で古めかしい講堂は、ハーケン教授の証明を聞くために詰めかけた数学者でいっぱいだった。数学上の偉大な成果を発表するには、まさにうってつけの舞台だった。彼は、自分たちが考案したコンピュータを利用する証明の概要を、分かりやすく説明していった。発表が終わったとき、わたしは、大喝采《だいかっさい》がわき起こるだろうと思っていた。ところが、聴衆が彼に贈ったのは、ごく普通の儀礼的な拍手だった！

たしかに、ハーケンの講義に対する反応はまちまちだった。ちょうどウォータールー大学に来ていたテッド・スウォートは、この会合に出席して、ハーケンの発表の質の高さを賞賛している。彼の記憶によれば、この講義には「ごく普通の儀礼的な拍手」より少しはましな喝采が贈られたという。スウォートの他に、フランク・アレーア、フランク・バーンハート、ビル・トゥットも居合わせていた。スウォートの記憶によれば、

すべてが終わった後、二人のフランクとわたしは寄り集まって意見を交換し、ハーケンらが「やってのけた」という点で合意に達した。

という。それから、多くの人々に「ハーケンの証明をどう思うか」と質問されて、

われわれがどう思うか、ですって？　彼らが本当に「やってのけた」と思うか、ですって？　わたしが皆さんに言えるのは、彼らが「やってのけた」という点でわ

れわれ全員が合意に達しているということだけです。われわれ全員が、です。」と答えたという。けれども、誰もがこのように感じたわけではなかった。アルバーズは言っている。

どの数学者も、コンピュータが主要な役割を担《にな》う証明に対する不安を隠さなかった。彼らは、一〇万以上の場合をチェックするためにコンピュータが一〇〇〇時間以上も使用されたという事実に困惑し、その多くは、数百ページにおよぶ出力の中に間違いが埋もれているのではないかと心配（期待？）した。そして、こうした懸《け》念《ねん》以上に、もっと簡潔な証明が見つかるのではないかという期待があった。

証明の中のコンピュータを用いた部分を受け入れるかどうかは、年齢にも関係があるように思われた。ハーケンの息子のアルミンは（その頃にはカリフォルニア大学バークレー校の大学院生になっていた）、四色問題とその解決のためにみずからがなした貢献について講義を行ったが、最終的に聴衆は二つのグループに分かれたという。すなわち、四〇歳以上の人々は、コンピュータによる証明の正しさを確信できず、四〇歳以下の人々は、七〇〇ページにおよぶ手計算を含む証明の正しさを確信できなかったのである。

アッペルとハーケンによる四色問題の解決が、数学の世界に何か新しいものを生み出したことは明らかだった。これは証明なのだろうか？　そうだとしたら、それが証明であることがどうして分かるのだろうか？　アルバーズはこう結論づけている。

アッペル、ハーケン、コッホがコンピュータを利用して有名な四色問題を解決したことは、数学の歴史にとっての分岐点になったように思われる。彼らの研究は、われわれに否応《いやおう》なしに「現代の証明とは何か？」と考えさせる。

現代の証明とは何か？

アッペルとハーケンの証明に対する不安、特に、コンピュータの使用に対する不安は根強く、今日もまだ残っている。人間の手でチェックできない証明を認めてもよいのだろうか？　一九七九年の二月には、哲学者のトーマス・ティモツコが「四色問題とその哲学的意味」という論文を『哲学ジャーナル』に発表して物議をかもした。テイモツコは、この論文と、同時期に執筆した他の論文の中で、あれだけ広範にコンピュータに依存している四色定理の証明を妥当なものと認めてもよいのだろうかと問いかけた。アッペルとハーケンがどんな地図でも四色あれば塗り分けられることを「実地に示した」という点は、彼も十分に認めていた。ただ、それは一般に理解されている数学的「証明」とは違うのではないかと感じたのである。ティモツコは、ある証明が妥当なものと認められるためには、「説得力があり、検証できる」ものでなければならないと考えた。前者に関しては、彼はなんら問題はないと考えていた。

たいていの数学者は四色定理を受け入れており、わたしが知るかぎり、それに反対している数学者は一人もいない。問題は後者に関してで、彼は、アッペルとハーケンの証明が検証できないこと、すなわち、そのすべてを細部までチェックすることができないという事実を詳細に論じた。

四色定理の証明を見たことがある数学者は一人もいないし、四色定理が証明を持つことの証明を見たことがある数学者もいない。さらに今後も、数学者が四色定理の証明を見る可能性はきわめて低い。

ティモツコは、不可避集合を生成するための放電手続きには問題はないと考えていた。この作業は手で行われていたし、これによって配置の不可避集合が生成することについて、アッペルとハーケンは厳密かつ検証可能な証明を与えていたからである。他方で、証明の可約性に関わる部分を検証できる数学者はいなかった。証明方法の詳細はコンピュータの内部に隠されていたからである。コンピュータに頼るなど、どんな場合にも妥当な証明方法とは考えられない。コンピュータは、間違いをおかす可能性があるからだ。誤動作があったかもしれないし、プログラムのミスがあったかもしれない。出力の解釈が間違っていたかもしれないし、プログラムが数学的意図を把《とら》えていなかった可能性もある——シマモトのエピソードは、コンピュータがここで失敗した例である。コンピュータによるこのような「実験」が許されるなら、数学は経験科学になり下がり、物理学のように当てにならないものになってしまう。こうしてティモツコは結論づけた。アッペルとハーケンの証明を妥当なものとして受け入れるためには、数学における「証明」の概念を変更して、コンピュータを用いた実験により結果を導く方法を新たに認める必要がある。

ティモツコの論文は、『哲学ジャーナル』のコラムやその他の場所で激しい反論を引き起こした。誰よりも立腹していたのはテッド・スウォートだった。ティモツコがすべてを誤解していると考えた彼は、わずか数日で長い反論を執筆して『哲学ジャーナル』に投稿したが、これは受理されなかった。

専門家としての嫉妬《しっと》があったのか、それとも他に理由があったのかは知らないが、その編集者はわたしに、論文を査読にまわしもせずにその場で却下するという無作法をはたらいた。幸い、わたしはその論文のコピーをマーティン・ガードナーに送付していた。彼はただちに返事をくれて、このすばらしい論文が発表されなかったら悲劇であるとまで言ってくれた。彼はさらに、『月刊アメリカ数学』にこれを投稿するように提案して、わたしが最初からそうすべきだったことを暗に教えてくれた。

『月刊アメリカ数学』に投稿された論文は数週間後に発表され、この解説文のすばらしさが認められて、スウォートは数ヶ月後に米国数学協会からレスター・R・フォード賞を授けられた。

論文の中で、スウォートはまず、可約性のチェックに携わったことのある人々が皆、アッペル、ハーケン、コッホの結果に満足していることを指摘した。これらはおおむね、異なるコンピュータと、異なる可約性検証プログラムを利用して、独立にチェックされていたからである。コンピュータを用いることに対する一般的な疑問については、彼は後に、以下のようにコメントしている。

わたしは基本的に、コンピュータを利用する証明は、紙と鉛筆を利用する証明の延長にすぎないと考えている。わたしには、「紙と鉛筆は使ってかまわないが、コンピュータは使ってはならない。コンピュータは、証明の性質を変えてしまうからである」と言わなければならないほど大きな断絶があるようには思えない。そのような奇妙な論理は、わたしには理解できない。

実際、スウォートがアッペルとハーケンの証明に不安を感じている箇所があるとしたら、それは放電法の箇所であり、そこではコンピュータは利用されていなかった。

彼らの放電手続きから生成するすべての不可避集合が、最終的に採用された一四八二個の不可避集合のリストに含まれていることをチェックするのは容易ではない。この点で、ハーケンとアッペルの証明には、ある程度の不確実性がつきまとうことになる。ゆえに、「それに反対している数学者は一人もいない」と言うティモツコは明らかに間違っている。

数学の証明が長くなり、コンピュータの使用が広まってくると、検証可能性という疑問を投げかけること自体に困難が生じてきた。量は膨大だが完全に型にはまっている作業をこなすコンピュータは、少なくとも、長く複雑な証明や多数の特殊な場合に分かれている証明を手作業でチェックする人間と同じ程度には信頼できるだろう。テッド・スウォートの言葉を借りれば、「人間は疲労し、気が散り、各種のうっかりミスをする……（これに対して）コンピュータは疲れを知らない」からである。両者の対比として、群論の分野から二つの有名な証明をご紹介しよう。

一九六三年に、ウォルター・フェイトとジョン・トンプソンは、群論のすばらしい定理を証明した。発表された証明は二五〇ページ以上におよぶ密度の高い論証からなり、当初は小さな間違いがいくつかあったものの、後に訂正された。人間がこのような長い証明をする際に間違いを犯す可能性はかなり大きいにもかかわらず、彼らの証明はほとんどの数学者に受け入れられている。その多くは、みずから詳細に検証することもせずに、これを徹底的にチェックした人々を信頼することで満足している。近年の例で言えば、アンドリュー・ワイルズによるフェルマーの最終定理（長年、人々を悩ませてきた数論の問題）の証明がよく似た状況にある。どちらの証明も、将来、間違いが明らかになる可能性があるものの（ケンプの証明が発表から一一年後にそうなったように）、現時点では正しいものとされている。

これとは対照的な受け入れられ方をしたのが、一九五〇年代から八〇年代にかけてさかんに研究されていた、有限単純群の分類に関する証明である。すべての有限単純群が一八種類の無限系列と二六種類の散在型に分類されることがついに証明されたとき、その証明は数百人の執筆者による数千ページの論文にまで膨れ上がり、なかにはコンピュータに大きく依存した部分もあった。リーダーの一人としてこの分類に携わったダニエル・ゴレンスタインは、一九七九年に以下のように書いている。

ここで、本稿の「証明」の意味に関して、警告の言葉を添えておくべきだろう。

どこにも間違いのない明快な論証を数百ページにわたって展開することは、人間の能力を超えているように思われるからである。……保証などない。われわれは、この現実を受け入れて生きなければならないのだ。

彼の警告にもかかわらず、ほとんどの数学者は、この分類を完全に証明されたものとして受け入れている。

アッペルとハーケンの証明につきまとう疑問は、検証可能性だけではない。一部の数学者は、この証明が十分に透明でないと不平をこぼしている。その中の一人が、数学に関する著作で有名な作家であり、テレビにも出演しているイアン・スチュアートである。彼に言わせると、アッペルとハーケンの証明は、四色定理が「なぜ」正しいのかを説明していないという。すべての詳細を把握するにはこの論文が長すぎ、構造がないように見えることがその理由である。

彼らの答えは、途方もない偶然の一致のように見える。可約配置の不可避集合がなぜ存在するのだろうか？　現時点での最善の答えは「だって存在するんだもの」であり、その証明は「自分の目で見てごらん」である。隠された構造を探し求め、パターンを結びつけずにはいられない数学者たちは、欲求不満に苦しめられている。みずから四色問題に挑戦したことのあるダニエル・コーエンのコメントは、もっと強烈だった。

　このプログラムは、それぞれの場合の分析において、手続きがうまく終了したかどうかだけを宣言する。つまり、コンピュータからの出力は、「イエス」の山にすぎないのだ。こうしたプログラムは、答えとして一定の量を出力し、その正しさを人間が後で確認できるようなプログラムとは区別されなければならない。……数学の醍醐味《だいごみ》は、純粋な論証の結果として四色で十分である理由が理解できるようになる点にある。コンピュータ詐欺師《さぎし》のアッペルとハーケンが数学者として認められているようでは、われわれの知性は十分に働いているとは言いがたい。

H・S・M・コクセターは、避けられないこととして証明を受け入れた。

わたしは常々、この定理は他の定理とは種類が違うと考えていた。かなりの数の人々がコンピュータによる証明をチェックし、その結果に満足しているというのなら、われわれはそれを受け入れざるをえないだろう。けれどもわたしは、この証明を分解して、誰もが普通の証明と認めるようなものにできる人がいるとは思わない。だからこれは、他の定理とは違う範疇《はんちゅう》にあるものなのだ。

これに対して、ジョージ・スペンサー＝ブラウンは、アッペルとハーケンが何かを証明したということさえ認めようとしなかった。

長々しく、あちこちに間違いがある彼らの説明のどこを見ても、その言い分を読者がチェックできるような証拠があげられていない。彼らが言う方法で四色定理を証明することは、可能なのかもしれないし、不可能なのかもしれない。現時点で確実なのは、彼らが証明をしていないということだけである。……彼らの発表の中には、証明どころか、証明らしきものさえ見当たらない。それは、数学の歴史を汚《けが》す、空前絶後の「裸の王様の新しい服」なのである。

誰もが認めていたことが一つある。それは、アッペルとハーケンの証明を「美しい数学」あるいは「エレガントな数学」と呼ぶことはできないという点である。イギリス人の数学者G・H・ハーディーは、名著『ある数学者の弁明』の中で、「醜い数学は、世界のどこにも永遠の居場所を見出《みいだ》すことはできない」と言っていたし、ケン・アッペル自身も、この点に関しては自分の証明を弁護しようとしなかった。

「これはひどい数学だ。数学は、簡潔でエレガントであるべきなのに」と言う人がいた。わたしもそれには同感だ。簡潔でエレガントな証明ができれば、それにこしたことはなかった。

コンピュータを使わない四色問題の証明を、誰もが待ち望んでいた。けれども、アッペルとハーケンのアプローチでは、それはほとんど不可能だった。可約配置の不可避集合には環の大きさが一二以上の配置が少なくとも一個は含まれていなければならないというE・F・ムーアの証明（第9章）を思い出せば、その理由は明らかだ。コンピュータを利用しない証明には、新しいアイディアが必要だった。けれども、そうしたアイディアは今日もまだ登場していない。

その頃……。

トロントでの会合の後、ヴォルフガング・ハーケンは講演旅行に出発し、全米で解の詳細を説明してまわった。ケン・アッペルはヨーロッパを担当した。彼は、ジャン・メイエールと一緒に過ごしていたフランスで講義をし、数年前に長期休暇を過ごしたイギリスのブリストル大学でも四回の講義を行った。この講義に出席した人々は有益な情報を得て納得したが、その他のイギリス人はかなり違った見方をしていた。

クリスマスの直前には、スペンサー＝ブラウンがロンドン大学の教育研究所で講義を行い、アッペルとハーケンの解に疑問を投げかけ、いくらかの弁明とともに、詳細が発表されないかぎりそれを証明と認めることはできないと指摘した。『形式の法則』を出版した一九六四年まで四色問題に取り組んでいた彼は、アッペルとハーケンの証明を知るとふたたび競争に戻ってきて、コンピュータを必要としない解を求めて昼も夜も研究に没頭していたのである。ちなみに、彼の『形式の法則』は、友人のバートランド・ラッセルの自伝にも登場する論理学の本で、「天才の作品」から「思いあがりもはなはだしい駄作」まで、さまざまな評価を得ている。

講義は、（少なくともわたしにとっては）かなり風変わりなものだった。聴講は有料だったし、報道陣が大勢来ていて、講義が始まるまで講堂の前でシャンパンを飲んでいた（その他の聴衆は、静かに座って待っていた）。ようやく現れたスペンサー゠ブラウンが提案した解は、ケンプ鎖の論証に巧妙な工夫を加えたものだった。塗り分けの色として選ばれたのは、赤、青、赤青（紫）、非赤青（白）の四色で、二本のケンプ鎖が出会うところでは、紫が赤と青のどちらの役割も果たせるようになっていた。講義のビデオも作られた。このビデオは、「最初に発表された四色定理の証明」になるはずだったが、実際には、あまりにも多くの詳細が省略されていて、そのようなものにはならなかった。スペンサー゠ブラウンは、その後、スタンフォード大学に招かれた。彼の証明は、ここで数ヶ月にわたって精査されたが、欠陥があることが明らかになり、訂正と再精査が繰り返された。現時点での彼の解は、『形式の法則』のドイツ語版の補遺（英語）として読むことができる。

前例のない証明を発表して以来、アッペルとハーケンは居心地の悪い思いをすることが何度かあった。最も劇的な例は、数学科長が指導する大学院生との面会を禁じられたことだった。それは、以下のような理由からだった。

問題は、まったく不適切な方法で解かれてしまった。今後、一流の数学者がこの問題に関わることはないだろう。たとえ適切な方法で問題を解けたとしても、これを解いた最初の人間になることはできないからだ。まともな証明が得られる日は、無期限に遠ざかってしまった。誰もが納得できる証明には一流の数学者が必要だったのに、今やそれは不可能になってしまったのだ。

つまり、彼らはおそろしい悪事をはたらいた人物であり、その悪《あ》しき影響から学生たちの無垢《むく》な心を守らなければならないというのである。

なんともひどい評価だが、数学科長の言い分にも一理あるかもしれないと思えてくる。アレーアが提出した証明のことを考えると、一九七七年にフランク・アレーアが提出した証明のことを考えると、この年、数値数学とコンピューティングに関する第七回マニトバ会議に参加して、四色定理の証明を提出した。彼の放電法はアッペルとハーケンの方法とは違っていたし、可約性の検証方法は彼らの方法より優れていたので、コンピュータでの計算には五〇時間しかかからなかった。彼は、会議の紀要のために、証明の主要な概念の多くを記した長い論文を執筆したが、査読のある専門誌で論文を発表することはついにできなかった。もしそれが掲載されていたら、アッペルとハーケンの証明に対する独立の裏づけになっていたはずなのだが。

一九七七年には、四色問題に関してこの他に二編の著作が発表された。その一つは、アッペルとハーケンが『サイエンティフィック・アメリカン』の読者のために執筆した「四色地図問題の解」で、今日もなお彼らのアプローチを最も明瞭《めいりょう》に解説するものと見なされている［訳注：この論文の日本語訳は、『別冊日経サイエンス172 数学は楽しい Part2』瀬山士郎編 日経サイエンス社（2010年）で読むことができる］。同じ頃、四色問題に関する第二の本として、トーマス・サーティーとポール・カイネンの『四色問題――攻略と征服』が出版された。この本は、『月刊アメリカ数学』に掲載され、賞をとったこともあるサーティーの論文にもとづくものだったが、出版への道程は平坦《へいたん》ではなかった。序文には以下のように記されている。

この本が出版されるまでの間に、困ったことが起きた。われわれは、二年以上前に『四色予想の攻略』という本の原稿を完成させていた……この本の目的は、四色予想研究のさまざまなアプローチを紹介することにあった。一九七六年の夏に、なんとコンピュータによって四色問題が証明されたという知らせを耳にしたときのわれわれの複雑な胸中を想像してみていただきたい。

サーティーとカイネンは原稿を撤回し、アッペルとハーケンの解を中心に据えた記述へと改訂した。その甲斐《かい》あって、この本は出版されるとベストセラーになった。

一九八〇年代に入ると、アッペルとハーケンによる四色問題の証明には致命的な欠陥があるという噂《うわさ》が囁《ささや》かれはじめた。証明の複雑さを考えると、多くの間違いが出てきてもよさそうだったが、実際にはそうはならなかった。唯一《ゆいいつ》の重大な間違いは（おそらくこれが噂のもとになったのだが）、一九八一年にアーヘン工科大学の学生ウルリヒ・シュミットの修士論文の中で指摘されたものだった。電気工学科の学生である彼が四色問題に興味を持ったのは、コンピュータ・チップの設計のチェックと似たところがあるからだった。彼は、修士論文の執筆に許された一年間で、アッペルとハーケンの証明の放電法の部分をチェックした。最終的にチェックできたのは全体の四〇パーセントだけだったが、数ヶ所の誤植と一ヶ所の間違いが見つかり、ハーケンは二週間でそれを訂正した。一九八五年には、日本の佐伯《さえき》慎一によって、もう一ヶ所の間違いが発見された。これは、ある配置のちょっとした描き間違いだった。さらに数ヶ所の誤植も見つかったが、その他には、アッペルとハーケンの証明に重大な間違いは見つかっていない。

一九八六年に、アッペルとハーケンは『マスマティカル・インテリジェンサー』の編集者から手紙を受け取った。彼は、四色問題の証明に問題があるらしいという根強い噂を聞きつけて、公式なコメントを発表してはどうかと持ちかけたのである。こうした機会を待っていた二人は、以下のように返事をした。

良い噂を否定することは遺憾ですが、われわれはこの親切な申し出を受け入れないわけにはいきません。数学の噂は、数学の会合での会話に興味と興奮を添えてくれるものです。けれども、四色定理をめぐる噂は、U・シュミットが独自に行った証明の詳細なチェックの結果の誤解にもとづいていると思われるからです。

こうして執筆されたのが、彼らの証明方法を少し詳しく説明し、シュミットに発見された間違いを訂正したときの様子を打ち明ける「四色問題の証明は十分」という愉快な解説記事だった。一九八九年には、四色問題に関する彼らの最終的な意見が、大著『すべての平面地図は四色で塗り分けられる』として発表された。この本では、証明の詳細がさらに補足され、関連した帰結が証明され、これまで発見された間違いがすべて訂正され、マイクロフィッシュのページがすべて印刷されている。

新しい証明

一九九四年には、ニール・ロバートソン、ダニエル・サンダーズ、ポール・シーモア、ロビン・トーマスの四人が、四色問題の神話にエキサイティングな一章を付け加えた。それまでの一〇年間にグラフ理論の分野ですばらしい成果をあげていた彼らは、次のターゲットとして四色問題に目をつけた。この問題は、彼らが進めていた他の研究と関係があったからである。

彼らの目には、アッペルとハーケンの証明はまだ十分には受け入れられておらず、その妥当性にも疑問が残っているように見えた。ただし、主な理由は、可約性に関する部分の証明にコンピュータが必要とされていることではなかった（この部分を完全にチェックするために、一四八二個の配置を手作業でコンピュータに入力し、それぞれの可約性をテストするために膨大なプログラミングをする必要があったとしても！）。彼らが問題視していたのは、不可避集合に関する部分だった。アッペルとハーケンが手作業で行った放電法のアルゴリズムは非常に複雑で、そのすべてを独自にチェックした者は一人もいなかったからである。

彼らは早速、アッペルとハーケンの証明を丹念にチェックしはじめたが、一週間であきらめた。そして、基本的にはアッペルとハーケンが採用したのと同じアプローチを利用して独自の証明を考える方が面白そうだし有益だろうと考え直した。この作業にはまる一年かかったが、以前より簡潔で厳密な証明ができあがった。

彼らが作成した不可避集合には、可約配置が六三三個しか含まれていなかった。これよりもっと減らして五九一個にすることも可能だったが、コンピュータによる計算時間が長くなってしまうので採用しなかったのである。また、不可避集合に関する部分の証明に用いる放電手続きの規則は、アッペルとハーケンの証明では四八七項目もあったのに対して、彼らの証明ではわずか三二項目になっていた。彼らはさらに、長く複雑な結果を証明するには、手でチェックするよりコンピュータを使った方が確実だと考えたので（ティモツコはなんと言っただろう！）、不可避集合に関する部分と可約性に関する部分の両方をコンピュータを使って証明した。その上、彼らの証明の全段階は、外部から確認できるようになっていた。家庭用コンピュータさえあれば、誰でも三時間以内に確認することができたのである！

未来

四色問題が解かれた今、地図の塗り分け屋は何をすべきか？　ビル・トゥットは、一九七八年にこう問いかけた。

誰かが絶望して、「これからどうすればいいんだ？」と泣き喚《わめ》いているかもしれない。けれども彼らには、「元気をだして。基本的には同じ路線で研究を続けることができるじゃないか」と言うことができる。

四色定理は、道の終わりなどではない。それはむしろ始まりなのだ。四色問題を拡張し、その概念を新しい刺激的な方向に発展させる数学問題はいくつもある。四色問題はおそろしく難しかったが、もっと難しい問題の特別な一例にすぎない。そして、こうした問題についても、既に著しい進歩が見られるのだ。

未来への希望を胸に、最後の詩的な思索をビル・トゥットに捧《ささ》げよう。

四色定理は氷山の一角、
楔《くさび》の先端、
そして、春を告げる最初のカッコウ。

もっと知りたい人のために

●一九三六年までの四色問題の歴史の概観と、本書で紹介した数本の論文の抜粋については、N・L・ビッグスほか著／一松信ほか訳『グラフ理論への道　現代の数理科学シリーズ6』（地人書館。原著は N.L.Biggs, E.K.Lloyd and R.J.Wilson, *Graph Theory 1736-1936*, Clarendon Press, Oxford, ペーパーバック版、一九八八年）を参照されたい。

●グラフ理論用語の基礎になる数学の詳細については、Rudolf Fritsch and Gerda Fritsch, *The Four-Color Theorem: History, Topological Foundations, and Idea of Proof*, Springer, 1999を参照されたい。第1章には、本書で取り上げた数学者の一部についての伝記もある。

●グラフ理論の最近の優れた教科書の中で、四色問題に重点を置いたものとしては、わたしと同名の Robert A.Wilson による *Graphs, Colourings and the Four-Colour Theorem*, Oxford Science Publications, 2002がある。

●四色問題についての初期の主要な著作としては、O.Ore, *The Four-Color Problem*,

Academic Press, 1967 と、Thomas L. Saaty and Paul C. Kainen, *The Four-Color Problem: Assaults and Conquest*, McGraw-Hill, 1977（ペーパーバックの復刻版は Dover, 1986）がある。

●四色問題の歴史とその解決におけるケネス・アッペルとヴォルフガング・ハーケンの貢献についての本人による説明は、‘The solution of the four-color-map problem’, *Scientific American* 237 No.4 (October 1977), 108-21 と、‘The four-color problem’, in *Mathematics Today* (ed. L.A. Steen), Springer (1978), 153-80 とを参照されたい。

●四色問題の歴史と証明、特に、ヘーシュ、ハーケン、アッペルの研究とその解の哲学的側面については、Donald MacKenzie, ‘Slaying the Kraken: the sociohistory of a mathematical proof’, *Social Studies of Science* 29 (1) (February 1999), 7-60 も非常に詳しい。

●本書の執筆にあたっては、P.J.Federico の *Origins of Graph Theory* の未発表の草稿が大いに役に立った。残念ながら、Federico は出版計画を完成させることなく世を去った。

●本書に登場する数学者の一部の伝記は、*Dictionary of Scientific Biography* (ed. C.C. Gillespie), Scribner's, New York, 1970-1990 や、同書からの抜粋を四巻にまとめた

Biographical Dictionary of Mathematicians (1991) を参照されたい。数学全般の歴史書としては、Dirk J. Struik, *A Concise History of Mathematics* (4th edn), Dover Publications, 1967 と、Victor J.Katz, *A History of Mathematics: An Introduction* (2nd edn), Addison-Wesley, 1998 をお勧めする。

用語集

太字で書かれている用語はすべて用語集に含まれている。

あ

アルキメデスの多面体：**準正多面体**を参照。

五つの城の問題：むかしインドに大きな国があり、国王には五人の王子がいた。王の死後、五人の王子で王国を分けて自分の領土に城を建て、それぞれが他の四人の城との間に道を造るとき、どの道も交差しないようにするにはどのように結べばよいか？

m－n則：**可約配置**を同定するのに役立つ経験則。

オイラーの公式：

トーラス上の地図に関するオイラーの公式：トーラス上に描かれた任意の地図について、

（国の数）－（境界線の数）＋（交点の数）＝0

という関係が成り立つ。一般に、h個の穴があいたトーラス上の任意の地図について、

（国の数）－（境界線の数）＋（交点の数）＝2－2h

という関係が成り立つ。

平面または球面上の地図に関するオイラーの公式：平面または球面上に描かれた任意の地図について、

（国の数）－（境界線の数）＋（交点の数）＝2

という関係が成り立つ。

オイラーの多面体公式：

オイラーの公式とも呼ばれる。任意の多面体について、

（面の数）－（辺の数）＋（頂点の数）＝2

という関係が成り立つ。

黄金比：$\frac{1}{2}(1+\sqrt{5})=1.618034\cdots\cdots$という数字。

か

外部領域：地図の主要部分の外側に広がる無限に広い平面。

ガスリーの問題：**四色問題**の別名。

数え上げの公式：**三枝地図**の中のk本の辺を持つ国の数をC_kとするとき、

$4C_2+3C_3+2C_4+C_5-C_7-2C_8-3C_9-\cdots\cdots=12$

という式が成り立つ。

可約配置：**最小反例**には含まれないような国々の配置。ある地図が可約配置を含んでいるとき、これを除いた残りの地図が四色で塗り分けられるなら、必要に応じて塗り直しをすることで、四色

の塗り分けを地図全体に拡張することができる。

還元障害：「区切られた三本足の国」、「四本足の国」、「ぶら下がりの五ー五ペア」と呼ばれる三つの配置。これを含む配置は可約配置ではないと考えられている。

帰納法：**数学的帰納法**を参照。

九辺国：地図中にある九本の辺を持つ国。

境界線：国境の一部。隣り合う二個の交点を結んでいる。

区切られた三本足の国：ヘーシュによる三つの**還元障害**の一つ。

国：地図中の一領域。

クラーケン：ノルウェーの伝説上の海の怪物。

グラフ：地図から得られる図形。国々を点で表し、隣り合う国々に対応する点どうしを線で結んだもの。地図を塗り分けることは、線で直接結ばれた二点が同じ文字にならないようにグラフ中の各点に文字を割り当てることに相当する。

ケンプ鎖：塗り分けられた地図の中の、二色だけで塗り分けられた国々からなる部分。こうした地図の一部で二色を交換することを「ケンプ鎖による色の入れ替え」と呼び、二色の入れ替えによってそれまで塗り分けられなかった地図を塗り分けられるようにする方法を「ケンプ鎖の方法」または「ケンプ鎖の論証」と呼ぶ。

交点：地図中の境界線や国々が会する点。

五色定理：五色あればどんな地図でも隣り合う国々が違う色になるように塗り分けられるという定理。

五人の王子の問題：むかしインドに大きな国があり、国王には五人の王子がいた。王の死後、五人の王子で王国を分け、どの王子の領土も他の四人の領土と境界線を共有できるようにするにはどのように分ければよいか？

五辺国：地図中にある五本の辺を持つ国。

さ

最小反例：四色（または任意の色数）では塗り分けられない地図の中で、これより少ない国からなる地図はどれも四色（または任意の色数）で塗り分けられるようなもの。

三枝多面体：各頂点でちょうど三個の面が会しているような多面体。

三枝地図：各交点でちょうど三本の境界線が会しているような地図。

三辺国：地図中にある三本の辺を持つ国。

C可約配置：何らかの変更を受けることではじめて可約性が証明されるような配置。

七辺国：地図中にある七本の辺を持つ国。

質的アプローチ：**四色問題**について言えば、ある種の地図がすべて四色で塗り分けられることを示すというやり方でこれを解こうとすること。

四辺国：地図中にある四本の辺を持つ国。

シマモトの馬蹄《ばてい》：そのD可約性が示されれば**四色定理**が証明されたことになると言われた、**環**《わ》**の大きさ**が一四の配置。

斜方切頭立方八面体：一二個の正方形、八個の正六角形、六個の正八角形に囲まれた**準正多面体**。

準正多面体：**アルキメデスの多面体**とも呼ばれる。すべての面が正多角形になっている多面体。すべての面が同じ種類の正多角形である必要はないが、すべての頂点でこれらが同じ状態に並んでいなければならない。

数学的帰納法：数学的証明法の一つ。地図に関して言うならば、n個の国からなる地図についてある命題が成立するなら、n＋1個の国からなる地図についてもそれが成立すると証明することにより、その命題がすべての地図について成立することを証明する方法。

正四面体：四個の正三角形に囲まれた正多面体。

正一二面体：一二個の正五角形に囲まれた正多面体。

正多面体：**プラトン立体**とも呼ばれる。すべての面が同じ種類の正多角形からなり、すべての頂点でこれらが同じ状態に並んでいるような多面体。正四面体、正六面体、正八面体、正一二面体、正二〇面体の五種類しかない。

正二〇面体：二〇個の正三角形に囲まれた正多面体。

正八面体：八個の正三角形に囲まれた正多面体。

正六面体：六個の正方形に囲まれた正多面体。

切頭二〇面体：一二個の正五角形と二〇個の正六角形に囲まれた**準正多面体**。

切頭八面体：六個の正方形と八個の正六角形に囲まれた**準正多面体**。

染色多項式：任意の数の色を用いて地図を塗り分ける方法を表す式。λ種類の色があるとき、塗り分けの方法はλの**多項式**として表される。

た

多項式：変数の累乗を含む複数の項からなる式。λを変数とする
$\lambda^4 - 5\lambda^3 + 8\lambda^2 - 4\lambda$
という式など。

多面体：複数の平面に囲まれた立体。

地図：境界線で隔てられた国々や領域の集まり。

頂点（多面体の）：多面体の角。

地理学的に良い配置：ヘーシュの**還元障害**の中の最初の二つを含まないような配置。

D可約配置：周りを取り囲む環をなす国々の塗り分けがすべて**良い塗り分け**になるような配置、または、**ケンプ鎖**による色の入れ替えを一回以上行うことによって「良い塗り分け」に変換できるような配置。

帝国問題：一つの「母国」と、母国と同じ色で塗らなければならない一つ以上の「植民地」からなる帝国を含む地図を塗り分ける問題。

隣り合う国々（領域）：二つの国々または領域が一本の境界線を共有していること。

トーラス：一個の穴があいた環状の表面。

h個の穴があいたトーラス：h個の穴があいた環状の表面。

な

七色定理（トーラス上の地図に関する）：最大でも七色あればトーラス上に描かれたどんな地図でも隣り合う国々が違う色になるように塗り分けられ、また、塗り分けに七色を必要とするトーラス上の地図が存在するという定理。

二〇点解析：ある方程式を満たす記号からなる代数系。ハミルトンによって考案された。

二〇点ゲーム：一二面体の上の**ハミルトン閉路**をたどるゲーム。

二辺国：地図中にある二本の辺を持つ国。

は

配置：地図中の国々を結んだ集まり。

バーコフのダイヤモンド：隣り合う四個の**五辺国**が六個の国からなる環に囲まれている配置。

八辺国：地図中にある八本の辺を持つ国。

バッキーボール：正五角形と正六角形の面からなる多面体分子。

馬蹄：**シマモトの馬蹄**を参照。

ハミルトン閉路：一つの図形の上にある線の連なり。すべての点をちょうど一度ずつ通り、出発点に戻ってくる。

不可避集合（配置の）：その中の少なくとも一つがすべての地図に現れるような配置の集合。最も簡単な例は、一個の二辺国、三辺国、四辺国、五辺国からなる。

ぶら下がりの五－五ペア：ヘーシュによる三つの**還元障害**の一つ。

プラトン立体：**正多面体**を参照。

ヘイウッドの予想：任意の正の数hについて、h個の穴があいているトーラスの表面には、塗り分けに

$H(h)=[\frac{1}{2}(7+\sqrt{1+48h})]$

色を要する地図が存在するという予想。リンゲルとヤングスによって証明された。

ヘイウッド数：ヘイウッドの予想に関する

$H(h)=[\frac{1}{2}(7+\sqrt{1+48h})]$

という数字。

閉路：一つの図形の上にある線の連なり。どの点もただ一度だけ通って、出発点に戻ってくる。

ペテルセン・グラフ：一〇個の点と一五本の線からなる図形で、**ハミルトン閉路**を持たない。多面体に由来するものではない。

辺（多面体の）：多面体を構成する二つの面が会する線分。

ポアンカレの予想：四次元空間の球に関する問題。

放電法：ある配置の集合が**不可避集合**であることを証明する方法。k本の辺を持つ国に6－kの「電荷」を割り当て、総電荷が変わらないように地図中で電荷を移動させる。

ま

結び目問題：三次元で絡《から》まっているひもに結び目があるかどうかを判定する問題。

面（多面体の）：多面体を構成する平面。

や

良い塗り分け：環をなす国々の塗り分けのうち、環の内側の国々の塗り分けに直接拡張できるようなもの。

四色あれば足りる：**四色定理**の主張。

四色定理：四色あれば、平面上に描かれたどんな地図でも隣り合う国々が違う色になるように塗り分けられるという定理。

四色問題：

球面上の四色問題：最大でも四色あれば、球面上に描かれたどんな地図でも隣り合う国々が違う色になるように塗り分けられるのかという問題。

平面上の四色問題：最大でも四色あれば、平面上に描かれたどんな地図でも隣り合う国々が違う色になるように塗り分けられるのかという問題。

四色問題の有限化：**四色問題**の証明を、有限の個数の配置の考察に還元すること。

四本足の国：ヘーシュによる三つの**還元障害**の一つ。

ら

立体射影：平面の上に球が載っているときに、球の「北極」から平面への射影により、球面上の地図を平面上の地図に対応させること。

立方八面体：八個の正三角形と六個の正方形の面を持つ**準正多面体**。

領域：地図中の国や州を表す一般的な用語。

量的アプローチ：**四色問題**について言えば、任意の数の色を用いて地図を塗り分ける方法が何通りあるかを調べるというやり方でこれを解こうとすること。

「隣国は五つだけ」定理：どんな地図にも、五個以下の隣国しか持たない国が少なくとも一つ含まれているという定理。

「隣国は六つだけ」定理（トーラス上の地図に関する）：トーラス上のどんな地図にも、六個以下の隣国しか持たない国が少なくとも一つ含まれているという定理。

六色定理：六色あればどんな地図でも隣り合う国々が違う色になるように塗り分けられるという定理。

わ

六辺国：地図中にある六本の辺を持つ国。

環をなす国々：任意の配置を取り囲む国々。ｋ個の国々が環をなしているとき、その配置は「ｋ個の国からなる環に取り囲まれている」と言われる。

環の大きさ：任意の配置を取り囲む国々の個数。ｋ個の国々が周囲を取り囲んでいるとき、この配置の環の大きさはｋになる。

四色問題年表

一七五〇年　レオンハルト・オイラーが、クリスチャン・ゴールドバッハへの手紙の中で多面体の公式に言及したが、証明はできなかった（一一月一四日）。

一七九四年　アドリアン＝マリー・ルジャンドルが多面体公式の最初の正しい証明を与える。

一八一一―一三年　シモン＝アントワーヌ＝ジャン・リュイリエがトンネルのある多面体に関する多面体公式を導き、オーギュスタン＝ルイ・コーシーが平面上に射影された多面体についてこの公式を証明する。

一八四〇年頃　アウグスト・フェルディナント・メビウスが五人の王子の問題を学生に出題する。

一八五二年　フランシス・ガスリーが、イングランドの地図を塗り分けるには四色あれば足りることを発見する。
オーガスタス・ド・モルガンがウィリアム・ローワン・ハミルトン卿《きょう》に四色問題についての手紙を書く（一〇月二三日）。

一八五三／五四年　ド・モルガンがウィリアム・ヒューエルとロバート・エリスに四色問題についての手紙を書く。

一八五五年　トーマス・ペニントン・カークマンが多面体の上の閉路について研究する。

一八五六年　ウィリアム・ローワン・ハミルトン卿が二〇点解析について概説し、これを一二面体の上の閉路と結びつける。

一八六〇年　ド・モルガンが『アシニーアム』に寄稿した書評の中で、四色問題がはじめて印刷物の上に登場する（四月一四日）。

一八六八年頃　チャールズ・サンダーズ・パースがアメリカのハーヴァード大学にて四色問題の解を発表する。

一八七八年　アーサー・ケイリーがロンドン数学会の会合にて四色問題について質問する（六月一三日）。

一八七九年　アーサー・ケイリーが、四色問題を解くためには三枝地図を考えれば十分であることを示す解説を執筆する。

アルフレッド・ブレイ・ケンプが四色定理の証明に挑み、その結果を『アメリカ数学ジャーナル』に発表する。ボルチモアのジョンズ・ホプキンズ大学で開かれた科学者の会合にて、この証明が議論される。

一八八〇年　ピーター・ガスリー・テイトが、四色による地図の塗り分けが三色による境界線の塗り分けに相当することを証明し、すべての三枝多面体がハミルトン閉路を持つという予想を発表する。

フレデリック・ガスリーが、四色問題を提唱したのが自分の兄のフランシスであることを明らかにする。

一八八五年　ライプツィヒのリヒャルト・バルツァーが四色問題と五人の王子の問題とを混同する。

一八八六年　クリフトン校のチャレンジ問題として四色問題が出題される。

一八八九年　ロンドン主教のフレデリック・テンプルが四色問題と五人の王子の問題とを混同する。

一八九〇年　パーシー・ヘイウッドがケンプの証明の間違いを指摘し、五色定理を証明し、帝国を含む地図やトーラス上の地図にまで四色問題を拡張しようとする。彼は、トーラス上に描かれた地図がどれも七色で塗り分けられることを証明し、塗り分けに七色を要する地図を作成することにも成功したが、二個以上の穴があいたトーラスについては、色の数を表す公式は正しく予想できたものの、それだけの色を必要とする地図の存在を証明することはできなかった。

一八九一年　ロタール・ヘフターが二個以上の穴のあいたトーラスに関するヘイウッドの論証に不備があることを指摘する。

一八九八年　ヘイウッドが第二の論文を執筆し、地図の境界線を塗り分けることに関するテイトのアイディアを拡張する。

一九〇四年　パウル・ヴェルニッケが配置の不可避集合を一つ作成する。

一九一二年　ジョージ・バーコフが染色多項式の概念を考案する。

一九一三年　バーコフが可約配置の研究に着手し、特に、「バーコフのダイヤモンド」が可約であることを証明する。

一九二二年　フィリップ・フランクリンがいくつかの新しい配置の不可避集合を作成して、二五個以下の国からなるすべての地図の塗り分けが四色で足りることを証明する。

一九二六年　クラレンス・レイノルズが二七個以下の国からなる地図にまでフランクリンの結果を拡張する。

一九三〇―三二年　ジョージ・バーコフとハスラー・ホイットニーが染色多項式に関するさらなる知見を得る。

一九三五年頃　ハインリヒ・ヘーシュが四色問題に興味を持ちはじめる。

一九三八年　フランクリンが、三一個以下の国からなるすべての地図の塗り分けが四色で足りることを証明する。

一九四〇年　C・E・ウィンが三五個以下の国からなる地図にまでフランクリンの結果を拡張する。

　アンリ・ルベーグがいくつかの新しい配置の不可避集合を作成する。

一九四六年　ジョージ・バーコフとD・C・ルイスの染色多項式に関する長大な論文が発表される。

　ビル・トゥットがハミルトン閉路を持たない三枝多面体を発見して、一八八〇年のテイトの予想が間違っていることを証明する。

一九四八年頃　ハインリヒ・ヘーシュが可約配置の不可避集合を探すことを提案する。

一九六〇年代　エドワード・F・ムーアが、可約配置の不可避集合が複雑でなければならないこと、特に、環《わ》の大きさが一二以上の配置を少なくとも一個は含んでいなければならないことを示す。

一九六五年頃　ハインリヒ・ヘーシュとカール・デュレがコンピュータを利用して配置の可約性を調べる。

一九六七年　オイステイン・オアが四色問題に関する最初の著書を出版する。

一九六八年　オイステイン・オアとジョエル・ステンプルが、四〇個以下の国からなる地図の塗り分けが四色で足りることを証明する。

ゲルハルト・リンゲルとテッド・ヤングスが、一二個以上の穴があいたトーラス上の地図の塗り分けに関するヘイウッドの予想を証明する。

一九六九年　ハインリヒ・ヘーシュが四色問題に関する著書を出版する。ここではじめて放電法が説明され、D可約とC可約の概念が紹介された。

一九七〇年頃　ハインリヒ・ヘーシュとヴォルフガング・ハーケンとが四色問題の共同研究をはじめる。

一九七一年　ヘーシュが三つの還元障害を作成する。

ヨシオ・シマモトが馬蹄《ばてい》配置を作成するが、後に、D可約ではないことが明らかになる。

一九七二年　ケネス・アッペルがヴォルフガング・ハーケンとの共同研究をはじめる。

一九七四年　アッペルとハーケンの研究にジョン・コッホが加わる。

一九七五年　マーティン・ガードナーがエイプリル・フールの冗談として四色問題の反例を

一九七六年　捏造《ねつぞう》して『サイエンティフィック・アメリカン』のコラムに掲載する。

一九七七年　ケネス・アッペルとヴォルフガング・ハーケンが、一九三六個の可約配置の不可避集合の構築にもとづく四色定理の証明を公式に発表する（七月二二日）。ケネス・アッペル、ヴォルフガング・ハーケン、ジョン・コッホが、一四八二個の可約配置の不可避集合の構築にもとづく四色定理の証明を『イリノイ数学ジャーナル』に発表する。

一九七九年　T・L・サーティーとポール・カイネンが四色問題に関する著書を出版する。トーマス・ティモツコがアッペルとハーケンによる四色定理の証明を批判する哲学論文を発表する。

一九八一年　ウルリヒ・シュミットがアッペルとハーケンの証明に間違いがあることを発見し、すぐに訂正される。

一九八四年　ブラッド・ジャクソンとゲルハルト・リンゲルが、ヘイウッドの帝国問題を一般的な場合について解く。

一九八六年　アッペルとハーケンが、みずからの方法を説明し、証明につきまとう噂《うわさ》に反論する論文を発表する。

一九八九年　アッペルとハーケンが、みずからの証明の拡張版を『すべての平面地図は四色で塗り分けられる』という本として発表する。

一九九四年　ニール・ロバートソン、ダニエル・サンダーズ、ポール・シーモア、ロビン・トーマスが、四色定理の解を改良する。彼らは、基本的にはアッペルとハーケンの方法を踏襲しつつ、証明の両方の部分にコンピュータを利用して、六三三個の可約配置からなる不可避集合を生成した。

訳者あとがき――数学に触れて、癒《いや》される

ここ数年、数学が何やらブームの兆《きざ》しを見せている。『フェルマーの最終定理』や、『ブラック・ショールズ方程式』といった、難解な高等数学に関する本がそれなりの売れ行きを見せ、数学者をモデルにした映画もヒットしている。パズルブームは息が長いし、脳を鍛える手段として、数学のドリルをやることに対する一般の関心も高まっている。

このような数学に対する関心の高まりの背景には、数学的なセンスが学問としてだけでなく、実際的な場面で要求される時代の流れがある。金融工学や、インターネット技術などの核心をつかむためには、数学の知識、センスが欠かせない。以前は、数学者といえば世間の実際的なことには関心を持たない、夢想家のイメージだった。今や、抽象数学は時として莫大《ばくだい》な富を生み出す。暗号技術や、検索技術など、デジタル情報を安全、確実、効率的に扱うための数学は、欠かすことのできない社会的インフ

ラの一部になっている。数学者は、浮世離れした夢想家どころか、運さえよければスポーツ選手やポップス歌手と同じような富を手にできるスター予備軍になったのである。人々の数学に対する関心の高まりの背後には、どうやらそのような現世のご利益《りやく》に対する嗅覚《きゅうかく》があるようだ。

その一方で、忙しい現代人にとって、本書のような純粋な数学の本を読むことには、市場経済の中の競争とは無関係な独特の「癒し」効果があるようだ。数学を読んで、魂が癒される。本書を丹念に読んだ方には、誰でもその効果が実感できるのではないか。

地図を塗り分けるには四色で十分かどうか？　筆者も書いているように、地図作りの本職でさえ気にかけないような浮世離れした問いである。しかし、その浮世離れした問いに、数学者が意地と名誉を賭《か》ける。次々と、奇妙な手法を繰り出して、必死になって問題を解こうとする。C可約、D可約、不可避集合、放電法……。四色問題に興味がない人にとっては、何のことだか判《わか》らないし判りたくもないような概念が次々と提案される。やがて、緻密《ちみつ》な概念の建築物が出来上がって行き、ついには達成の瞬間がくる。このような、世間の慌《あわ》ただしい動きとは離れた精神の砦《とりで》で行われる数学者の営みには、まるで観葉植物の成長を見ているような癒しの効果がある。

現代人は皆忙しい。常にメールやウェブを通して情報を収集し、世の中の動きに目を配っていないと取り残される。事実がそうであるかどうかに関わらず、そう思っている。そんな中、時には、世の中のことには関係のない小さな世界に閉じこもりたい。繭《コクーン》の中で、目を閉じて夢想したい。そんな切実な欲求がある。

その欲求を満たすのに、数学の本ほど適したものはない。むろん、ファンタジーの本を読んで籠《こも》りたいという人もいるだろう。しかし、ファンタジーの質と広がりならば、数学だって負けてはいない。数学は、太古から変わらない姿でそびえ立つ魔法の王国である。その所在に人類が気付くはるか以前から、その魔法の王国では四色問題が存在し、解答も与えられていた。人類は、ただ、その不思議の国をつたない足取りで歩き、旅する探検者にすぎない。四色問題を手がかりに、数学という永遠の「プラトン的世界」を旅する人々の物語は、この上なく奥深い味わいのあるファンタジーでもあるのである。

数学は永遠である。しかし、数学者といえども、時代の条件から完全に独立して活動しているわけではない。四色問題の解決は、その証明の根幹の部分にコンピュータを用いるという、前代未聞《みもん》の形でなされた。この証明法が数学者の間に巻き起こした困惑と論争は、本書にも記されている通りである。シンプルに本質が摑《つか》めることこそが醍醐味《だいごみ》であるという数学者の美意識は、おそらくこれからも変わらないだろう。その一方で、数学者のプラトン的世界に、これから徐々にコンピュータが侵入して行くであろうことも、また事実である。科学は、すでにコンピュータによるデータ解析、モデルのシミュレーションなしでは成り立たなくなっている。

数学の変質は、実は私たち自身の変貌《へんぼう》の鏡でもある。私たちは、次第に、魂の奥まで侵入してくるコンピュータ、デジタル情報のネットワークに支えられて生きざるを得なくなってきている。果たして数学の未来と私たちの運命は重なるのか？　十年後、私たちにとっての美や真実はどんな姿をしているのだろう？　本書は純粋に数学に関する本であるが、その底流には、現代社会における人間の本質に対する鋭い批評性が潜んでいるのである。

本書の刊行に当たっては、翻訳家の北村拓哉さんに下訳をお願いし、その上で私が訳文を詰めるという形をとった。難しい数学を扱っている割には読みやすい本になったのも、北村さんの努力に負うところが多い。また、新潮社の北本壮さんには、数式や図の多い本書の面倒な編集作業で、一方ならぬお世話になった。ここに、北村さんと北本さんに心からの感謝を捧《ささ》げる。

二〇〇四年一一月

茂木健一郎

解説

竹内薫

文庫本を読むとき、なぜか解説を先に読む人が多いという。だから、この解説も、これからこの本に「挑戦」しよう、という読者を念頭に置いて書くことにした。すでに本を読んでしまった人には、一部、話のくりかえしになるかもしれないが、どうか、あしからず。

●クレヨンで数学を

娘が三歳なので、ウチには一杯(折れた)クレヨンがある。この本の解説を書かせてもらうことになり、久しぶりに塗り絵をやってみた。いい歳《とし》して、子供の塗り絵なんぞやりながら、僕は、改めてこの問題の難しさを実感した。

「四色問題」とは「地図を塗るのに最低何色あればいいか」という問題だ。一見単純なように見えて、実は、奥が深い(数学の問題は、単純であればあるほど、証明が難しい難問であることが多い！）。

数学用語としての「地図」という言葉は、「あらゆる種類の一般的な地図」という意味をもっていて、現実の地図である必要はない。難しくいうと「グラフ理論」という分野の問題なのだ。

で、「四色問題」とは、ようするに、将来、戦争や政変などによって、世界地図がどのように塗り替えられようとも、その地図を塗り分けるのに何本のクレヨンが必要になるか、という問題である。

興味深いことに、実際に地図を製作している人々は、ほとんど、数学的な意味での「四色問題」など意識していないのだそうだ。あくまでも純粋数学の問題なのである。

ええと、いま「問題」と言ってしまったが、正確には「四色定理」と言うべきかもしれない。なぜなら、数学の問題は、未解決のうちは「問題」とか「予想」と呼ぶが、いったん解決されれば「定理」に昇格するからだ。しかし、四色問題は、あまりに「問題」であった時期が長かったせいで、いまだに定理ではなく「問題」と呼ぶ人が多い。それほどの難問だった、と言う見方もできる。

●本書の二本柱

ところで、本書は、単なる理系向けの数学書ではない。

この本には二本の大きな柱がある。

一本目は、数式を交えた四色問題の数学的な解説。二本目は、四色問題に挑戦し、挫折《ざせつ》して行った多くの数学者たちの「夢」の歴史——。

たとえば、

F－E＋V＝2

という「オイラーの公式」（Fは面、Eは辺、Vは頂点の数）が出てくるかと思えば、

「この定理はまだ証明されていないが、その理由は、挑戦したのが三流数学者ばかりであるからだ」

という刺激的な言葉に遭遇する。これは、公衆の面前で四色問題の証明に取りかかったミンコフスキーという大学者が、数週間も格闘したあと、

「わたしの四色定理の証明も間違っていた」

と尻尾《しっぽ》を巻いて退散した話なのだ。

こんな逸話もある。

パーシー・ジョン・ヘイウッドという数学者はクリスマスの日にしか時計を合わせなかったそうだ。なぜか?

時計が狂うペースを心得ていた彼は、時刻を知る必要があるときには、いちいち暗算をしていたのである。伝えられているところによると、あるとき同僚に時刻を尋ねられた彼は、「この時計は、二時間進んでいるのではなくて、一〇時間遅れているのだ」と答えたという。

面白い、実に面白い。キッカイな数学者たちのキテレツな性癖。もう落語顔負けの痛快さだ。

本の終盤になると、最終的に四色問題を解いたヴォルフガング・ハーケンとケネス・アッペルの最後の格闘やライバルたちとの競争が綴《つづ》られる。ハーケンとアッペル